PRINCE POLONIA

MAX
CEGIELSKI
PRINCE POLONIA

MARGINESY

Chcieliśmy rozumieć świat i nasze w nim losy w kategoriach racjonalnych konieczności i nie chcieliśmy już więcej uczestniczyć w tajemniczym dramacie, którego sens zapisany jest w niebie. Myślę, że podobne pragnienia wygnały Conrada z mrocznej sceny narodowego misterium. Wymarzona w młodości morska przygoda była tylko malowniczą winietą. Przygodą i większą, i prawdziwszą miało stać się zaznanie świata nieskażonego wzniosłym kalectwem. Bo jak inaczej wytłumaczyć sobie graniczącą z kultem fascynację rzeczowością, solidnością, skutecznością działania?

Jan Józef Szczepański, *W służbie Wielkiego Armatora*,
w: *Przed nieznanym trybunałem*

I. Indie 1987

Fantasy,
Fantasy.
I can't wait forever, take me to the life.

Danuta Lato, *Touch My Heart*

Check in: Odkrycie Indii

– *Mister, taxi?* Polska? *Vodka?* Witaj India! – mówiło naraz kilkanaście głosów.

Faceci pchali się, poszturchiwali, napierali na Radosława. Usiłował nie patrzeć na ich twarze, utkwił wzrok w ziemi. Popękany, nierówny asfalt pokrywały krwawe czerwone plamy, ślina, niedopałki, łupiny egzotycznych owoców, które widywał w supermarketach Berlina Zachodniego i na targach Stambułu. Śmierdziało, a dźwięki i obrazy atakowały równie intensywnie jak zapachy i ludzie. Chciał odsunąć się od brązowych, obcych ciał, ale potknął się o stos łupin orzechów kokosowych. Wydawało mu się, że piętrzą się jak czaszki ludzi składanych w ofierze czarnej bogini Kali. Kokosy widział wcześniej tylko na opakowaniach puszek, uważał je za symbol egzotycznego luksusu, ale tutaj wyglądały groźnie, wręcz ohydnie.

Podniósł wzrok wyżej. Otaczały go rozpięte koszule, brunatne włochate torsy, na szyjach wisiały nie złote łańcuchy, lecz tajemnicze ozdoby. Wyżej ciemne twarze, białe zęby, rozdęte nozdrza, wąsy i turbany, chusty zawinięte na głowach. Za ramię złapała go duża, brązowa, silna dłoń, jej właściciel miał na przegubie czerwoną nić, a na czole wymazaną szkarłatną kreskę. Uśmiechał się szeroko, ukazując uzębienie zbryzgane krwią, usta wypełnione rubinowym sokiem.

– *Mister* Polska? Tania taxi, miasto. Tania hotel. *Good hotel.*

To nie był pan Abbas, witający Wilmowskiego na pierwszych stronach *Tomka na tropach Yeti*, głos nie zwracał się uprzejmie do „szlachetnego sahiba". Gadał polsko-angielskim slangiem szarej strefy. Radosław chciał uciec, wyszarpnąć rękę i odepchnąć faceta, ale poczuł się zbyt zmęczony i skacowany, każdy ruch ciała w indyjskim powietrzu trwał dwa razy dłużej niż w Polsce. Nie potrafił zmusić nóg do szybkich kroków, szczelnie oblepiali go ludzie, egzotyczne wonie z ich ust oraz wilgoć Indii, a plecak bardzo mu ciążył.

Usłyszał głos Jana przebijający się przez zamęt.

– *No, no. Niet, thank you, spasiba, dankeszen. No, no* – trajkotał jego wspólnik w różnych językach.

Delikatnie, lecz stanowczo odsuwał od Radka taksiarzy, kierowców, pośredników, cinkciarzy, cwaniaków, oszustów i zwykłych ciekawskich. Ramieniem zagarnął kolegę i wyciągnął go z tłumu natrętów, przestawił parę metrów dalej, prosto pod rozklekotany autobus. Radek oparł się o maszynę, ale natychmiast odskoczył, oparzony rozgrzaną blachą. Zdjął plecak i przysiadł w kucki, ciężko oddychając. Odgarnął na boki długie, lekko kręcone blond włosy klejące się od potu. Postanowił, że od tej pory będzie je spinał w kucyk.

Na jego łagodnej twarzy malował się strach, jasna cera pokryła się czerwonymi plamami, niebieskie oczy zaszły mgłą. Za to Janowi dopisywał humor. Karnacja tylko trochę jaśniejsza niż u Hindusów i krótkie czarne włosy powodowały, że mógł od biedy uchodzić za miejscowego. Stał w lekkim rozkroku. Podekscytowany lądowaniem na obcej planecie rozglądał się i komentował z uśmiechem:

– W pale się nie mieści, co? Kurwa, Indie pełną gębą!

– Pełną krwi?

– Żują coś, co barwi na czerwono. Ciekawe co to. Niezły pierdolnik.

– Strasznie się pchają. Widocznie taka kultura.

– Zgadza się. Co kraj, to obyczaj, ale jak Szwed schodzi z promu w Świnoujściu, to tak samo, nie?

– Przesadzasz, u nas tak nie ma.

– Tu więcej ludzi, to i tłok większy. Statystyka tak działa, wiadomo.

– Tym złomem jedziemy? – Radek zmienił temat. Było mu głupio, że pierwsze zderzenie z indyjską ulicą nie wypadło zbyt dobrze. Chciał pokazać, że w upale i zamieszaniu potrafi dyskutować na zimno o środkach transportu.

– To oficjalny bus z hotelu Relax – z dumą poinformował go partner i rąbnął pięścią w brudną, pogiętą blachę.

– *Yes, yes*, Relax! Polska hotel – potwierdził umorusany hinduski chłopak stojący obok, równie chudy jak Radek, ale niższy co najmniej o dwie głowy.

Pomagier kierowcy naganiający pasażerów strzyknął czerwienią na ziemię i podreptał w stronę wyjścia z terminalu lotniska. Ze środka wynurzyła się ostatnia grupa Polaków, zatrzymana wcześniej na kontroli celnej. Rozglądali się nerwowo. Lider bandy poprowadził ich do autobusu. Spokojnie zrzucił plecak i zapalił, głęboko zaciągnął się dymem. Spojrzał na chłopaków.

– Do Kocia?

– Jasne – odrzekł pewnie Jan, choć Radek pamiętał, że w notatkach nie mieli żadnego Kocia, tylko hotel Relax.

Gruby Polak w czerwonym dresie Polsportu i czapeczce pod kolor szybko przejrzał ich na wylot.

– Pierwszy raz, co?

– No... tak, ale wiemy, że do Relaxu. To jest ich bus. – Radek próbował udowodnić, że świetnie odnajduje się na obcej ziemi.

– Nie pożałujecie. Marek jestem. – Mężczyzna wyciągnął łapsko, przywitali się. – A wy skąd?

– Szczecin!

– Ja ze stolicy. Przesrane z tymi nowicjuszami. – Wskazał na podopiecznych, nadal stojących z plecakami na ramionach. – Zrzućcie już te mandżury! – polecił im. – Zupełnie zieloni. Guzdrali się strasznie i wyhaczył nas celnik. Obora, nie ma co... Trzeba będzie wywozić ten gówniany depozyt do Nepalu i wracać... – Pyknął dopalonego papierosa przed siebie, nawet nie rozglądając się za koszem, pet wylądował pomiędzy innymi śmieciami na ziemi. – Widzę, że wy nowi w Indiach, ale ogólnie już zaprawieni w bojach, co? Pogadamy jeszcze!

Zabrał się do ogarniania swojej grupki, niepewnej, czy naprawdę ma wsiąść do zdezelowanego autobusu.

Brakowało szyb, przez dziury w oknach wpadały spaliny i gęsty mrok tropików. Przez całą długą drogę z lotniska obserwowali, jak wstaje świt, głęboka węglowa czerń zamienia się w popielatą maź, ołowianą szarą mgłę. Im jaśniej, tym bardziej gorąco. Kiedy wjechali w wąskie uliczki centrum Delhi, widzieli już wyraźnie ruiny domów i namioty, chatki z odpadów i płacht zużytego materiału. Zniszczone, wypłowiałe napisy i nowe kolorowe szyldy zachodzące na stare tworzyły mozaikę znaków i kolejnych warstw. Na trotuarach dopalały się ogniska, resztki żaru rzucały nikły poblask na skulone sylwetki. Bezdomni spali na asfalcie, zawinięci w pozbawione barw szmaty, ciało przy ciele, jak ułożeni na taśmie w fabryce. Leżeli nogami w stronę samochodów, a głowami ku płotom i budynkom, żeby wykorzystać jak najwięcej miejsca, ale zagrożeni utratą stóp. Szare święte krowy brodziły majestatycznie w śmieciach i żarły odpady, więc Radek postanowił, że w Indiach nigdy nie napije się mleka. Trzymał mocno bagaż, zestrachany, że na jednym z zakrętów plecak się przewróci i pękną cenne kryształy.

Metalowy stelaż plecaka zaczął go uwierać już po paru krokach na obczyźnie, zdawał się ważyć dużo więcej niż nad Odrą, plastik gryzł skórę drażnioną upałem i wilgocią. Polskie Linie Lotnicze LOT, tak jak pozostali tani przewoźnicy z obozu socjalistycznego, musiały ciąć koszty, więc samolot wylądował w New Delhi w środku nocy. Chłopakom ze Szczecina i tak wydawało się, że prosto z klimatyzowanego pokładu skaczą na główkę w gorącą, lepką zupę, zanurzają się w rozgrzanej, wybuchowej mieszance malarycznego powietrza.

Znali kursy walut, w tym byli najlepsi. Latem 1987 roku dolar kosztował ponad tysiąc sto złotych, prawie dwa razy więcej niż w 1985 roku, kurs cały czas szedł w górę. W Indiach wart był około trzynastu rupii. Nie mieli pojęcia, co można kupić za trzynaście rupii, jeszcze nawet nie widzieli lokalnej waluty na własne oczy. Nie zdążyli nic przeczytać o tym wielkim kraju. Nie przyszło im do głowy, żeby studiować obyczaje, historię i kulturę subkontynentu. Schodząc po trapie, Radek intuicyjnie poczuł, że wreszcie znalazł się wystarczająco daleko od domu, w nowym, wspaniałym świecie.

Przed wyjazdem przejrzał maszynopis o jodze, który matka przyniosła z zajęć w Towarzystwie Przyjaźni Polsko-Indyjskiej. Z biblioteki wypożyczyła dla niego egzemplarz *Historii Indii*, ale przekartkowanie opasłego, nudnego tomu w żaden sposób nie przygotowało chłopaka na szok klimatyczny. Czuł się wciąż pijany po wyborowej, „Number 1 from Poland", i mieszaniu wódki z eksportowym *full light* Żywiec *beer*. Niedostępne w polskich sklepach puszkowane piwo roznosiły słowiańskie stewardesy w grantowo-białych mundurkach. Na płycie lotniska zataczał się, oszołomiony alkoholem, długim lotem, temperaturą i świadomością, że dotarł aż do Azji, jak wielcy odkrywcy z poprzednich epok. Miał nadzieję, że właśnie w tym momencie zaczyna prawdziwe życie, że od lądowania akcja przyspieszy jak po naciśnięciu guzika przewijania z podglądem w wideoplayerze. Zacznie się pasjonujący film i wszystko się zmieni. Nie był tylko pewien, czy zagra w kryminale, thrillerze, czarnej komedii, a może filmie akcji z elementami karate? W głębi duszy marzył o romantycznym melodramacie z sobą i Magdą w rolach głównych.

Grzechoczący „Relax Official Bus" rozjeżdżał odchody zwierząt i muskał stopy ludzi nocujących na asfalcie. Za bezdomnymi stały stragany na kółkach przykryte brezentowymi narzutami i rowerowe riksze, ich właściciele spali na miejscu dla pasażera, z nogami wyciągniętymi na kierownicy, zawinięci szczelnie w derki, jak trupy do spalenia. Kobieta niosła na głowie metalowy dzban pełen wody; pod ścianą wypróżniało się dziecko. Na skrzyżowaniach ziewali i drapali się policjanci z długimi bambusowymi pałami, obok parkowały żółto-czarne taksówki. Samochody marki Ambasador miały zaokrąglone kształty, kojarzące się z warszawami i przedpotopową przeszłością.

– Janek, jak my tu mamy robić kokosowe interesy? Przecież oni są jeszcze biedniejsi od nas!

– I o to chodzi w tym temacie. Takie prawo rynku. Bogatszy zarabia na biedniejszym, bo jest bogatszy. Odwrotnie się nie da! – Jan też nie spał, przyglądał się Indiom z rosnącym zaciekawieniem.

– Ale w zasadzie to my nie jesteśmy bogaci.

– W porównaniu z nimi? Kurwa, jesteśmy! Z naszymi paroma dolarami na Zachodzie nie mamy szans, tutaj są więcej warte. W takim Paryżu nie jesteś dla nikogo partnerem do biznesu, a w Delhi owszem. Masz przewagę kapitałową na starcie, masz gotówkę na inwestycje. Pierwszego miliona nie zarobisz w Europie, to jest możliwe tylko tutaj. Ja ci to mówię, jestem z Akademii Ekonomicznej, nie?

Janowi zrzedła mina dopiero na bazarze Pahargandż, w hotelu Relax. Polecone im miejsce, mekka polskiego kapitalizmu na Wschodzie, oaza czekająca na zdrożonych kupców z plecakami Polsportu, okazała się betonowym piętrowym barakiem. Już w hallu zalatywało grzybem. W pokoju ciężko było przejść pomiędzy łóżkami, bagaż zajął całą wolną przestrzeń obok łazienki, w której pod cieknącym kranem stało brudne wiadro. Czerwone plamy, takie same jak na lotnisku, pokrywały pół ściany. Jan obiecał sobie, że rozwikła tajemnicę ich pochodzenia.

Chłopak z obsługi, umorusaniem nieustępujący naganiaczowi z autobusu, rzucił im tylko „Rano biznes" i zniknął. Opłukali twarze i położyli się na trzeszczących łóżkach. Radek bał się rozebrać, prześcieradło wyglądało na ciemniejsze niż świt za oknem. Słyszał wyraźnie, że w narożniku pokoju chroboce duży gryzoń.

Czuli, że zaczynają otaczać ich pluskwy, więc rozmawiali, żeby odpędzić myśli o robactwie. Wspominali, jak w kołującym nad Indiami samolocie zapanowała cisza. Uczestnicy zorganizowanych wycieczek handlowych skupili się na lęku o swoje towary.

– A ta gruba czterdziecha? Pamiętasz, ile whisky kupiła baba w Dubaju?

– Może tęga, a nie gruba? Ale wiozła ze dwadzieścia butelek Jasia Wędrowniczka! Miała niezłego pietra, to prawda – przyznał Radek.

„Fly, buy, Dubai" było ich pierwszym kontaktem ze Wschodem oraz korzystną przebitką na butelkach johnniego walkera. Podczas międzylądowania, koniecznego – jak twierdził LOT – ze względu na tankowanie, pasażerowie mieli wolną godzinę na zakupy w ogromnym Duty Free Shopping Center. W sam raz, żeby wyciągnąć uciułaną walutę i zapłacić niecałe cztery dolary za litr whisky. Jak głosiła fama, w Indiach sprzedadzą go za dwadzieścia dolarów.

W New Delhi trwała budowa hali nowego terminalu, więc drogę z samolotu po mrocznej płycie lotniska musieli pokonać na piechotę. Skierowano ich do starego budynku, gdzie powietrze usiłowały wymieszać dziesiątki lepkich od brudu wentylatorów, z ich skrzydeł zwisały pajęczyny. Mimo wszystko było tu chłodniej niż na zewnątrz. Odetchnęli i po kontroli paszportowej skierowali się spokojnym krokiem do wyjścia z napisem „Nothing to declare".

Paru hipisów z Zachodu zdecydowało się na tańszy lot przez Warszawę, żeby zaliczyć po drodze dodatkowe przygody w dzikim, komunistycznym kraju. Teraz rozglądali się niepewnie. Zadawali pytania obsłudze lotniska, nie wiedzieli, dokąd iść. Na *red line* do celników grzecznie ustawiali się tylko nieliczni Hindusi, wyglądający jak studenci medycyny lub politechniki w przerwie semestralnej, oraz polscy inżynierowie, którzy przylecieli na Wschód z misją budowania elektrowni i szybkiej modernizacji Trzeciego Świata. Do kontroli zgłosiło się też dwóch smutnych panów w ciężkich garniturach nieokreślonego koloru i czerwonych krawatach. Obok dżentelmen jak wycięty z socjalistycznego żurnala i towarzysząca mu elegancka blondynka machali do urzędników dyplomatycznymi paszportami i stanowczo domagali się specjalnego traktowania.

Janowi i Radkowi udało się wysforować na czoło peletonu zmierzającego prosto na zieloną. Jan często stosował tę taktykę: na granicach państwowych szedł na pierwszy ogień, w forpoczcie. Liczył na to, że celnicy dopiero po chwili zainteresują się pasażerami i skupią na maruderach, a przepuszczą przodownika handlowego Wyścigu Pokoju. Sprawiał wrażenie, że chce zaliczyć najwięcej etapów w żółtej koszulce lidera klasyfikacji indywidualnej. Miał to we krwi, a w przemytniczym fachu trzeba być pewnym siebie, nie wolno okazywać strachu, pracownicy kontroli na całym świecie wyczuwają emocje podróżnych. Radek tylko naśladował kolegę, więc załapywał się na podium w klasyfikacji drużynowej, ale w przeciwieństwie do Jana bał się, że zostanie złapany na ostatniej prostej.

Fortel udał się i tym razem. Hinduscy urzędnicy dobrze wiedzieli, o której godzinie lądują poszczególne samoloty, znali na pamięć trasy, przewoźników i towary przemycane ze wszystkich miejsc na świecie, ale dopiero budzili się z drzemek w fotelach, wracali z papierosów i herbatek. Młodzi Polacy wkrótce mieli się przekonać, że celników interesowały przede wszystkim loty z Singapuru; z Warszawy przywożono drobnicę, niewartą ich przesadnego zainteresowania. Zaledwie paru handlowych turystów z demoludów, maruderów zamykających peleton, zatrzymano do kontroli. Prezentowali teraz zawartość bagaży. Torby i walizy wrzucono do prześwietlenia w rozpadającym się heimanie.

Nowoczesna technologia, jeszcze nierozpowszechniona w Indiach, wykryła żelazka i lokówki z PRL-u oraz alkohol z Emiratów Arabskich. O te dobra ich właściciele wykłócali się z celnikami. Góralka z Zakopanego, z odkurzaczem w torbie, łzami skruszyła serca urzędników. Taksówkarz, który pierwszy raz ruszył w tak daleką trasę, miał uiścić ponad sto dolarów opłat celnych. Wściekał się na „brudasów" i żałował, że dał się namówić na tygodniową orbisowską wycieczkę do Azji. W myślach liczył, ile sto dolarów jest aktualnie warte u cinkciarzy pod gmachem Narodowego Banku Polskiego w Warszawie. Tęga, wręcz gruba jejmość z dwudziestoma butelkami whisky przeszła bokiem niezauważona. Cieszyła się, że po upłynnieniu alkoholu oraz zawartości walizki wypchanej aparatami fotograficznymi Zenit zwrócą się jej pieniądze wpłacone pół roku wcześniej do kasy państwowego przedsiębiorstwa turystycznego. Koszt wycieczki, równowartość dwuletnich dochodów przeciętnego obywatela PRL-u, nie pójdzie na marne. Jan zanotował w pamięci ważny szczegół: tylko frajerzy pozwalają sprawdzić swój bagaż w heimanie. Zauważył też kątem oka, że do celników i pechowego taksiarza ze stolicy podszedł pilot Orbisu, sprawnie opiekujący się swoją grupą, i nachylił się do ucha hinduskiego urzędnika. Po chwili debiutujący przemytnik z walizką elektrycznego sprzętu gospodarstwa domowego wsunął celnikowi do ręki zwitek banknotów i pomaszerował dalej, już uśmiechnięty i zadowolony. Pilot wycieczki na odchodne poklepał go po ramieniu. Członkowie spółki Szczecinex, wolni strzelcy, pozbawieni patronatu Orbisu, Almaturu czy choćby PTTK, wyszli natomiast bez przeszkód na zewnątrz. Całe hinduskie rodziny czekały tam na krewnych, synów, wnuków czy mężów wracających z egzotycznej, dalekiej, zamożnej Europy Wschodniej. Dwaj Polacy wygrali pierwsze starcie z Indiami.

W końcu zamilkli i słuchali tężejącego szumu ulicy. Delhi budziło się i rozkręcało, turkoty, dzwonki mieszały się ze śpiewami i krzykami ludzi, krzepły w ścianę codziennego indyjskiego jazgotu. Ciemne chmury wisiały nisko nad miastem, ciężko było wciągnąć powietrze do płuc. Głośno oddychali, pocili się obficie i powoli osuwali w wilgotne, ciepłe majaki senne.

Jedwabny szlak

Małe sprostowanie. *Welcome India*, ale Radek, otoczony tłumem facetów, popchnął jednego z namolnych taksiarzy. Kiedy ten padał, ktoś odruchowo szturchnął gościa w drugą stronę, więc spadł na Radka, a on, przestraszony, zaczął okładać drivera pięściami. Udało mi się błyskawicznie przedostać do kumpla, złapać go i odciągnąć, lecz po drodze wywróciliśmy jakiegoś gapia i zaczął się młyn. W końcu przybiegli policjanci i równo spałowali całe towarzystwo.

Staliśmy już wtedy z boku i udawaliśmy, że zadyma nas nie dotyczy. Trochę śmiesznie, trochę strasznie, bo mordobicie na początek to zły znak, ale wtedy tego nie rozumiałem.

Zła karma. Na bank.

Aha, poza tym w hotelu wcale nie było takiego syfu, ale ok, to rzecz względna. Na pewno Relax i Kumara trudno zapomnieć. Zresztą można pojechać na Pahargandż, wziąć pokój i zapoznać się osobiście. Dalej siedzi w recepcji, coraz grubszy, kręci tłustego wąsa. Wciąż próbuje grać amanta z Bollywood. Wrzeszczy na pracowników, a jednocześnie pali kadzidła pod posążkiem Kryszny. Dorobił się na nas, nie ma co. Teraz to normalny hotelik, może nie elegancki, ale w porządku. Powiedziałbym, że *upper level* w ramach *low budget*. Na piętrach kanapy z drewna tekowego, na stolikach mosiężne misy, na podłodze duże słonie z drewna, podróbka antyków. Jest miły balkon ze stolikami, a na dole sklepik z indyjskimi towarami. Wszystko lekko przytyrpane, najlepsze lata ma za sobą. Kiedy przyjechaliśmy, z ledwo co wybudowanego piętra wychodziło się na niewykończony dach. Tam, między słupami – Kumar już planował rozbudowę – suszyły się prześcieradła, a pod nimi robiliśmy balangi.

Szef był wtedy młodszy i szczuplejszy, jak my wszyscy, choć przy chudym Radziu robił wrażenie dobrze odżywionego. Wąsy nosił dłuższe i grubsze niż inni Hindusi, dlatego przezywano go Kocio. Trochę od imienia, a może dlatego, że był cwany jak koty? Łasił się i przymilał, ale chodził własnymi drogami. Autobus na lotnisko podstawiał za darmo, bo mu się to opłacało. Wtedy na Pahargandżu szefowie różnych *lodge*, tanich hotelików, konkurowali o klientów, nawet takich z Polski, a on dzięki *free transport* miał *full* pokoje i stałą dostawę towaru na handel.

Dziś opowiada łatwowiernym polskim reporterom, że przyjeżdżaliśmy ze zniewolonego, komunistycznego kraju, więc nas wspierał, ale to bajki. „Kombatanci, kombatanci, pojebani partyzanci". Kocio uśmiecha się dobrodusznie i gada – tym swoim fatalnym angielskim – że Polacy przywozili towary, żeby im się podróż zwróciła. Ściemnia na całego, że czasem kupował biedatowar, żeby nam pomóc, a to był jego mega-, megabiznes, konwergencja skupu i sprzedaży z hotelem. Dwa w jednym, nie dało się na tym stracić. Pojedyncze suszarki czy aparaty nie były wiele warte, ale każdy Polak przyjeżdżał z pełnym plecakiem, walizką, torbą – setki, tysiące Polaków, przez lata, i to był sprytny biznesplan.

Respect, wiesz?

W Indiach też panował komunizm, gorszy niż u nas, bo jak wydobyć z nędzy miliard ludzi? Z drugiej strony ich był lepszy, bo mieli więcej wolności. Ale towarów brakowało tak samo jak w PRL-u albo i bardziej. Dlatego całe to badziewie z demoludów schodziło na pniu. Rynek chłonął wszystko, jak w Polsce, tylko różnica była taka, że oni nie mieli żadnej własnej technologii, zero techniki i elektroniki, za to mieli materiały i krawców. Tania siła robocza. W Delhi od razu zobaczyłem, że przylecieliśmy z Drugiego Świata, tak się mówiło, a oni byli naprawdę w Trzecim, czyli w głębokiej, *sorry*, ciemnej dupie. Wyczucie mnie nie zawodziło. Gadając z chłopakami z Poznania i Bydgoszczy, wszystko skumałem. Zegarki z NRD, golarki z ZSRR, suszarki z Polski – był popyt, bo nikt na miejscu nie potrafił robić takich urządzeń ani dobrego kryształu, o magnetowidach nie wspominając. Teraz już wszystko potrafią, produkują może nie lepiej, ale na pewno taniej. Albo kupują z Chin za grosze. Ludzi zawsze dużo, nawet za dużo, a więc tani pracownicy oraz wielki rynek. Nie musiałem chodzić z hipisami do Towarzystwa Przyjaźni ani na jogę, czytać maszynopisu o duchowości od mamy Radzia, żeby zrozumieć. On się cały czas dziwował, rozdziawiał usta jak dzieciak, bo zobaczył życie w najtwardszym realu ekonomicznym. Realu cyfr, który (wciąż w to wierzę) pozwala na obiektywne zmierzenie się ze światem, jest najbliżej zerwania zasłony mai, zbliża się do prawdy. Nie, że marksizm czy jakiś liberalizm; po prostu konkret liczb! Gorszy niż medytacja, ale lepszy niż to artystyczne pitolenie, na pewno.

Te mechanizmy, czarno na białym, wyświetlają się, gdy poznajemy Kocia, zaraz z rana. A raczej koło południa, bo spaliśmy długo, odsypialiśmy, co nie? Obudziłem się, pamiętam jak dziś, zlany potem, kompletnie mokry. Otworzyłem okno i zaraz zamknąłem, skwar zrobił się nie do wytrzymania; hałas, smród walił do środka pokoju, choć w Delhi nie było smogu takiego strasznego jak teraz. Mycie wodą z wiadra i lepiej się czuję, ale pić się chce okrutnie, boję się tknąć wodę ciurkającą z kranu. Przed amebą mnie ostrzegano. U nas salmonella, a w Indiach ameba – choroby narodowe, że tak powiem. Radi udaje, że jeszcze śpi, boi się otworzyć oczy zasłonięte blond grzywką.

Wychodzę z pokoju jak z kapsuły dekompresyjnej, i zaraz jeden z pomagierów pyta: „Czaj? Tea?". Kiwam głową, odchodzi, długo nie wraca. Nie mam lokalnej waluty, tych rupii, dolarami nie chcę płacić, nie jestem pewien, ile warta jest herbata. A pić się chce. Staję w drzwiach Relaxu, rozglądam się: wokół pełno ludzi, rowerowych riksz, starych samochodów, żadnych nowych aut – nie to, co dziś. Oj, Indie się zmieniły!

Na straganach było mniej kolorowo niż teraz, ludzie na biało, jasno ubrani, ale i tak wrażenie chaosu. Wielka rzeka życia płynie w wąwozie między domami, podchodzi do mnie kobieta z dzieckiem na ręku. „Mister, money?", wyciąga rękę. Jestem ze Szczecina, a zostaję misterem i bogaczem.

Nic nie dałem i może tym też od razu ściągnąłem złą karmę?

Zawracam do środka, gdzie jest bezpiecznie, żebraków nie wpuszczają. Otwierają się drzwi do „biura" Kumara, wychodzi Marek, ten z lotniska. Mówi, żeby wziąć mandżury, a on pomoże negocjować ceny z szefem. Idę, Radzio już na nogach, razem na dół. A pić się chce. Znosimy wszystko, co mamy, w pokoju została jakaś baza na zmianę, ręczniki i szczoteczki do zębów.

W *office* już czeka zamówiona herbata, na koszt firmy. Biznes z Polakami, ale atmosfera azjatycka, normalnie jakiś Jedwabny Szlak. Kumar targuje się okrutnie, ja siorbię herbatkę z przyprawami, mlekiem i cukrem, słodką i mocną, teraz tylko taką lubię, masala czaj, ale wtedy mnie zaskoczyła. Oliwię organizm i zaczyna mi się podobać w Indiach. I kiedy dopiłem czaj, poczułem przypływ energii i wszedłem we wschodni styl negocjacji, przedstawiłem moje warunki, Kumar aż zaniemówił. On podaje swoje propozycje, ja mu odpowiadam, paląc papierosa, wkręcam się w zabawę. Taki handel – w to mi graj, sama przyjemność, szkoda, że na Akademii Ekonomicznej tego nie uczyli.

Wjeżdża kolejny czaj, wiadomo, Indie.

Marek mi potem gratulował, że jestem niezły zawodnik, a Kocio zaczął szanować albo udawał. Nawijał bajerę:

– O, ty jesteś, *bhajii*, brat, targujesz jak my. Ja myśleć, że ty być jogin Indie w poprzednie wcielenie!

Może to i racja. Zwraca się uprzejmie, wręcz przesadnie grzecznie, jeszcze nie wiedzieliśmy, że większość ludzi tak tutaj odnosi się do białych. Na swoich pracowników wrzeszczy okropnie, raz widziałem, jak walnął pomywacza w głowę. Za karę odrodzi się jako szczur.

Siedzimy we czwórkę w biurze, Radi wpatruje się w błyszczące wielorękie posągi Sziwy i słonioluda Ganesza, prosi bogów o przebaczenie, że tak słabo przywitał się z ich krajem. Wielki wentylator miele powietrze, a Kocio przekonuje:

– *Johnny, fix price!*

– Jaki *fix*, cena zależy od stosunku popytu do podaży i nigdy nie jest *fix* – ja mu na to.

On i tak nie rozumie, sam ledwie kumam język mojej uczelni.

– Zenit pięćset rupii, *fix price* – mantruje Kumar.

– *You* łobuz, tysiąc rupii – odpowiadam.

– No, no, ty złodziej, sześćset. Nie dam więcej!

– *You brother, gangster, you give* dziewięćset – odparowuję ciosy, obydwaj wiemy, że inwektywy nie są na poważnie.

– Moja rodzina! *Crying!* Bida nędza. – Ten o dzieciach, choć nikt nigdy nie widział jego mitycznej żony, synów i córek ukrytych gdzieś na przedmieściach Delhi. Nic dziwnego, że nie chciało mu się nawet wracać z Relaxu do domu. Od rodziny wolał biznes i podrywanie polskich dziewuch.

– *Eight hundred rupees, last price*, albo idę inny hotel – szantażuję.

Marek kiwa głową, to jest ta dobra cena.

Za jeden aparat płaciliśmy dwadzieścia tysięcy złotych polskich, dostaniemy koło sześćdziesięciu pięciu tysięcy.

Czyli trzykrotne przebicie.

W biznesie nigdy nie liczyłem z górką, zawsze w pamięci zaniżałem, żeby psychicznie mieć ochotę do walki. Potem, kiedy przychodziło do ostatecznego rachunku, okazywałem się jeszcze bardziej do przodu, niż sądziłem, i to lubiłem. To były czasy.

Targujemy się ostro o cenę każdego zegarka i każdego kryształu. Marek zapisuje na skrawku papieru, jest moim asystentem, pokazuje liczby Kumarowi, ten kiwa głową jak każdy Hindus, nie góra-dół, tylko tak na boki. Myślę, że do dziś nie umie czytać ani pisać, tak jak ja liczy w pamięci, nie potrzebuje kartki i długopisu. Za to wciąż go lubię, bo on ma biznes w genach.

Ty to chyba nie?

Rozgrzałem się na dobre, targowanie sprawia mi frajdę, nie zamykam rokowań nawet wtedy, kiedy cena jest w porządku. Radzio też się budzi, po kolejnej herbacie i drugim papierosie dochodzi do siebie i gra złego policjanta, po angielsku:

– *Friendship, we fight for freedom like you. Poland no colonialism, never. Poland no England, no USA!*

Nawet fajnie sobie wymyślił tę rolę, gada, jakby nałykał się propagandowych broszurek o solidarności z młodymi demokracjami Azji i Afryki. Może naprawdę zdążył je przeczytać? Neokolonializm, imperializm, te sprawy, i skoro wspólna historia narodów, to czemu pan Kumar traktuje nas jak Anglików i chce oszukać? Tak mniej więcej to szło, potem Radzio udoskonalił scenariusz, był przekonujący w aktorskiej kreacji i dzięki temu uczciwie zarabiał na udziały w zyskach Szczecinexu.

– Ile macie whisky?

– Tylko dziesięć. – Mieliśmy za dużo szpeju z Polski, żeby kupić więcej johnniego walkera, wzięliśmy w Dubai Duty Free na handel raptem po pięć na głowę.

– *One, fifteen dollars!*

Kocio przeszedł z przelicznika rupiowego na dolarowy, ja też muszę się szybko przestawić, cwana bestia z niego. Zaciągam się szlugiem i już wiem, w sumie łatwiej liczyć, bo za flaszki płaciliśmy w dolcach.

– Ty skurwysyn Hindu.

Boję się, że za ostro pojechałem. Kumar wie, że to grube określenie.

– Ty *moderćod* Polska. – Domyślam się, że tak po ichniemu jest skurwysyn. On nawija dalej. – *Ok, my family ruined. Eighteen dollars. If you have* dużo whisky, ja dać *twenty-five*, ale wy mało.

– *Ten bottles* nie jest mało. *Twenty is ok.*

Pochylam się do przodu i dotykam jego ręki, odruchowo, ale oni to uwielbiają, bezpośredni kontakt. Kumar bierze moją dłoń w swoją.

– *You, Johnny, very good. All right, bhaji.*

Za alkohol po szesnaście dolców zarobku, na czysto wychodzi. Razy dziesięć – sto sześćdziesiąt zielonych.

Yes, to było to. Uwielbiałem ten klimat.

Najlepsza przebitka, bo za aparaty i inną drobnicę z Polski zarobiliśmy po pięćdziesiąt czy sześćdziesiąt dolców na głowę, więc zwracają nam się bilety LOT-u. Tak, Polskie Linie Lotnicze zawoziły obywateli do Indii za takie symboliczne pieniądze.

Uwierzysz?

Na deser i finał negocjacji, przy kolejnych, jeszcze bardziej nakręcających mnie do zabawy czajach, zostają odtwarzacze Sanyo. O ich cenę kłócimy się ze trzydzieści minut, co najmniej. Śmiejemy się, gadamy po angielsku, polsku i hindusku, choć w ogóle nie znam tego ostatniego języka, aż Kumar proponuje, żebyśmy razem zjedli obiad. Woła pomagiera i klaruje menu. Czekając na jedzenie, dobijamy targu, oprócz gotówki *room for free* aż do następnego samolotu do Warszawy, czyli przez tydzień. Pokój, to pamiętam, był po trzynaście–czternaście rupii, czyli za dolca.

Razy siedem – siedem zielonych to już zarobek dla biednego Polaka, który w kraju wyciąga dwadzieścia parę, góra trzydzieści miesięcznie – w gówno wartych złotówkach. Zarobiliśmy sporo, i to nie w NRD, tylko, rozumiesz, w Indiach! Dziś pomyślisz: tyle zachodu, negocjacji jak przed wstąpieniem do NATO, o kupę barachła z PRL-u? Tak właśnie było, ten towar otwierał nam nowy rynek pracy i kariery, co nie? Wynegocjowałem ze cztery średnie krajowe pensje zysku.

Później zrozumiałem, że mogliśmy dostać jeszcze więcej za te sanyo, ale pocieszałem się, że to chłam z Pewexu, a nie cuda techniki z Singapuru. Przybijamy piątki, jestem zadowolony, nadchodzi jedzenie i pierwszy raz jem *chicken curry*. Nie wiem, jak się do tego zabrać, przed nami leżą paczki zawinięte w stare gazety, na szczęście pomagier przynosi talerze, rozpakowuje. Czujesz klimat? Żarcie nie w knajpie, tylko *business Indian lunch*?

Mięso jest specjalnie dla nas, Kocio wcina ser w sosie szpinakowym, do tego placki ćapati, pogryza cebulę z limonką i ryżem. Stara się być dobrym hinduistą i wegetarianinem.

– *Fork*, widelec?

– *No, no*, nie.

Chcemy być *cool* i jemy jak on palcami, ocieramy pot z czoła, żarcie jest piekielnie ostre, żadnej taryfy ulgowej dla gości z Europy. Kumar zapomniał o naszych niewyrobionych podniebieniach. Dzięki temu od razu, od początku pobytu, wiemy, jak powinno wyglądać indyjskie jedzenie, czym się różni od ściemy dla hipisów.

Oblizuję palce prawej ręki, szybko się uczę i podpatruję, że on nie używa lewej, więc naśladuję gospodarza, a Radzio mnie papuguje, jak to robił pół życia. Zapamiętałem posiłek w biurze, bo dzięki Kumarowi mieliśmy fajne wejście w lokalny klimat. Nie wiedzieliśmy, że czeka nas jeszcze wiele pułapek. Kocio beka na zakończenie posiłku i rzuca uwagę, że na trawienie dobrze robi alkohol. Zrozumieliśmy aluzję i Radi skoczył na górę, gdzie ukryliśmy jednego średniego jasia. Na zapas, ale było co opijać. Wiedziałem, że na szefa Relaxu trzeba uważać, nie ufać mu nigdy w pełni, choć dobrze mieć w nim oparcie na początek.

Walnęliśmy po pierwszej szklaneczce, a ten typ pyta:

– Wypłata w towar?

– Nie, nie, gotówka. *Cash only!* – protestuję, bo chcę mieć dolary w ręku. Mimo to dopytuję o szczegóły. Chcę wiedzieć, jakie ceny oferuje.

Cholerny stary kocur, targi wcale się nie skończyły, bo gotówka a hinduskie szmaty to różnica, nie? Wychodzi na to, że wypełnimy cztery nowe torby, Kocio twierdzi, że większe niż polsporty, sakwy chce dorzucić bonusowo. Cwaniak kuty na cztery nogi, skąd mam wiedzieć, jak duże będą te toboły, co się w nich zmieści i ile to będzie warte? Przekonuje nas i umawiamy się, że następnego dnia obejrzymy te jego koszulki, kiecki, szale, biżuterię, paski. Nie miał wtedy jeszcze składu w Relaxie, trzeba się było wybrać do magazynu, więc stanęło, że jutro, bo za drzwiami biura od dawna czekają kolejni Polacy ze swoimi plecakami.

Wychodzimy zadowoleni, ściskamy się z Kumarem na oczach innych „turystów" i już mamy u ziomków opinię niezłych kozaków. Niedopite ponad pół flaszki whisky zabieram ze sobą, też jestem cwany. Jesteśmy obżarci i już zmęczeni, organizm dopiero adaptuje się do tropików. Marek proponuje, żebyśmy poszli na dach i odpoczęli. Zamawia tylko wodę mineralną i lodowatą limkę u jednego z identycznych pomocników Kumara. Nie potrafiłem rozpoznać, czy to ten sam koleś, który przynosił jedzenie, czy ten, co wczoraj wskazał nam pokój, czy jeszcze inny. Wszyscy tak samo chudzi, zabiedzeni i brudni, było mi ich żal, spali pokotem, gdzie się da w Relaxie, szef wykorzystywał ich strasznie. A my mieliśmy pokój, u szefa obiecane dolary i flaszkę whisky do wykończenia. Miłe złego początki, mimo wszystko to były piękne negocjacje! Mógłbym uczyć tych durnych backpackersów, ale do targowania się trzeba mieć serce i smykałkę.

Pan Sakar

Powietrze stało nieruchome, wiatr ucichł prawie zupełnie, w oddali słońce znikało za tężejącymi chmurami. Zamglone powietrze gęstniało i ciemniało w mrok nad jednym z najbardziej rozległych miast świata. Zamazywały się kontury domów po drugiej stronie ulicy, mimo to obscrwowałem kobiety gotujące tam w małych klitkach, niańczące dzieci, rozmawiające w grupkach, wywieszające pranie. Niczym maharadża siedziałem wygodnie na kolorowych matach i wydawało mi się, że mam jak na dłoni olbrzymie, nieco złowieszcze Delhi. Podglądałem życie sąsiadek, a w dole ulica wciąż szumiała wezbrana tłumem ludzi, zaprzęgów, wozów, motorowych riksz. Klaksony, okrzyki, wszystkie dźwięki, które słyszałem, zasypiając o świcie, teraz były zwielokrotnione i wzmocnione.

Uświadomiłem sobie, że jeszcze nie opuściłem hotelu, nie wyściubiłem nosa za próg, nie znam stolicy Indii. Taki ze mnie podróżnik, choć obiecałem matce zwiedzać zabytki i dotknąć Wschodu. Przyznaję, że się bałem. Indyjska ziemia obiecana sprawiała na mnie wrażenie zacofanego, ubogiego piekła. Jeszcze wiele razy śniły mi się po nocach zęby splamione krwią, czułem obrzydzenie, ale to był czar ohydy i urok niepojętego.

Zapytałem Marka, co warto zobaczyć w mieście. Nie wiedziałem, jakie są najważniejsze atrakcje turystyczne. On się zaśmiał, że ci z wycieczek Orbisu to nawet do pobliskiej Agry nie jeżdżą, ich pilot pracuje już parę lat na subkontynencie, ustawia im handel i sam przemyca na potęgę. Marek chciał rozmawiać o czymś innym niż muzułmańskie ruiny, ale dowiedziałem się przynajmniej, że jesteśmy na bazarze Pahargandż, blisko dworca kolejowego i starej części miasta. Na piechotę można dojść do Czerwonego Fortu nad rzeką Dżamuną, więc natychmiast chciałem się tam wybrać. Obiecał, że później pokaże mi drogę. Janek leżał, palił i gapił się w ciemniejące niebo, nie słuchał. Pewnie się zastanawiał, czy dobrze wyszły pertraktacje z Kumarem, czy nie straciliśmy kasy. Marek zdjął już dres, paradował w krótkich spodenkach i czerwonej koszulce z białym logo Marlboro. Teraz siedział ze skrzyżowanymi nogami, ręce oparł na kolanach dłońmi ku górze. Pomyślałem, że siedzi jak Marlowe na początku *Jądra ciemności*, a zarazem pulchne policzki i rumiana cera upodabniały go do tłustego, ironicznie uśmiechniętego Buddy.

Jeden z chudych chłopców na posyłki, o zapadniętej twarzy i żółtej, a nie brązowej cerze, przyniósł popitkę i kubki. Marek polał naszą whisky.

– Panowie, co dalej? Jaki plan?

Poprawił okularki. Jak się później okazało, tym pytaniem zmienił nasze życie, choć już przyjazd do Indii był zdecydowanym ruchem, który wykonaliśmy na własną rękę i własne ryzyko. Zupełnie sami, własna inwestycja, własna odwaga, we dwóch.

– Sprawdzimy ceny na mieście. Zobaczymy, czy warto brać rzeczy Kocia, czy gdzieś są lepsze stawki? – Janek usiadł, napił się. Po chwili odpoczynku znów zaczynał kombinować.

– Warto się rozejrzeć, tylko uważajcie, żeby Kumar się nie obraził. Zasada jest prosta: on daje pokój tanio albo za darmo, w zamian wy sprzedajecie i kupujecie u niego. Towar za towar, przysługa za przysługę. Jeśli złamiecie układ, nie będziecie mieć u niego mety. Chcecie tu wrócić?

– Na razie nigdzie się nie wybieramy, chcemy zorientować się w sytuacji. Ciuchy raczej wyślemy paczkami, podobno tak się da?

– Tak, pokażę wam skąd. Macie ludzi w kraju, żeby odbierali?

– Czekają i przebierają nogami. – Janek irytował mnie, kiedy grał cwanego twardziela, ale przynajmniej zmierzał do celu. Zaraz dopytał, dramatycznie zawieszając głos: – Słyszeliśmy, że warto zobaczyć Singapur?

– No właśnie. Elektryczne bajery i ciuchy z powrotem to detal: małe ryzyko, małe pieniążki. Wy macie większe ambicje niż *cotton club*? To mi się podoba, *straight to the point*.

Nie znaliśmy tego angielskiego powiedzonka, domyśliliśmy się jednak, że kotoniarze to drobni handlarze bawełną.

– Ja widzę, już na lotnisku zauważyłem, że macie głowy na karku, więc miałbym dla was propozycję. Wideoodtwarzacze, kamery, trochę mniejszej elektroniki z Singapuru. Zainteresowani?

– Jasne! – przytaknąłem, trochę zbyt entuzjastycznie, ale na hasło Singapur aż zadrżałem z podniecenia.

Ciągi skojarzeń: tropikalny upał i cień nadmorskiej esplanady. Wielki port, dawna kolonia, cieśnina Malakka, wrota do dalszej Azji, do Indonezji, pełne szaleństwa Almayera, dalej Australia i wielki Pacyfik, Tahiti, Gauguin. Statki: parowce i żaglowce, halsowanie żagli czy jak to się nazywa. Nigdy nie pływałem, ale czytałem, poza tym ojciec był marynarzem, za młodu nawet oficerem na kontenerowcu. Poczułem może nie powołanie do służby na morzach wschodnich, ale zew przygody. Oczyma wyobraźni już widziałem piratów, korzenne przyprawy, tubylców; plaże, palmy i tańce wokół ognia; wielkich odkrywców, Conrada i Tony'ego Halika. Uwielbiałem jego programy, chciałem pieprzu i wanilii, solidarności z uciemiężonymi krajowcami. Po to właśnie wyjechałem z domu; interesy służyły temu, żeby zarobić na podróż.

Tłusty Budda w okularach się uśmiechnął, miał nas w garści.

– Dostaniecie bilety do Singapuru i parę tysięcy waluty do przewiezienia.

„Dostaniemy" – myślałem gorączkowo. My. Bilet. Pieniądze. Taka historia! Na miejscu nocleg, też na koszt szefa, który odbierze gotówkę. Oddamy pieniądze, nie są dla nas, ale przynajmniej będziemy wiedzieli, jak takie zwitki wyglądają, ile ważą i jak pachną. Szef zabierze kasę i wyda nam towar do przywiezienia. Z powrotem w Delhi zainkasujemy po dwieście dolarów na łebka.

Słuchałem, nie wierząc własnym uszom, niczym legendy o księdzu Janie, mitycznym chrześcijańskim władcy Indii. Marek snuł ją zapewne już wiele razy. Mieliśmy polecieć jeszcze dalej przed siebie, smakować egzotyczne życie i na koniec zarobić niewiele mniej niż na całej skomplikowanej ekspedycji z Polski. Za jednym zamachem. Po dwa frankliny na głowę. Za latanie po świecie, płacą za podróżowanie! Bez chodzenia po sklepach, czekania na wideo, załatwiania i kombinowania. Dwieście dolców do ręki. Tyle nie zarobiłem przez wszystkie lata grania na basie w Generacji; to było tyle, ile wyciągaliśmy z Jankiem na podróży do NRD. Chciałem krzyczeć z radości. Mój wspólnik usiłował zachować kamienną twarz.

– Przywiezienie sprzętu jest nielegalne? – zapytał.

– Nielegalne jest również, szczerze podkreślam, wywożenie dużej gotówki z Indii. Dlatego aż tyle zarobicie. Bilety i hotel to kupa kasy, ale to bierze na siebie firma.

– Firma?

– Tak to nazywamy, ale nie bójcie się, nasz boss w Singapurze to porządny facet, ma ksywę Szewc, bo dobrze buty szyje... – Marek zachichotał jak oświecony bożek. – Polonus ze starej emigracji, wykształcony. To nie jest dworzec Keleti, tu nie pracujemy z bandziorami! Jesteśmy elitą, *crème de la crème* Polski Ludowej. Niedługo przyjdzie nasz wspólnik, Hindus, w porządku gość, musi was poznać, ale na pewno, tak jak ja, stwierdzi, że się nadajecie.

Chcieliśmy wiedzieć od razu więcej, niestety, przyszła grupa, z którą widzieliśmy Marka na lotnisku, obsiedli tłuściocha jak guru. Raczej młodzież, nasze pokolenie, tacy do ogniska i gitary, choć jeszcze nie hipisi. Naprawdę jechali zobaczyć Agrę, a handel zwracał im koszty podróży. Wypytywali o ceny, miejsca, knajpy, słuchali, jeden z chłopaków nawet zapisywał w notesie. Ja też przynajmniej dowiedziałem się paru detali; ile kosztuje czaj, ile placek, ile fajki. Z rachunków, jakie usiłowałem wykonać w pamięci, wynikało, że życie w Indiach jest bardzo tanie. Tyle zrozumiałem.

Jedna z Polek, Jola, miała kasztanowe włosy o głębokiej, nasyconej barwie i rodzaj uroku, który skojarzył mi się z Magdą, choć wydawała się starsza i od niej, i ode mnie. Z krążącej kolejnej butelki popijała whisky drobnymi łykami. Tym razem to nas częstowano, więc uznałem, że Marek jest w porządku, choć wcześniej tak swobodnie polewał nasz alkohol. Ktoś zrobił skręta z marihuaną, obie używki krążyły naprzemiennie, wziąłem macha, potem następnego. Mrok całkowicie zgęstniał, w oknach domów po drugiej stronie ulicy ślizgały się płomyki świec, palcnisk, uruchamiano generatory prądu.

Zjawił się Hindus, ubrany nie jak Kumar w zachodnie spodnie i koszulę z kołnierzykiem, lecz w dhoti – długi kawałek białego materiału owinięty wokół nóg – i bluzę ze stójką; identyczną nosił pierwszy premier Indii. Zasugerował, żebyśmy porozmawiali na osobności. Zeszliśmy na dół, ledwo zmieściliśmy się w naszej klitce, choć po sprzedaniu plecaków wraz z zawartością zrobiło się w niej trochę miejsca.

Hindus przedstawił się jako Sakar, choć może przekręcam, nie mam pamięci do nazwisk. Niższy i grubszy od Kocia, gładko ogolony, jowialny, uśmiechnięty. Przyjrzał się nam uważnie, pokiwał głową i polsko-angielskim slangiem wytłumaczył patent na TBR – Tourist Baggage Reexport Form, twór indyjskiej biurokracji. Formularz miał ratować kraj przed zalewem tanich urządzeń z Azji, a działał dokładnie odwrotnie. Przekraczając granicę, każdy miał obowiązek zgłosić elektronikę: aparat fotograficzny, kamerę czy magnetowid. Dostawał wtedy wpis do paszportu z numerem seryjnym danego egzemplarza sprzętu.

Ten sam ciąg cyfr umieszczano na stikerze kolejnego odtwarzacza wideo lub kamery w singapurskich warsztatach polskiej Firmy. Wcześniej usuwano fabryczne naklejki z prawdziwym numerem seryjnym. Nalepiano nowy kod, cyfry i litery psikano jeszcze lakierem do włosów. Stiker trzymał się jak oryginalny, nawet wystawiony na próbę palca celnika. Trzeba było tylko pilnować, żeby każdy, kto wynosi sprzęt, na granicy dostał wideo lub kamerę z takim samym numerem TBR jak w paszporcie.

– To pracujemy razem? – dopytywał Sakar.

– *Yes, yes. Good* – zaręczył Janek za nas obydwu, choć ja się nagle wystraszyłem.

– Ok. Pokażcie mi paszporty.

Zdziwiliśmy się, ale Marek gestem dał znać, że nie mamy powodu do obaw. Pan Sakar przejrzał nasze dokumenty, wyglądał na uspokojonego.

– Jutro wieczorem, o siódmej, w moim sklepie. Sahib Marek wam pokaże. Dostaniecie bilety i pieniądze. Ruszacie pojutrze, wizy są wydawane na lotnisku w Singapurze.

Pan Sakar podciągnął tkaninę dhoti i się pożegnał.

– O kurwa – wyrwało mi się, choć przeklinałem dużo rzadziej niż Janek. – Tak szybko?

– Akurat zdążycie wysłać paczki do Polski i coś obejrzeć.

– Nie uprzedziłeś nas, że robota jest od zaraz. Chciałem zwiedzić starówkę!

Zacząłem mieć pretensje, ale Janek mnie uciszył.

– Zwiedzimy po powrocie. Ty, a czemu on oglądał nasze paszporty? To nie jest jakiś agent? Można mu zaufać?

– Spokojnie. Chodzi o to, że wielu Polaków ma za dużo indyjskich stempli. Trzeba kombinować i je zmywać, a celnicy mogą kojarzyć twarze ludzi, którzy często kursują. Wy jesteście nowi, macie świeże paszporty, więc jest mniej ściemniania i mniejsze ryzyko. Poza tym Hindusi tak mają, chcą znać współpracowników, dlatego musieliście z nim się spotkać. Wracajmy na dach, duszno tu u was. Rzeczywiście, czterech kolesi wbiło się do małego pokoju, a z kibla szedł fetor.

Wyszli, ja potrzebowałem chwili, żeby przemyśleć sytuację. Uświadomiłem sobie, że Marek musiał nam się przyglądać i oceniać nas pod kątem zatrudnienia w Firmie już od spotkania na lotnisku. Wiedział, że jesteśmy pierwszy raz na Wschodzie, ale dobrze się tu odnajdujemy, nie mamy cykora, więc zasugerował nam większy szmugiel. Ludziom, z którymi przyleciał, nie zaproponował Singapuru; mówił, że są pierdołami. Część z nich dołączyła jednak później do przewałów – tak to nazywaliśmy.

Siedział w tym biznesie od dawna, znał się dobrze z Sakarem. Ten Hindus też musi być grubszą rybą. Przychodzi do Relaxu co tydzień? Zjawia się co wtorek, kiedy LOT ląduje w Delhi, i wie, że znajdzie Polaków chętnych do pracy? Werbuje młodzież złaknioną przygód? Wyglądało na to, że trafiliśmy w środek nielegalnego międzynarodowego biznesu. A czego innego się spodziewałem? Skoro w Szczecinie doszły nas słuchy, że mirra, kadzidła i złoto czekają na Wschodzie. Janek rozmawiał z kolegami z Poznania, którzy na tym się dorobili. Dużo ludzi w tym siedziało, wielu Hindusów, wielu Polaków, my dołączaliśmy zgodnie z planem. Przecież po to przylecieliśmy, ale dopiero wtedy w Relaxie zrozumiałem, w co się pakuję.

Musiałem być upalony, marihuana w Indiach okazała się dużo mocniejsza niż polska trawka, którą popalaliśmy z zespołem. Wpatrywałem się w wiatrak wolniutko kręcący się pod sufitem. Zahipnotyzował mnie, myśli zwalniały, dostosowały tempo do zepsutego wentylatora. Jeszcze rok temu grałem w niezależnej kapeli. Całkiem niedawno wierzyłem, że *no future*, a teraz jestem w Azji i mam lecieć do Singapuru. Mogłem odmówić, wrócić do Polski już w czwartek, mimo że mieliśmy *open ticket* na trzy miesiące. Najbliższy powrotny samolot do domu wystartuje tego samego dnia co ten na Daleki Wschód. Mogę wrócić i co dalej? *No future?*

Inny wariant: odmówić Markowi i Sakarowi, zwiedzić Indie, wydać te dolary, które już zarobiłem. Zostawić Janka z jego ambicjami i ruszyć własną drogą. Jaką? Dokąd prowadziła? Nie miałem żadnego własnego pomysłu na życie, żadnego celu. Wróciłbym do Polski bez kasy: wchodzę do domu, chwalę się siostrze, przywożę mamie jeden szal na pamiątkę, opowiadam, co zobaczyłem. Od października wracam na studia, nudzę się i marzę po nocach o Magdzie, w końcu znajduję narzeczoną, płodzę dziecko, biorę ślub, czekam wiele lat na własne mieszkanie...

„Twoja ambicja zabija ciebie. Ambicja to twój bóg" – śpiewali Deadlock po angielsku i Kryzys po polsku. Może starsi koledzy mieli rację, ale co z tego? Ja byłem już z następnego pokolenia i miałem swoją ambicję! Nie wiedziałem jeszcze jaką dokładnie, ale czegoś chciałem... W Relaxie leżałem upalony i drinknięty, chyba dzięki temu tak przytomnie wyobrażałem sobie przyszłość, nigdy wcześniej tego nie robiłem, zatopiony w tu i teraz. Może spowodował to indyjski szok albo wentylator powoli zataczający nade mną kręgi; może połączenie wszystkich doznań. Po raz pierwszy i jak nigdy potem, dopóki nie dorosłem, medytowałem o tym, jak może potoczyć się moje życie. Gapiąc się w sufit, zrozumiałem, że gdybym w tym momencie zawrócił, od razu bym żałował, znowu straciłbym Janka z oczu i rozmyślał, czy wróci z Azji do miasta. Pozostałoby czekać i prosić, żeby dał mi jeszcze jedną szansę, znów zabrał starego kumpla, który się wystraszył, choć na mały handelek w NRD. Doznałem oświecenia i wiedziałem, że nie mam już wyjścia, muszę polecieć do Singapuru.

Pstryk – i objawienie się skończyło. Chciałem do końca się znieczulić, więc poszedłem do nich pić z moim kamratem i innymi Polakami. Na dachu w New Delhi, w ciemności, we wciąż obcym, nieznanym mi kraju. Bałem się go, ale zarazem mnie urzekał. Jakbym wpatrywał się w oczy węża, któremu fakir gra na fujarce – oczarowany wizją wielkiej przygody.

Monsun i *Delhi belly*

Za pierwszym razem nie zwiedzili starego Delhi, nie dotarli do Czerwonego Fortu. Nie udało im się wyrwać z zaklętego kręgu Pahargandżu, gdzie czas płynie inaczej i potrafi zatrzymać najbardziej ambitnych wędrowców. Wpadli w indyjską pułapkę codzienności, utknęli we wschodnim rytmie dnia, powolnym tempie wymuszonym klimatem. O świcie lunęło, zaczęła się pora deszczowa, nie przewidzieli jej w biznesplanach. Nawet gdyby Radek przeczytał historię Indii, gdyby poznał datę muzułmańskiego najazdu czy kolejnych podbojów angielskiej Kompanii Wschodnioindyjskiej, i tak nie wiedziałby nic o monsunach nawiedzających subkontynent rytmicznie co roku, od setek tysięcy lat.

Latem 1987 roku opady się spóźniały. Mieszkańcy Delhi już od wielu dni patrzyli z niepokojem w niebo, bramini odprawiali modły i prosili bogów o deszcz. Kupcy z Pahargandżu wiedzieli, tak jak ich ojcowie, dziadkowie i pradziadkowie, że zbyt późny monsun i słabe opady poskutkują nieurodzajem ryżu i pszenicy na wsi. Na słabych zbiorach rolnicy zarobią mniej pieniędzy, więc mniej wydadzą na zakupy w mieście. Deszcz wyznaczał koniunkturę. Na szczęście dla całych Indii lało jak z cebra.

Ulicą płynął potok, małe rondo obok hotelu zamieniło się w bajoro, woda bębniła o brudne szyby Relaxu, a po ścianach pokoju biegały jaszczurki. Temperatura odrobinę spadła, ale zrobiło się tak wilgotno, że Radek i Jan poczuli się jak gąbki nasiąknięte wodą. To nie deszcz obudził ich jednak bladym świtem. Rozwolnienie zaatakowało obydwu w tym samym momencie. Zmieniali się regularnie w toalecie, Radkowi zbierało się na wymioty od smrodu, który przenikał do pokoju. Snując wielkie marzenia, nie wzięli pod uwagę ani monsunu, ani flory bakteryjnej, powodującej *Delhi belly*. Wypita poprzedniego dnia whisky nie wystarczyła, wbrew wierzeniom angielskich kolonistów, by ochronić żołądki przed mięsem zepsutym w upale. Wegetarianizm Kocia ukazał swoje praktyczne oblicze.

Koło południa do pokoju zajrzał Marek. Uratował nowicjuszy mocną herbatą bez mleka i cukru, za to wzmocnioną odrobiną kolorowej wódki. Teina przyjęta na puste i czyste żołądki uspokoiła gastrologiczną rewoltę, alkoholem zaś znieczulili system nerwowy. Czuli się słabi jak noworodki, nie mieli siły wstać z łóżek, a co dopiero tłuc kasę, ale musieli się zwlec i ruszyć na podbój Indii, obejrzeć towary w kupieckim składzie Kumara. Tam obsługiwał ich kuzyn szefa, więc prysł *friendship* zbudowany z szefem Relaxu, negocjacje trzeba było zacząć od nowa. Wymizerowani i pozbawieni werwy, znów przeliczali cenę aparatu Zenit na wartość stu niebieskich bawełnianych koszulek.

– Zejdą w Polsce po półtora tysiaka, czyli zarobimy na czysto sto trzydzieści tysięcy. Człowieku! To więcej, niż wyniósłby zarobek w gotówce.

– Ale ciuchy trzeba jeszcze sprzedać – marudził Radek.

– „Aby Polska rosła w siłę, a ludzie żyli dostatniej", pamiętasz? Tylko odwrotna kolejność, najpierw dostatek dla nas, to Polska też urośnie. Nie?

– A jeśli zgubią paczki? Naszą krew i znój? – usiłował ironizować Radek.

– Nawet jeśli kilka zgarną na poczcie, i tak wyjdziemy na swoje! Trzeba myśleć długofalowo! – Janek uciął dyskusję. Starał się skoncentrować na tym, co kuzyn Kocia pakuje do toreb.

Podobno zawsze dawał Polakom to samo: koszulki i czarne suknie z cekinami (dobre na dancingi i eleganckie uroczystości), „baterflaje", czyli wzorzyste szerokie spódnice w zestawie z bluzkami o szerokich rękawach, trochę barwnych szali, skórzane paski.

Mimo choroby pamiętali, że trzeba oszczędzać, więc odmówili tragarzom, którzy oferowali swoje usługi za grosze. Szczecinex osobiście taszczył ciężary, chłopaki nie potrafili sobie wyobrazić, że ktoś poniesie za nich torby. Lało bez przerwy. Drogocenny cotton zapakowali w plastiki, sami zaś kompletnie zmokli. Pociągając nosami, wpisywali na paczkach szczecińskie adresy znajomych. Całe cargo, w paru szarawych, niepozornych pakunkach, powierzyli państwowej Post of India.

Zapasowe flanelowe koszule w kratę woniały zgnilizną, ale nie mieli wyjścia, musieli je założyć. Marek wymienił ich zaskórniaki na rupie, żeby mogli kupić sobie coś do jedzenia i przeżyć do wylotu. Radek pomyślał, że są w pułapce, nie mają siły i czasu załatwiać spraw na własną rękę, zdani na łaskę opiekuna z mafii przemytników. Coraz bardziej zestresowany, nerwowo rozglądał się na boki. Nie był pewien, czy Marek towarzyszy im w roli anioła stróża, czy raczej cerbera pilnującego, żeby dotarli na czas do Sakara i na samolot. Namówił podopiecznych, żeby wzmocnili się plackami bez żadnych dodatków i gorącą czystą herbatą.

Przed hotelem Vivek kelnerzy rozpoznali w nich Polaków. Krzyczeli: „Malina, Malina", i wymownym gestem uderzali otwartą ręką w szyję.

– Vivek to „polska knajpa" – wyjaśnił Marek. – Kotoniarze i przewalacze elektroniki dostają tu alkohol spod lady, więc warto wejść i walnąć po lufie.

W środku było ciemno jak na szczecińskich melinach. Nie zalatywało wilgocią, lecz kadzidłami i alkoholem. Marek postawił po małej whisky, podśmiewał się z ich delikatnych europejskich żołądków.

Alkohol dobrze robił też na głowę, więc wysupłali zaskórniaki na drugą kolejkę. Kiedy wreszcie poczuli przypływ energii, Radek odważył się podzielić swoimi obawami:

– Czy to jest bardzo niebezpieczne?

– Nie, naprawdę, daj na luz. Nikt nie będzie sprawdzał bladych twarzy lecących do Singapuru.

– A jeśli jednak będzie kontrola?

– To udacie głupich, co nie znają przepisów, i was puszczą. Wytłumaczę ci: to jest kolonialny kraj, ok, postkolonialny. Mają respekt dla białych. Zaręczam ci, że nie będzie wpadki, a gdyby była, w najgorszym razie skończy się na grzywnie. Nic więcej. Czarny scenariusz przewiduje, że zabiorą wam walutę. Trudno, to jest wpisane w koszt biznesu. Zresztą będziecie mieć papier na wywóz, trochę lewy, ale zawsze coś. Sakar to załatwia.

– No dobra, i co dalej? Jeśli uciekniemy z tą kasą?

– Nie uciekniecie, bo chcecie zarobić jeszcze więcej, latając z nami. Poza tym jesteście dżentelmenami, prawda?

– Jasne. Ok, czyli w Singapurze oddajemy kasę i lecimy z powrotem z wideo, tak? A jeśli wtedy się przyczepią? Po co turyście, nawet dziennikarzowi, tyle magnetowidów? Też udajemy głupich?

– W takiej sytuacji biorą VCR do depozytu. Odbierzecie przy kolejnym locie i znów spróbujecie, nie w Delhi, tylko na przykład w Bombaju. Nic gorszego nie może was spotkać. Najwięcej towaru idzie w bagażu nadawanym, inni ludzie odbiorą sprzęt z pasa na tranzycie w Delhi, wy będziecie mieć po jednym wideo na głowę w podręcznym, żeby dobry TBR sobie wyrobić.

– Kto odbierze? – Jan włączył się do rozmowy.

– Szef powie wam w Singapurze.

– Ok. Rozumiesz, to normalne, że chcemy wiedzieć, co nam grozi, znać szczegóły, no nie? – Janowi było głupio za kolegę i usiłował wytłumaczyć jego pytania.

– Jasne, rozumiem.

– Dużo ludzi tak lata?

– Bardzo dużo. I powiem wam szczerze, coraz więcej. Od wizyty Jaruzelskiego w osiemdziesiątym piątym LOT kursuje regularnie i dociera tu dużo Polaków. Większość ma wizę multiplay, jak wy, i może zacząć przewalać. Niektórzy lecą raz, żeby dorobić na koniec pobytu, inni zostają na dłużej. No to siup!

Dopili whisky.

Chociaż spóźnili się na umówione spotkanie, Sakara i tak nie było w sklepiku Inter-Pol. Czekali osowiali, paląc i patrząc na strugi deszczu. Półnagie dzieciaki skakały w kałużach.

– Foto, foto? – krzyczały, ale nie byli turystami. Sprzedali wszystkie aparaty; nie chcieli i nie mieli czym robić zdjęć egzotycznych scen.

Zmieniła się woń bazaru. Teraz cuchnął pleśnią, gniły wszystkie zapachy, które ogarnęły ich na początku. Monsun nie zatrzymywał ludzkiej aktywności. Centymetry od chłopaków przejeżdżały wozy, przechodziły mokre kozy, kury i psy. Pod małym daszkiem pracował golibroda, tuż obok sprzedawca obracał kołem maszyny wyciskającej sok z trzciny cukrowej. Jan miał wielką ochotę na mętny płyn, ale uznał, że musi poczekać z nowymi doznaniami dietetycznymi, tym bardziej że naprzeciwko nich, w załomie muru, znajdowała się publiczna toaleta. Mężczyźni sikali tam w kucki na świeżym powietrzu.

W końcu pan Sakar nadjechał motorową rikszą, osobiście nią kierował. Omal nie wjechał im na nogi, z uśmiechem się przywitał i zaprowadził gości na zaplecze sklepu, niewidoczne z ulicy.

– Kiedyś zbuduję tutaj swój hotel! Zobaczycie! Będziecie przyjeżdżać! Czaj?

Przytaknęli smętnie. Sakar przyjrzał się im ze zrozumieniem i krzyknął rozkazująco do kogoś na zewnątrz:

– *Black tea!*

– To twoja rodzinna... kamienica, prawda? – spytał Marek.

Rozsiadł się wygodnie, przyzwyczajony, że każdy interes na Wschodzie wymaga dłuższej konwersacji.

– O tak, mój tata zajął dom, jak tylko uciekł tutaj spod Lahore. Młodzi przemytnicy nie rozumieli, o co chodzi. Marek wyjaśnił:

– To w Pakistanie, niedaleko stąd.

– Tak, tam mieszkała rodzina, a potem podział: Indie dla hinduistów, Pakistan dla muzułmanów! – Sakar gestami usiłował pokazać, jak wytyczono granicę dzielącą dawną kolonię brytyjską. – Morze krwi, ci krowożercy w Pakistanie nikogo z naszych nie oszczędzali. A tych, co tu zostali, mój tata musiał wyrzucić. Paru posłał do Allacha. – Właściciel Inter-Polu wymownie przesunął otwartą dłonią po szyi.

Pili przyniesioną czarną herbatę. Marek bronił muzułmanów:

– Ja nic do nich nie mam, w Afganistanie robiliśmy interesy... Czyli ten dom był przedtem muzułmański, tak?

– Tak, ale przyjechały z Lahore też inne rodziny hinduistów, uciekinierów jak my, rząd nie pozwolił wziąć całego budynku. Dlatego musiałem od dziecka pracować, ale już niedługo wszystkie piętra będą moje. Zobaczycie! – Spojrzał na zegarek. – Muszę jechać na modlitwę. Tu macie bilety, tu kwit na wywóz gotówki, tu pieniądze. – Te ostatnie wręczył Markowi.

Powlekli się z powrotem do Relaxu, opiekun pomógł im ukryć kasę w bagażu. Dostali dolary, nie amerykańskie, lecz kanadyjskie, australijskie i nowozelandzkie. Cała mapa ekspansji kolonialnej Anglików. Dalej kasa, o której wartości decydowała ropa naftowa: riale Arabii Saudyjskiej i Emiratów, funty Kuwejtu, historia w nazwach banknotów. Japońskie jeny i tajskie baty. Europejskie liry z Włoch, guldeny z Holandii, znane chłopakom marki niemieckie, pełna różnorodność oraz gama barw i wzorów sprzed euro i epoki Unii Europejskiej. Nigdy wcześniej nie widzieli takiej ilości obcych walut naraz.

– Czemu tak? – zaciekawił się Jan.

– Szewc dzwoni z Singapuru i podaje lokalne ceny, a ja sprawdzam, jak dana waluta stoi w Delhi. Akurat dziś opłaca się wywieźć funty kuwejckie czy jeny i zarobić dodatkowo na różnicy kursu, poza tym to bezpieczniejsze niż same dolary. Robi mniejsze wrażenie. Jakby co, mówicie, że wymieniliście na dalszą podróż, zamierzacie zwiedzać świat, takie tam.

– Mam nadzieję, że nie będzie żadnego „jakby co". – Radek znów się wystraszył.

– Macie kwit, zobacz. To deklaracja wywozu walut, już podbita przez celników.

– Ale ściemniona?

– Trochę. Zgłasza się oficjalnie tyle waluty, ile wolno, zgodnie z przepisami. Czyli niedużo. Celnicy podpisują się na kwicie i wbijają pieczątkę. Zazwyczaj zostaje wolna przestrzeń, a my tam dopisujemy znacznie większą sumę. Kasa przekracza wszelkie dozwolone normy wywozu gotówki z Indii, ale skoro jest pieczątka, to znaczy, że tyle przywiozłeś legalnie ze sobą i teraz wieziesz dalej, nikt się nie może przyczepić. Biurokrację mają jak w Polsce. A teraz idźcie spać, jutro odwiozę was na lotnisko. Będzie dobrze!

Nie mogli zasnąć, ponieważ inni Polacy z powodu deszczu imprezowali na korytarzu i hałasowali za cienkimi drzwiami. Radek znowu patrzył w sufit, pozwalał zahipnotyzować się ruchowi wentylatora i rozmyślał o Magdzie.

– Jak myślisz, gdzie ona teraz jest?

– W Madrasie. – Jan od razu zrozumiał, o kim mówi kolega.

– Skąd wiesz? Może jest tutaj, w Delhi, blisko nas? I nie ma pojęcia, że my też tu przyjechaliśmy? I moglibyśmy ją spotkać, gdybyśmy nie lecieli do Singapuru?

– Nie możemy jej spotkać, bo jest w Madrasie. Mówiła mi Grażyna, dostała od niej pocztówkę, to jest na południe stąd. Rozumiesz, Madras. Port i biura PŻM.

– Wiem, że Grażyna dostaje od niej pocztówki, ale nie mówiłeś, że konkretnie z Madrasu – obruszył się Radek.

– Jakoś o tym zapomniałem. Powiedziała mi któregoś dnia w Pewexie, ciebie akurat ze mną nie było. Nic wielkiego.

– Nic wielkiego, ale od razu wiedziałeś, o kim mówię.

– Tak mi się skojarzyło, bo o kim mogłeś mówić?

– Fakt, ale to dziwne, że mi nie powiedziałeś o Madrasie.

– Teraz ci powiedziałem. Dobranoc.

Wentylator kręcił się powoli, jaszczurki biegały po ścianach, Radek się pocił, intensywnie myślał o Polsce, Szczecinie, alei Wyzwolenia, liceum i Magdzie. Uwierało go, że Jan wiedział więcej od niego i wcześniej nie podzielił się tą informacją. Potem przypomniał sobie, czego on nie powiedział koledze. Wreszcie zanurzył się w sen, lepki jak ciepły, śmierdzący miastem deszcz.

II. Szczecin–NRD 1983

Touch me,
How can it be,
Believe me,
The sun always shines on TV.

a-ha, *The Sun Always Shines on TV*

Młodzieżowy Obóz Pracy

Kapitalizm odkryłem, kiedy ostatecznie zniesiono stan wojenny. Matce z wielkim trudem udało się załatwić miejsce dla mnie na Młodzieżowym Obozie Pracy w Niemieckiej Republice Demokratycznej, na najbardziej obleganym kierunku wyjazdów organizowanych przez Ochotnicze Hufce Pracy. Kraje, miejsca i idee miały długie, nudne nazwy. Tam i do Czechosłowacji wyjeżdżały setki tysięcy młodych ludzi z Polski, żeby przejść inicjację seksualną i podreperować domowe budżety. Kryzys dawał się we znaki zwłaszcza w 1983 i 1984 roku, ale trwał przez całą dekadę.

Niechętnie szykowałem się do wyjazdu, chociaż z dwojga złego wolałem wieś pod Berlinem od wakacyjnej nudy w nagrzanym mieście. Wybrałem NRD, żeby nie słuchać matki siedzącej na balkonie z książką i papierosem. Od wiosny do jesieni było lepiej, ponieważ nie paliła w domu i mniej śmierdziało, ale i tak gderała zza okien. Czytała mi na głos fragmenty z francuskich poetów i południowoamerykańskich realistów magicznych, których wydawano w masowych nakładach. Tomiki poszczególnych serii stały równo na półkach. Tonem pełnym pretensji cytowała arcydzieła i miałem wrażenie, że wołając: „Radziu, posłuchaj tego i powiedz, co myślisz", przypomina, kim mam zostać w przyszłości. Albo raczej wypomina, kim ona się nie stała, w jakim świecie mogłaby żyć, gdyby nie paliła carmenów na balkonie z widokiem na obdrapane domy przy alei Wyzwolenia.

Wolałem więc obóz, choć najchętniej pojechałbym samotnie, jak Hłasko, do wyrębu lasu, a nie do Niemiec z innymi uczniami miejskich liceów. Byłem tak zielony, że nie wziąłem nic na handel. Nic. W autokarze koleżanki i koledzy z głupimi uśmieszkami upychali w moim plecaku kremy Nivea, bursztyny, kryształy. Nie cierpiałem kryształów, ojciec ustawił kolekcję na meblościance w salonie, na szydełkowych serwetkach, obok królował telewizor i pamiątki z rejsów: kolekcja afrykańskich słoni i masek. To był jego kącik, matka gardziła telewizją. Kiedy wypływał, demonstracyjnie zakrywała ekran ludową wyszywanką z Cepelii – też okropną, ale miała wzięcie, choć to kryształowe durnostojki pozostawały naszym głównym towarem eksportowym.

Janek jechał na MOP już po raz drugi. Miał doświadczenie, nie zamierzał tyrać dla Niemców. Planował sprzedawać i kupować, zarabiać na handlu przygranicznym. Chciał wypić dużo taniego piwa i ściągać zaległe reparacje wojenne, sypiając z niemieckimi dziewczynami. Wszystkiego nauczyłem się od niego. W autokarze tylko on się nie nabijał, że nic nie wziąłem na sprzedaż. Przed granicą jako jedyny myślałem nie o celnikach i kontroli, lecz o tym, że znajdę się w innym, bliskim, ale jednak obcym kraju. Wyobrażałem sobie, że po drugiej stronie kreski, która przecina mapę, wszystko się zmieni jak za dotknięciem czarodziejskiej różdżki.

W podstawówce miałem namiętność do map, działał na mnie ich urok. Godzinami wpatrywałem się w atlas. Pogrążałem się w kopiowaniu kolorowych flag dalekich państw, notowałem ich nazwy w zeszycie. Sporządziłem spis najmniejszych terytoriów Europy: Luksemburg, Malta, Andora... Zamykałem oczy i próbowałem sobie wyobrazić, co kryje się za kropeczkami i literkami z map. Na innej stronie wypisałem najbardziej tajemnicze wyspy: Barbados, Trynidad, Antigua, Martynika z Karaibów. Na kolejnej kartce miałem tabelkę z atolami

Pacyfiku: Bikini, Eniwetok, Niue... Tak dalekie, że aż abstrakcyjne, trudno uwierzyć, że istnieją naprawdę. Wydawały się raczej wynikiem dziwacznych spekulacji wyobraźni człowieka średniowiecznego niż stałymi lądami odkrytymi przez marynarzy.

Nie do końca wierzyłem zapewnieniom ojca, że dotarł do niektórych z tych miejsc. W miejscu zagubionej na Pacyfiku Baker Island kartograf mógłby narysować trójgłowego człowieka pożeranego przez słonia o pięciu trąbach. Wiedziałem, że i tak nigdy osobiście nie sprawdzę, jak tam jest w rzeczywistości. Marzysz o Wyspach Cooka, twój stary tyra gdzieś na Atlantyku, wyobrażasz sobie, że ratujesz ludzi z tonących okrętów, że jako niezłomny bohater stawiasz czoło dzikusom na podzwrotnikowych wybrzeżach – a jedziesz do NRD. Nie pozostaje nic innego jak fantazjować o tym, co zobaczysz po drugiej stronie granicy.

Stały na niej zasieki z drutu kolczastego, przechadzali się niemieccy pogranicznicy w czarnych płaszczach jak z wojennych filmów, na których się wychowaliśmy, na smyczach trzymali groźne wilczury. W całej Polsce dzieciaki oglądały *Czterech pancernych*, ale trzeba wiedzieć, że w Szczecinie wojna skończyła się dużo później niż w Warszawie. Matka jeszcze długo się bała, że miasto wróci do Niemców, i nie chciała jeździć do NRD. Kiedy była mała, do Polski prowadził tylko jeden most, wąskie gardło łączące miasto z resztą kraju, do którego zdaniem mojej rodzicielki należało raczej tymczasowo. Mówiła, że mieszka na wyspie, uwięziona pomiędzy granicą na zachodzie a Odrą na wschodzie. Jako młoda dziewczyna witała owacjami przemówienie Chruszczowa w 1956 roku i z pamięci powtarzała wielokrotnie: „Niechaj jednak wiedzą odwetowcy, że Szczecin to miasto polskie". Ja umiałem dokończyć „i na zawsze pozostanie polskie", mimo to chciałem uciec dokądkolwiek z tej sztucznej wyspy. Byle przed siebie.

Tuż za miedzą pojechaliśmy autostradą, dziurawą, ale szeroką, mijaliśmy bloki i domy towarowe, ładniejsze niż u nas. Mieliśmy w domu antenę Yagi, dzięki której ojciec mógł oglądać niemiecką telewizję, obraz był bardziej kolorowy, bardziej nasycony niż w TVP, ponieważ używali lepszej technologii, ale zobaczyć kraj na żywo to co innego, to nadawało moim wyobrażeniom szlif rzetelnej ścisłości. Cieszyłem się, że nie siedzę w domu, nie kłócę się z matką i siostrą, byłem podekscytowany, że widzę cokolwiek innego niż zaszczane mury rodzinnego miasta. NRD wystarczyło, żeby przypomniały mi się mapy z dzieciństwa, i tamtego lata nabrałem ochoty na więcej podróży.

Dojechaliśmy do państwowego gospodarstwa rolnego. Janek odpalił mi parę marek, ponieważ w moim bagażu upchnął najwięcej bursztynu. To była pierwsza lekcja i wierzę w nią do dziś: żadna praca nie hańbi, a godne wynagrodzenie należy się nawet za wykorzystanie plecaka do drobnej kontrabandy. O pracowników trzeba dbać, a nie jak za komuny poniżać ich kartkami na mięso – na obóz przyjechałem głodny, ponieważ zaopatrzenie po stanie wojennym było fatalne. Pamiętam, że rok wcześniej na obozie harcerskim karmili nas wyłącznie chlebem z dżemem. Mój kolega z zastępu wykradł z kuchni i zjadł puszkę paprykarza zarezerwowanego dla drużynowych, więc dostał surową karę i publiczną naganę. Zraziłem się wtedy do harcerstwa, przestałem chodzić na zbiórki i szukałem dla siebie czegoś nowego.

Na nasze powitanie niemiecka demokracja zorganizowała kolację i potańcówkę, czyli wieczorek zapoznawczy. Zabawę poprzedziło przemówienie oficera wychowawczego, w garniturze pamiętającym budowę muru berlińskiego. Znawcy obyczajów Ochotniczych Hufców Pracy przygotowali się na polityczne atrakcje; załatwili, żeby pierwsze piwo zaserwowano od razu na początku. Profesjonaliści uzbrojeni we flaszki oraz cierpliwość zamierzali wytrzymać pieprzenie o zagrożeniach RFN-owskim historycznym rewizjonizmem, agresywnym rewanżyzmem i podstępnym imperializmem. Wydawało mi się, że należy zareagować świadomie i wywrotowo na komunistyczną propagandę, próbowałem spytać o ruchy robotnicze. Wiedziałem, że Niemcy „Solidarność" nazywali pryszczycą, z jej powodu latem 1980 roku zamknęli granicę. Nie byłem opozycjonistą, ale jako młody harcerz szedłem w niezależnym pochodzie pierwszomajowym, przypominaliśmy władzy o ofiarach w naszej stoczni, zagadnąłem więc o wolne związki zawodowe. Partyjniak, przygotowany na prowokacje, udał, że nie rozumie pytania.

Janek zagwizdał na palcach, jak członek małego sabotażu Armii Krajowej. Oficer zbladł, a mój nowy kolega z paroma innymi chłopakami zaczęli krzyczeć „Genosse Sturmbanführer" – połączyli socjalistyczny niemiecki zwrot „towarzyszu" z nazistowskim stopniem wojskowym, który znali z filmów. Facet mienił się na twarzy wszystkimi kolorami, zbaraniał i zszedł ze sceny. W ten sposób zakończyła się część oficjalna, zespół muzyczny podłączył gitary, wniesiono więcej piwa.

Janek podszedł i przyjaźnie klepnął mnie w plecy.

– Widzę, że handlarz to z ciebie żaden, za to niezły wywrotowiec.

– Wydawało mi się, że tak trzeba...?

– Nie bądź dzieciak. Na obóz studencki przyjechali tacy właśnie mądrale i gadali o strajkach. Niemcy wszystkich *schnella, schnella*, natychmiast odwieźli z powrotem do Polski. *Jawohl, sehr gut...* A ja mam tu sprawy do załatwienia, jestem „nisza drobnokapitalistyczna", zainwestowałem i musi się zwrócić.

Pamiętam, że powiedział „nisza", zabrzmiało dziwnie. Janek łapał różne wyrażenia z telewizji i gazet, a potem powtarzał jak mantrę.

– Te bursztyny z mojego plecaka?

– Jasne! – Roześmiał się.

– Ale to nie głupio tak... na handel?

– Hej, kolego, każdy pamięta czarny czwartek, nie bądź taki patriota. Właśnie dlatego trzeba wykiwać system.

– Grudzień siedemdziesiątego? Mieliśmy wtedy przecież po kilka lat.

Nie byłem z rodzicami pod płonącym Komitetem Wojewódzkim. Matka pilnowała mnie w domu i bezskutecznie usiłowała skontaktować się z ojcem pływającym gdzieś na statku.

– Grudzień był trzynaście lat temu, zginęło szesnaście osób. Liczyć to ja umiem. Jedenaście lat później też był grudzień, grudzień stanu wojennego. I co? I chuj. Teraz trzeba to robić inaczej.

– Jak?

– Po swojemu! Indywidualnie, kapitalistycznie! Tobie nikt nie powiedział, jak to się robi na Dzikim Zachodzie? Jakżeś się uchował? Chodzimy przecież do tego samego liceum, jesteś z trzeciej A, tak?

– Teraz już właściwie czwartej. A ty jesteś z D?

– Tak. D jak deprawacja, A jak początek alfabetu, ale nic nie zaczyna się na A... chyba że alkohol, ale na tym się nie znacie. Humaniści, co nie wiedzą, ile kosztuje nivea u nas, a ile u Szkopów.

– Mówią też, że D jak dupa, koniec, kropka, najgorsza klasa w szkole. Tak mniej więcej gadaliśmy. W liceum oddziały konkurowały między sobą, wspominam to z sentymentem.

– Albo że D to najlepsze dupy w szkole... Ja ci jeszcze pokażę wyższość stylu czwartej D. Nauczę cię, będę twoim mistrzem z klasztoru Shaolin. Patrz, jak robię kung-fu tym Niemkom. A po dobrej wódce lepszy jestem w dżudzie.

Janek stuknął piwem w moją butelkę i wrócił do swojego stolika. Właśnie wnoszono kolację, parujące kawałki golonki, od zapachu kręciło się w głowach. Teraz mi wstyd, że wszyscy rzuciliśmy się na niemieckie żarcie.

Jadłem, aż mi się uszy trzęsły, i przyglądałem się z zazdrością, jak mój nowy kolega bajeruje niemieckie koleżanki. Po godzinie tańców i piwa wyszedł z upatrzoną ofiarą. „Nie rycz, mała, nie rycz – ja znam te wasze numery". Chociaż nie byłem fanem Franka Kimono, zazdrościłem Jankowi. Na modela by się nie nadał, ale mógł podobać się dziewczętom – cygańska uroda, brunecik wieczorową porą. Poszedłem spać na zbiorową kwaterę, którą dzieliłem z innymi frajerami. Lepsze cwaniaki załatwiły sobie oddzielne pokoje i tam baraszkowały z Niemrami.

Rano wszyscy stanęliśmy na odprawie w piekącym słońcu i usłyszeliśmy, że będziemy pogłębiać rów, ciężka harówa z łopatą, a nie żadne zbieranie jabłek. Westchnąłem, ale zacisnąłem zęby i nie dałem po sobie poznać, trzymałem fason w obliczu wroga. Janek podszedł do szefa obozu i coś mu tłumaczył, tamten kiwał głową. Nie wierzyłem oczom i uszom: Janek zawołał swoich kumpli i trzech kolaborantów udało się w przeciwną stronę niż grupa skierowana do kopania rowów. Ruszyłem do swojej ciężkiej roboty, a on krzyknął: „Ej, humanista--onanista!". Odwróciłem się, machał do mnie zapraszająco. Rodzinna tradycja podpowiadała mi, że to nie uchodzi i nie wypada, ale odruchowo poszedłem za nim. Gdybym tego nie zrobił, całe moje życie potoczyłoby się zupełnie inaczej.

Trafiliśmy do zacienionej hali, gdzie mieliśmy przebierać ziemniaki spadające z taśmociągu. Elektryfikacja wsi, ale ludzie nadal byli potrzebni. Znów pomyślałem, że postępujemy nichonorowo, ociągałem się, w końcu wszedłem. Janek wyciągnął z kąta chłodne piwo Schmiedefeld. Pyszne browary, dużo lepsze niż te u nas, i tak rzadko pojawiające się w sklepach. Przygotował je, pewny, że skoro dał szefowi zniżkę przy sprzedaży dwudziestu opakowań kremu Nivea, to rządzi folwarkiem; stał się równiejszy pośród równych i nie będzie wysłany na galery. Zaimponował mi, u niego wszystko działało jak w szwajcarskim zegarku.

– My się już u nich napracowaliśmy, nie? Podczas wojny, za darmo, więc teraz spłacają długi. Ale za to, że ci załatwiłem taki fajny arbajt, będziesz robił za mnie przez godzinę. Umowa stoi?

Zanim zdążyłem odpowiedzieć, wyszedł z hali. Wrócił, tak jak zapowiedział, po mniej więcej godzinie i usiadł do roboty, przechwalając się, że lepszy biust niż jego Beate miała tylko dziewczyna na obozie w Czechosłowacji, ale u Pepików biznes był gorszy niż w Dojczlandzie wschodnim.

– Janek, myślałem o tym, co mówiłeś.

– O Beate?! Człowieku, ona...

– Nie! Przestań gadać o dupach. Mówiłeś wczoraj, że Grudzień, Sierpień, Grudzień? Polski kalendarz? Uważasz, że „Solidarność" już się nie podniesie?

Pytałem bardzo poważnie, ubzdurałem sobie, że rozmowa o polityce usprawiedliwi miganie się od ciężkiej pracy. Wydawało mi się, że dyskusje o Polsce to obowiązek ludzi inteligentnych. Poza tym uznałem nowego kolegę za partyzanta: piwo i dziewczyny zamiast kałasznikowa w brzozowym zagajniku, było w tym coś pociągającego.

– Nie wiem, spytaj tych frajerów z Waryńskiego. Ja rozumiem, że dostali w dupę i myślą o tym, co na obiad dać dzieciom, a nie o rewolucji. Wiesz, ile zarabiają? Otóż to! Oni teraz marzą, żeby dostać robotę tutaj, bo niemiecka marka wysoko stoi. Albo mieć paszport i wyrwać się do zachodniego Reichu, tyrać za prawdziwą walutę. O tym gadają, a nie o jakichś podziemnych strukturach.

– Przesadzasz. Pewnie się przyczaili, ale jeszcze wyjdą z podziemia na ulicę!

– Na *Strasse* we Wiedniu wyjdą, żeby szukać roboty. Pomyśl, oni przegrali, klęska, porażka, kaput już dwa razy. Lekko licząc, dziesięć lat zmarnowane. To chyba znaczy, że te komitety obrony, ta „Solidarność", to się nie sprawdza, no nie?

– Z praktycznego punktu widzenia owszem, ale ważne są przecież ideały? Może klęska, ale nie moralna, jak w sierpniu osiemdziesiątego, wspólna sprawa, współpraca?

– No właśnie. Świetnie się nam współpracuje, nie? – Śmiał się, leniwie przebierał ziemniaki spadające z taśmy. – Po co ci ideały, które nie sprawdzają się w życiu? Takie, co przegrywają? Nieskuteczne? Kolego, bądź realistą, klęska to klęska i już!

Rozległ się dzwon na obiad. Miał być sznycel z frytkami.

Ostatniego dnia obozu zawitaliśmy do Berlina z wycieczką krajoznawczą. Organizatorzy nawet się nie wysilali, zawieźli nas autokarem pod dom towarowy na Alexanderplatz i zostawili. Poszliśmy prosto do centrum Warenhaus, jeździliśmy schodami ruchomymi jak głupi, oglądaliśmy nawet dział z zabawkami, ponieważ wszyscy chłopcy w dzieciństwie marzyli o kolejce Piko. Kupowaliśmy, na co kogo było stać, niektórzy nawet szpanerskie buty Salamander, szyte w NRD na RFN-owskiej licencji. Janek miał kartkę z listą towarów i relacjami cen, sprawdzał i na zimno wybierał tylko to, co najbardziej opłacało się sprzedać w Polsce. Kalkulował nawet przebitkę z rozmiarami towarów, żeby zmieściły się w bagażu.

Dopiero po shoppingu zostaliśmy turystami i obejrzeliśmy zegar światowy Urania, zrobiliśmy sobie przed nim pamiątkowe zdjęcie. Gdzieś powinienem je mieć, ale nie mogę znaleźć. Stanęliśmy w kolejce, żeby wjechać na szczyt wieży telewizyjnej Fernsehturm. Nie wszystkim starczyło zapału, część poszła na piwo; ja i Janek wytrzymaliśmy i patrząc ze szczytu konstrukcji na podzielone miasto, obiecaliśmy sobie, że któregoś dnia znajdziemy się po drugiej stronie muru. Na górze, w wiejącym wichrze, złożyliśmy sobie przysięgę, bez krwi, ale jednak, była sztama i miała obowiązywać.

Wieczorem zaczęła się zielona noc z dziką balangą. Kazał mi oznajmić przy wszystkich, że naprawdę jest mistrzem Shaolin w rachowaniu walut, organizacji, zarządzaniu oraz podrywie. Niby żartował, pijackie gadanie, ale wiedział, że nie odmówię, bo to była prawda, więc tej nocy osobiście koronowałem Janka na króla obozu. W rewanżu załatwił mi wolny, przytulany taniec z koleżanką swojej Beate, trochę brzydszą od niej, więc... Może nie odniosłem pełnego sukcesu, ale moje trudne życie nastolatka nabrało rumieńców. Do domu wracałem zaskoczony swoim potencjałem i zadowolony.

Celnicy nawet nie zajrzeli do naszych wypchanych toreb, walizek i plecaków. Przywiozłem mamie mikser, chyba nigdy w życiu go nie użyła. Nie wykazałem się w sposób, jakiego oczekiwała. Ojcu kupiłem wędkę teleskopową, ponieważ większość czasu między rejsami spędzał na rybach i pogaduszkach z kolegami marynarzami. Siostra dostała pomarańcze. Janek pożyczył mi pieniądze na kreplinę; kiedy sprzedałem ją w Szczecinie i oddałem mu dług, zostało mi parę groszy. Żadna fortuna, ale pierwszy raz miałem w kieszeni własne, zarobione złotówki, a nie dziurę.

Sprawa Magdy K.

Magda pojawiła się w życiu Jana i Radka w ostatnie, upalne dni wakacji, kiedy ciepłe powietrze swobodnie wypełniało nabrzeża. Dziś wydaje się, że dziewczyna przybyła na Pomorze Zachodnie, sunąc na fali pozornego odprężenia po ostatecznym odwołaniu stanu wojennego. Można nawet uznać, że przypłynęła z dalekich stron jak na zamówienie władz, jako żywa reklama przemian w ludowej ojczyźnie. Z perspektywy czasu, który zamienia fakty w mity i legendy, była ambasadorką wolności, sprinterką przyspieszającą bieg narodu ku Zachodowi, dzielną piechurką marszu ku normalności, a nawet Jane Fondą społecznego body workoutu.

Do dziś trudno stwierdzić, czy przypłynęła – jak mówił „człowiek, który sprawę znał" – z samej wyśnionej Ameryki? Czy naprawdę była nieświadomą niczego i, wbrew oskarżeniom, zupełnie niewinną zapowiedzią pierwszego i drugiego etapu reformy? Zefirkiem zmian i poluzowania społeczeństwu cugli w obawie przed wybuchem buntu? Ze strzępków opowieści wyłania się Magda jako statua socjalistycznej wolności, z ogniem zbliżającej się pierestrojki w dłoni, wręcz w koronie Okrągłego Stołu, a zarazem zdrady i grubej kreski. Blask najntisów w ciemnych mrokach ejtisów, światełko w tunelu, za którym jak coraz bliżej świecy krążące ćmy podążyło wielu najlepszych chłopców z miasta, kwiat szczecińskiej młodzieży. Dla młodej braci dziewczyna stała się forpocztą nadchodzących przemian.

Dojrzewająca nastolatka musiała udźwignąć ciężar zagrania symbolu, zostać Madonną nadziei. Zmuszono ją, by wzięła na wątłe barki rolę ikony kapitalizmu, ale także liczne rozczarowania, które przyniosło Nowe, sunące wtedy z wakacyjnym upałem od Bałtyku przez Świnoujście, zalew, Police, Dąbie, wzdłuż Odry, Odry Zachodniej, przez Przekop Mieleński, aż po Wały Chrobrego.

Radkowi ciężko przyznać, że wieść o nowej koleżance, z zagranicy, podobno modelce, podobno z nogami do nieba, przyniósł mu właśnie Jan. Nowy kolega przyjechał z osiedla Słoneczne, gdzie mieszkał tylko z matką, od kiedy ojciec wyprowadził się do młodszej partnerki. Radek przyszedł na piechotę, niespiesznie, przez gwiaździste place starego śródmieścia. Potem szli już razem od rzeki i nabrzeża, nad wnęką fontanny minęli zacementowany, starannie ukryty napis „Haken-Terrasse Erbaut 1907–1909".

Dla nich to były Wały Chrobrego, nie zwracali uwagi na herby dwunastu hanzeatyckich miast w koronie ściany; murarze przerobili nazwy z niemieckich na polskie. Chłopaki myśleli o teraźniejszości i przyszłości, zresztą nawet dziś trudno dostrzec, że Kilonia stała się Łebą, a Flensburg zamienił się w Wolin. Nie spojrzeli w górę na wielki gmach dawnej rejencji, obecnie urzędu wojewódzkiego. Tyle razy słyszeli, że tam właśnie narodową flagę zatknął Piotr Zaremba, pierwszy polski prezydent Szczecina, aż fakt ten spowszedniał i nigdy nie poświęcili mu ani jednej myśli. Chętnie oddaliby miasto z powrotem Niemcom za *bier*, sznycle i piersi Beate, a nawet uroki jej brzydszej koleżanki.

Pilno im było do parku Żeromskiego, w krzaki, gdzie chcieli spokojnie wypić piwo jasne pełne, smakujące sikami, a i tak z trudem wywalczone w sklepie przez Janka. Najlepsza miejscówka przy kubizującej rzeźbie Fontanna była zajęta przez studentów Akademii Morskiej, obok Macierzyństwa zaś, zwanego przez miejscowych Matką Polką, siedzieli alkoholicy pamiętający Gomułkę, a może i Bieruta.

Kumple musieli więc pójść pod Prometeusza. Na wznoszonym przez niego zniczu widniały hasła „Urban kłamie" oraz „Szczecin zawsze punkowy".

– Klasa maturalna, będę musiał zakuwać... – wzdychał Radek. Pochylił głowę, włosy opadły mu na twarz. Matka nie pozwalała się ostrzyc.

– Nie pierdol. „Twoje miejsce na Ziemi tłumaczy zaliczona matura na pięć"? – *Mniej niż zero* Lady Pank wciąż utrzymywało się na szczycie listy przebojów Programu Trzeciego. – Matura, i co dalej? Będziesz zasuwał za pięć złotych? Czekał pół życia na malucha, drugie pół na mieszkanie? Myślałem, że zmądrzałeś, a znów gadasz jak na początku MOP-a.

– Masz rację, zgadzam się, tylko wiesz, matka...

– Jak kupisz jej kolorowy telewizor, to się nie obrazi. Pamiętasz paczki z RFN? Mydełko Lux, pastę Dentagard i zapałki Maredo?

– Pewnie!

Kto by nie pamiętał, skoro po wprowadzeniu stanu wojennego władze Republiki Federalnej Niemiec zniosły opłaty za paczki wysyłane do Polski. Do końca 1982 roku obywatele wrogiego państwa wysłali miliony pakunków z darami, desantem Zachodu w biednym PRL-u, przedsmakiem i promocją kapitalizmu, o który teraz należało walczyć. Jan nie przyznawał się, że miał dostęp do paczek z parafii, choć jego rodzice nigdy nie bywali na mszach.

– Właśnie, a teraz pakietów brak, nie ma Caritasu ani lukszycia. Bo jest normalizacja. Mówili w radiu. Polizałeś cukierka i musisz się sam zakręcić, żeby wciąż go mieć. Tak nas zrobili...

– Jasne, ale przecież muszę iść na studia, bo inaczej wezmą mnie do woja! Ciebie też, czy załatwisz sobie papiery? – Radek spojrzał pytająco na kolegę.

– Wiadomo, pójdę na uniwerek. Ale będę studiował tylko dla picu, najważniejsze to zarobić. Trzeba żyć, co nie?

– Jasne, jasne. Ale na MOP-a teraz nie pojedziemy, do szkoły trzeba chodzić, możemy jakoś w sobotę wyskoczyć, i tak wyrobiliśmy normę wyjazdów zagranicznych.

– Zagranica, myślałby kto. Inny barak w obozie, nic więcej... Może coś załatwię... Ty, teraz to musimy do Berlina Zachodniego. *Let's go!*

– Dają pojechać?

– Podobno będą dawać.

Radek wstydził się spytać, skąd kumpel czerpie takie informacje. W domu nie przyznawał się do nowej, wakacyjnej znajomości, przeczuwając, że kolega nie byłby dobrze widziany na alei Wyzwolenia. Poza tym chciał mieć swoją tajemnicę, własnego przyjaciela i sprawy, do których nie wtrącają się matka ani siostra.

– Nawet jeśli pozwolą, co z tego? I tak niewiele się zmieni, kurde, tutaj. – Wskazał w stronę nabrzeża i wielopasmowej arterii, której budowa spowodowała wyburzenie resztek starówki, domów niezmiecionych przez naloty aliantów pod koniec wojny. – No dobra, spróbujmy – zgodził się, bo kusiła go wizja prawdziwego Zachodu albo chociaż jego podróbki we wschodnim Berlinie.

Popijali ciepłe piwo jasne, posąg Prometeusza wznosił nad nimi lekko obtłuczone ramię. Na ich widok starsza pani z psem ponarzekała na dzisiejszą młodzież. Jan rozmyślał o nowej, Magdzie, która będzie chodzić do ich liceum.

– Ciekawe, jak laska wygląda. Do której klasy ją zapiszą? Założę się, że nie do waszej A, pewnie ma zaległości, różnice programowe, te sprawy. „Choć to fizyce wbrew, wskazówka cofa się" – dodał bez związku z tematem, ale Lady Pank było słychać wszędzie i piosenka siedziała mu głęboko w głowie.

– Na pewno nie trafi do was. Takie laski z zagranicy nie chodzą do D.

– Tu chyba masz rację, muszę przyznać. Zostaje B lub C. Innej opcji nie ma. Znam taką jedną z C, może czegoś się dowiem. Otóż to!

Ze szczecińskich plotek wynika, że przypisywane wtedy Magdzie znaczenie miało realne podstawy polityczno-społeczne. Powrót jej i ojca, dyrektora z Polskiej Żeglugi Morskiej, musiał mieć coś wspólnego z rozwiązaniem Wojskowej Rady Ocalenia Narodowego. Czy pojawił się w Polsce dlatego, że WRON przestał straszyć, czy został zawezwany na łono ojczyzny z powodu zmian kadrowych w PŻM związanych z liberalizacją, tego nikt nie wiedział, jednak obywatele i obywatelki łączyli fakty, które musiały przecież jakoś o siebie zahaczać. Do dziś Magda K. w zbiorowej pamięci pokolenia oznacza koniec stanu wojennego, dla Radka i Jana na równi z początkiem ich wspólnych interesów. Nie wiedzieli, skąd przyleciała, przypłynęła, przyjechała, by nieść nadzieję, ale także „napsuć krwi młodym kotom", co „muszą się wyszumieć". Ludzie gadali, że z samej Ameryki lub chociaż Kanady, inni – że ze słonecznej Italii, a nawet Afryki. Prawda o poprzedniej placówce pana K. zaginęła w zakurzonych archiwach; pasowałaby i Holandia, zatrudnienie przy transporcie zboża albo siarki, w czym PŻM się specjalizował, lub ropy z Iraku.

Radek mógł spytać swojego ojca. Stary pewnie by wiedział, w końcu długo pracował dla Polskich Linii Oceanicznych, a teraz w Dalmorze, innej instytucji socjalistycznej potęgi morskiej, ale całe lato nie było go w domu, pływał ze statkiem-przetwórnią gdzieś po oceanach. Teleskopowa wędka z NRD czekała na jego powrót. Radek chciał zapytać, ponieważ po rozmowie z Janem ostatniego dnia wyjątkowo upalnych wakacji (co też musiało być znakiem, częścią wskazówek skierowanych ku Magdzie) dumał, jak może się prezentować oczekiwany mesjasz płci żeńskiej.

Po latach nie potrafił określić, jak była ubrana 1 września, choć przecież później handlował ubraniami, wiedział nawet, co to jest szmizjerka. Lądowanie Magdy na planecie Ziemia, w jego szkole, na korytarzu liceum, przyćmiewało rzeczywistość i powodowało, że zacierały się wszelkie detale. Trochę jak we śnie, kiedy po przebudzeniu nie pamiętasz żadnych szczegółów, tylko ogólne, za to mocne wrażenie.

Nie wiadomo więc, jak Magda wyglądała na początku roku szkolnego. Można próbować odtworzyć ogólne cechy jej urody, które zachowała przez lata, więc widać je na filmach dostępnych dziś w internecie. Była blondynką, wzrostu więcej niż średniego, z lekko falującymi włosami i wydatnym nosem, niektórzy mówili, że zbyt zadartym. Na pewno miała duże oczy, chyba niezbyt duże piersi, może zbyt szeroką pupę, choć to mogło się zmienić przez lata. Zaginęły szkolne albumy, a na późniejszych archiwalnych zdjęciach jest dojrzałą kobietą, nie zaś gibką osiemnastolatką. Przez całą tamtą jesień Magda K. zgodnie z oczekiwaniami świeciła blaskiem, w którym mienił się Szczecin. Miasto przestawało być stacją końcową, śródlądowym portem, z którego w świat płyną węgiel i stal, stawało się oazą, przystanią piratów wypełnioną syrenim śpiewem. Obecność dziewczyny, tak jak handel przygraniczny, dawała złudną nadzieję, że życie może wyglądać inaczej, ale Radkowi nowa mieszkanka miasta wydawała się równie niedostępna jak atole Pacyfiku.

Chodziła do równoległej klasy i widywał ją tylko z daleka, zawsze otoczoną przez chłopaków. Był wśród nich także Jan, lecz nadal twierdzi, że nic nie pamięta z tej złotej jesieni, ponieważ miał problemy z matką, która w depresji piła coraz więcej. Luki w pamięci Janka są podejrzane. Na pewno we wrześniu, październiku i listopadzie, aż do akademii ku czci święta niepodległości, zorganizowanej pierwszy raz w historii szkoły, rzadko spotykał się z Radkiem. Zaniedbał kolegę i tego roku nie pojechali do Berlina Zachodniego, ponieważ w każdej wolnej chwili próbował poderwać Magdę K.

Nauczycielki zapamiętały ją jako niezłą uczennicę, jedną z tych, co od niechcenia dostają czwórkę z plusem, ale nie chce im się uczyć na piątkę. Nie pyskowała, a zarazem była pewna siebie, wystarczająco rezolutna, żeby nie okazywać wyższości szaremu szczecińskiemu ludowi, nad którym z wdziękiem górowała. Nauczyciele ją lubili, koleżanki też, ponieważ wiedziała, że musi kupować ich przyjaźń, wynagradzać im koncentrację zainteresowania mężczyzn wyłącznie na niej. Pożyczała więc dziewczynom czasopisma, płyty, szmatki oraz perfumy i starała się być miła. Chłopaki pożerali ją wzrokiem, szczególnie we wrześniu i październiku, kiedy wciąż było ciepło i odsłaniała długie, opalone nogi.

Magda nie tylko wyglądała, ale też mówiła, wprost i bez ogródek, o seksie, jak autorka, a przynajmniej regularna czytelniczka listów do „Drogie Bravo" i rubryki „Trudne pytania", jak bohaterka fotostory o pierwszym razie. Nie tylko przywiozła stosik niemieckiego pisma dla nastolatków, ale najwyraźniej co miesiąc otrzymywała jego nowe numery. Hormony tryskały więc z rozpalonych głów chłopaków aż na ściany męskiego kibla pomazanego flamastrami. To był najbardziej bezpośredni skutek jej obecności, inne okazały się bardziej wyrafinowane.

Szkoła nagle przebudziła się z długiego snu, choć socjolodzy i historycy twierdzą, że po odwołaniu stanu wojennego Polacy pogrążyli się w społecznej apatii. Badacze się mylą, w szczecińskim liceum w uczniów wstąpiła twórcza energia wynikająca z chęci zaimponowania dziewczynie z importu. Za łaskawą zgodą dyrektora jeszcze w październiku zaczęła ukazywać się ponownie, po dwóch latach przerwy, szkolna gazetka – poddana cenzurze, w gruncie rzeczy nudna, ale dająca złudzenie wolności. Radek nawet się zastanawiał, czy nie przekazać redaktorom swoich wierszy napisanych przed wyjazdem do NRD, ale ostatecznie nie zaryzykował blamażu. Przyszła zima, odmówił zagrania roli w przedstawieniu, które przygotowywano z okazji świąt, pewien, że nie tędy wiedzie droga do Magdy. Zresztą nie przyznawał się nawet przed sobą, że nowa uczennica jest obiektem jego nocnych marzeń, jak wszystkich innych czwartoklasistów.

Wiedział, że Jan odnotował spore sukcesy. Regularnie rozmawiał z Magdą na przerwach, wymieniał się z nią też płytami i kasetami. Jako jeden z niewielu potrafił bez czerwienienia się dyskutować o tym, czy rzeczywiście, jak podawało „Bravo", orgazm u kobiet jest równie ważny jak u mężczyzn. Na długiej przerwie wokół dziewczyny stał tłumek adoratorów prześcigających się w bajerowaniu, ale Magda peszyła ich pytaniami wprost o częstotliwość pożycia seksualnego, długość członka i kolor spermy. Rozmawiała o życiu erotycznym jak o pogodzie. Wszyscy – oprócz najgorszych ciulów szkolnych – wiedzieli, że tak właśnie każe niemieckie „Bravo", ale dopiero przyzwyczajali się do stylu nowej epoki.

Wielu chłopców wciąż nadawało na częstotliwościach romantycznych, być może dlatego kosza dostał Maciek, szkolny muzyk, który cieszył się przywilejem chodzenia z Magdą do jednej klasy. W ramach terapii zrobił sobie sznyty i napisał piosenkę o zranionym sercu.

Z kolei Bogdan z klasy Janka, który ledwo zdał do klasy maturalnej i grożono mu, że trafi do budowlanki, z powodu dziewczyny chodził raz w tygodniu do fryzjera. Szeptano, że aby jej zaimponować, wdał się w ciemne interesy, i to dlatego stać go na dżinsowe spodnie i kamizelkę, białą bluzę z napisem „UFO" oraz prawie oryginalne adidasy.

Tuż przed świętami Bogdan zajechał pod szkołę prawdziwym audi ze skórzaną tapicerką, najlepszym samochodem na parkingu. Kłuł w oczy nauczycieli, bo oni podwozili się wzajemnie do pracy maluchami, upchnięci jak śledzie. Audi przyćmiło poloneza dyrektora i dację wuefisty, który zamęczał treningami szkolną drużynę koszykówki, żeby wyjechać z podopiecznymi na zawody do Rumunii lub Bułgarii, gdzie można dorobić na handlu. Maturze Bogdana źle wróżyła zazdrość ciała pedagogicznego wobec samochodu sprowadzonego z Austrii. Nauczyciele nie rozumieli, że zdobył furę dla Magdy. Laska, owszem, pozwoliła odwieźć się do domu, wszyscy widzieli to z okien, ale podobno – takie chodziły słuchy – nic więcej. Znaleźli się wprawdzie i tacy, którzy twierdzili, że jest chłopakiem Magdy i z nią sypia. Radek dyskretnie śledził i starał się weryfikować wszystkie plotki. Szybko uznał, że to nie może być prawda, ponieważ Bodzio chodził skwaszony i marniał w oczach.

Co najmniej do końca roku większość chłopaków miała nadzieję, starali się jak mogli nie z powodu Nagrody Nobla dla Wałęsy, lecz dla Magdy. Jan zorganizował dla niej zabawę sylwestrową. Mieszkanie na osiedlu Słonecznym, na ostatnim, dwunastym piętrze bloku z wielkiej płyty, miało stać się areną podboju, choć za nieszczelnymi oknami wiatr hulał między wysokimi budynkami, które najlepiej wyglądały z samolotu, z punktu widzenia niedostępnego mieszkańcom. Gospodarz chciał, aby M3 na jedną noc stało się dyskoteką na międzynarodowym poziomie. Najpierw pozbył się matki. Z pomocą ojca wysłał ją do sanatorium. Od rozwodu piła coraz więcej, ale wciąż dbała o wygląd, ponieważ rozpaczliwie poszukiwała nowego faceta. Chciała udowodnić byłemu mężowi, że również ona zdolna jest zdobyć młodszego partnera. Jej podboje stawały się coraz bardziej żałosne, dlatego Jan obawiał się, że desperatka będzie się przystawiać do jego kolegów. Następnie zrobił wielkie porządki. Wyniósł puste flaszki, które chowała pod wersalką, odkrył nawet dwie pełne schowane tak głęboko, że sama nie mogła ich znaleźć. Usunął wszystkie poszlaki świadczące o tym, że ma matkę alkoholiczkę, więc poczuł, że znów panuje nad sytuacją.

Mieszkanie nosiło ślady dawnej świetności à la lata siedemdziesiąte, meblościanka w pokoju dziennym nie straciła połysku, można było zalec wygodnie na zestawie wypoczynkowym Kon-Tiki. Wystarczyło więc, że zdjął ze ściany reprodukcję słoneczników van Gogha, a na ich miejscu powiesił plakat z Bruce'em Lee. Umył okna, zakładając, że dla dzieciaków mieszkających w wąwozach poniemieckich kamienic atrakcją będzie piękny widok na miasto z dwunastego piętra. Od początku grudnia robił zakupy alkoholowe i ukrywał je w piwnicy przed matką, uzbierał wszechstronnie zaopatrzony barek, a koleżanki poprosił tylko o przyniesienie sałatek. Zaprosił Radka w roli disc jockeya z najlepszym sprzętem grającym. Ściągnął śmietankę towarzyską liceum, namówił na przyjście najfajniejsze dziewczyny z klas maturalnych. Jan był wyrozumiały i szczodry, więc spodziewając się triumfu, zaprosił też Bogdana i Maćka. Zachowywał się, jakby ustawiał gonitwy lub zawody w podrywaniu – ryzykował, przyjmując konkurentów na chacie.

Wszystko było zapięte na ostatni guzik, nawet winda, zepsuta przez całe święta i doprowadzająca sąsiadów do białej gorączki, została właśnie naprawiona. Młodzież wjeżdżała na górę jak do amerykańskiego apartamentu. Po majowym święcie ludu pracującego Jan ukradł czerwone baloniki. Teraz, na nowo napompowane, wyznaczały drogę do właściwego mieszkania. Gospodarz udawał, że nie mieszka w bloku zbudowanym w szczecińskim systemie płyt prefabrykowanych, nagrodzonym w konkursie na optymalizację budownictwa mieszkaniowego, lecz za granicą, nawet nie tą najbliższą, a kolejną, dalej na Zachodzie.

Chłopcy przybyli wypucowani i odstawieni, a dziewczyny stosownie wysztafirowane, z włosami postawionymi na żel, cukier, jajko, co się da, z kółkami klipsów wesoło dyndającymi z uszu, w krótkich bombiastych kieckach i kolorowych bluzkach, zgodnie z wyobrażeniami o lepszym życiu. Jan w głęboko przemyślanej taktyce zakładał, że aby Magda w końcu mu uległa, na imprezie muszą być obecne także jej konkurentki. Wolał nawet nie myśleć o tym, że w razie porażki będzie mógł znaleźć pocieszenie w ramionach Agnieszki, uważanej do tej pory za miss liceum. Goście popijali pierwsze kieliszki wina i lufy wódki. Czekali na Magdę, by jej pokazać, że Szczecin to nie jest tylko „jedno z tych pięknych miast, co dzień piwo, co pół roku cyrk". Rozkręcał się szał ciał i rewia mody, najlepsze, co na przełomie dekady miało do zaoferowania miasto pasione na marynarskich prezentach, pogranicznym detalu, posadach w morskim handlu i transporcie. Dziewczyny się rozgrzewały, chłopaki machali zdjętymi w tańcu marynarkami z dużymi klapami.

Ojciec Jana potrzebował łączności z zakładem pracy, więc przed laty zainstalował w mieszkaniu telefon. Aparat zadryndał przed północą, kiedy Radek puszczał najnowsze hity z programu Marka Niedźwieckiego, a alkohol lał się już strumieniami. Czujny gospodarz usłyszał dzwonek, przeprosił i poszedł odebrać, odprowadzany pytającym wzrokiem zebranego towarzystwa, które już od dawna zastanawiało się, kiedy w końcu przyjdzie Magda. Nikomu potem nie zdradził, czy zadzwoniła osobiście, czy ktoś w jej imieniu, i co dokładnie usłyszał w słuchawce. Dowiedzieli się jedynie, że gwiazda wieczoru nie zaszczyci ich swoją obecnością. Nikt głośno nie skomentował tej wiadomości, nikt się nie przyznał, że jest zawiedziony. Przeżyli pierwsze pokoleniowe rozczarowanie, powinno było przygotować ich na wiele następnych. W głębi duszy poczuli, że zostali odrzuceni przez wyśniony i lepszy świat, który symbolizowała nowa koleżanka. Wzgardziła nimi Europa, choć mówili o niej raczej Zachód – niesprecyzowana, niejasna zagranica, miejsce, gdzie jest lepiej i gdzie należy być.

Nie miało znaczenia, że Magda nie przyszła do szkoły pierwszego dnia po przerwie świątecznej. Chorowała naprawdę, prawie do ferii zimowych, pokazywała nawet zwolnienie, ale nikt jej nie wierzył. Zbyt wiele emocji zainwestowali w ten wyścig, zbyt wiele łączyli z nim nadziei. Dlatego milczeli. Dziewczyny nie pisnęły ani słowa, co myślą o tym, że laska z eksportu nie zechciała podziwiać światowego poziomu koleżanek z liceum. Piękna Agnieszka wydawała się zadowolona, że wygrywa zawody walkowerem i to jej wciąż należy się tytuł miss licealnego uniwersum. Spojrzała z wyższością na Jana zdruzgotanego telefonem i chcąc go pogrążyć jeszcze bardziej, zatańczyła wolnego z innym, nic nieznaczącym kolegą. Gospodarz nie był może misterem szkoły, ale we wszystkich rankingach plasował się bardzo wysoko, a ona chciała mu dopiec. Jan nawet nie zauważył, co wyprawia Agnieszka, tak jak inni nie mógł pokazać, że serce ma złamane przez niewdzięcznicę z nomenklatury. Impreza trwała jak gdyby nigdy nic.

Po północy wszyscy upijali się melancholijnie, dziewczyny z żalu dawały się obściskiwać, choć wiedziały, że to Magda miała się znaleźć w ramionach kolegów. Niektórzy, pomniejsi zawodnicy w wyścigu po złote runo, chłopaki, których imiona nie zapisały się w lokalnej historii, znaleźli pełne ukojenie w ciemnych kątach M3 na osiedlu Słoneczne. Jan, Radek, Maciek i Bogdan stłoczyli się w małej kuchni jak oficerowie sztabowi liczący straty po przegranej bitwie. Organizator balangi był wtedy szczuplejszy, a długich włosów jego najlepszego kumpla nie rozdzielała jeszcze łysina. Maciek był z kolei bardziej przy kości niż parę lat później w Berlinie Zachodnim, wyróżniał się w towarzystwie semicką urodą. Okrągłe okularki na wciąż dziecinnej twarzy nadawały mu wygląd dziewiętnastowiecznego rewolucjonisty. Ścięty na jeżyka szatyn Bogdan nie miał zadatków na napakowanego dryblasa, choć już ćwiczył ze sztangą. Krótko mówiąc, byli wtedy młodzi i całkiem przystojni, ale czuli się niedocenieni.

Bogdan w odruchu solidarności wyciągnął z kieszeni to, czym zamierzał tej nocy podbić bastion damskiego oporu: zwitek papieru, a w nim biały proszek. Dzięki koledze i nieobecności Magdy elita klas czwartych doznała wtajemniczenia w twarde narkotyki. Zaprzyjaźnili się z przyszłym polskim towarem eksportowym, którego masową produkcję dopiero wdrażano. Bodzio pouczył kolegów, że śmierdzący proszek wciąga się do nosa przez zwinięty banknot, miał nawet przygotowaną zieloną jednodolarówkę z portretem Waszyngtona i tajemniczymi symbolami na rewersie. Jan i Radek przypomnieli sobie tę historię po latach w Azji, inkasując wynagrodzenie w banknotach studolarowych.

Towar miał być przyspieszoną ścieżką aż do Ameryki, wręcz do Hollywood i Las Vegas, z pominięciem niepotrzebnych przystanków w Europie Zachodniej. Zanieczyszczone kreski walnęły ich mocno. Maćkowi natychmiast zebrało się na wymioty i pognał do łazienki. Radek okrutnie się bał tego polskiego produktu, udało mu się wciągnąć najmniejszą porcję, ale i tak oczy wyszły mu na wierzch. Tylko Bodzio i Jan trzymali się dzielnie, wyglądali na zachwyconych, gospodarz ujawnił flaszkę żytniej zabunkrowaną na czarną godzinę i polewał kamratom. W kiblu zamknęła się Agnieszka z jakimś chłopakiem, więc Maciek wyrzygał się przez balkon, po czym z godnością odmówił wódki. Reszta zapijała proszek.

– Bodek, skąd masz to gówno?! – wysapał Jan, kiedy przełknął alkohol.

– Ale nie powiesz ojcu, co?

– No co ty, widuję go raz na ruski rok. Weź się...

– Czemu ma nie mówić akurat swojemu ojcu? A mojemu może? – zdziwił się Radek.

– Twojemu też nie. Żadnemu ojcu. Nie pierdol – uciął gospodarz.

– Poznałem takich jednych, naukowcy z Trójmiasta, dali mi na spróbowanie.

– Polska myśl techniczna – zaśmiał się Jan.

– Nazywano to benzedryną, używali Amerykanie i Niemcy, Japończycy podczas wojny, żeby nie spać. Teraz mówi się amfetamina. Amfa. Zapamiętajcie nazwę.

– Może być amfa. Dobra nazwa. Krótko i na temat.

– No właśnie, czasem krótko z bzykaniem. Trzeba uważać, sprawdzić, bo kutas zachowuje się inaczej, nie jest taki twardy jak normalnie. Kumacie?

Bogdan spojrzał po kolegach, ale Radek i Maciek byli z frakcji romantyków i nie do końca rozumieli, o co mu chodzi. Janka interesowały inne aspekty sprawy.

– Ale za darmo? Za frajer ci dali? Skąd ich znasz? – dopytywał. Nielegalny handel i przemyt przez granicę to były dla niego normalne interesy, natomiast narkotyki już nie.

– Nie wpakowałem się, tylko robię interesy w Polsce, kurwa, a nie w NRD.

– Spokojnie, nic od ciebie nie chcę, po prostu jestem ciekawy.

Jan uspokajał, Maciek usiłował zacząć rozmowę o muzyce, Radek też był gotowy zmienić temat na bardziej neutralny, ale przedstawiciele prywatnej inicjatywy nadawali ton kuchennej konwersacji.

Wszyscy wiedzieli, że w powietrzu unosi się cień Magdy, co nie przyszła, i rozmowa poprzez biznesy prowadzi tak naprawdę do niej.

– Zaczęło się od pierdolonego audi. Zawsze chciałem takie mieć... A teraz chciałem jeszcze bardziej, bo... Sami wiecie. Więc pomagałem przy wymianie walut.

– Ładnie, to ty jesteś kozak.

– Ale to jest niebezpieczne, te sztosy. Nauczyli mnie. – Bodek rozkręcał się i gestykulował. – Wręczasz za mało kasy, klient ogląda banknoty, liczy i zauważa, że brakuje. Mówię „przepraszam" i dodając banknot, podmieniam zwitek. Kumacie, kurwa? – Pokiwali głowami. – Turysta już nie przelicza, jest zadowolony, że nie dał się naciąć. A tak właśnie można gościa wyjebać na ścinki z gazet i zarobić sporo szmalu. – Bodzio nalał i wypił szybko kolejną lufę, wzdrygnął się. – Ale taki twardziel to ja nie jestem, kurwa. Spękałem. Musiałem wymyślić co innego. Pamiętacie, jak nie było mnie w piątki i poniedziałki w szkole?

– Coś tam było, ale nie sprawdzam codziennie twojej obecności w dzienniku.

– Poznałem takich od samochodów i robiłem kursy do Austrii.

– Paszport i wiza, elegancko!

– Mają ludzi, co organizują dokumenty. Przywiozłem dla nich dwa merce i podobne audi do mojego, długie kursy, długie trasy, amfa się przydaje. Ale wciąż miałem za mało kasy na własną furę. To załatwiłem sobie, kurwa, na własny rachunek.

– Czyli?

Wszyscy wiedzieli, co znaczy to pytanie i jaka będzie odpowiedź, ale musiało paść i wyłącznie Jan miał prawo je zadać, tak jak wszystkie poprzednie. Radek i Maciek ograniczyli się do słuchania i wybałuszania oczu, nie wiadomo, od amfy czy z podziwu.

– W sensie wiadomo jakim, no, kurwa, jakim sensie? Zajumałem, a co miałem zrobić? Tym nazistom wszystko jedno, ta fura i tamte były ubezpieczone. Tylko że poprzednie na niby kradzione. Ustawka, wiecie, Austriak dostaje swoją pulę od Polaków, drugą z ubezpieczenia, auto wyjeżdża bez kombinacji, jest legalizowane i sprzedawane. Zazwyczaj do Warszawy.

Znów się napił i zapalił kolejnego fajka.

– Robiłeś dla tego słynnego Nikosia? – spytał Jan.

Bogdan spojrzał na niego z wyrzutem i potwierdził skinieniem głowy.

Pozostali nie wiedzieli do końca, o co chodzi, ale domyślali się, że ich koleżka montuje naprawdę ciemne interesy. Bodzio po dłuższej chwili postanowił wygadać się do końca, wyrzucić, co mu leży na sercu.

– To audi już naprawdę ukradłem. Jak ludzie Nikosia się dowiedzą, to mnie zajebią za samowolkę, to nie są, kurwa, przelewki, u nich jak w wojsku, trzeba się słuchać... A jak psy mnie złapią, to pójdę siedzieć, ale co miałem zrobić? Jakoś się chciałem pokazać... – Po wyznaniu na speedzie Bogdan się zawiesił i zamilkł ze spojrzeniem wbitym w stół.

– Praca to praca, a interes to interes – skwitował Jan spokojnie.

Radek zaczął się bać swoich kumpli ze szkoły. Maciek znów poleciał do kibla, nadal było zajęte, więc wrócił i tym razem zwymiotował do zlewu w kuchni. Gospodarz zaklął, ale nawet nie wstał, żeby sprzątnąć. Nalał ostatnią kolejkę i zapowiedział:

– A ja spróbuję jeszcze raz, musi się udać, nie takie Magdy się zdobywało... A ty, Radzio, nie miałeś być didżejem? „Hi-Fi super star super hit. Na zwariowane sny świat ma apetyt" – zanucił najnowszy singiel Bandy i Wandy. – Może jakaś koleżanka jeszcze się ostała na te, kurwa, smutki?

III. Indie–Singapur 1987

Singapore, you are the only town that I adore.
Singapore, you are my dream that I've been longing for

2 plus 1, Singapore

Odkrycie Singapuru

Gorączkę miałem już wieczorem, a rano trzęsło mnie z osłabienia, przeziębienia, ze strachu? Nie wiedziałem, dlaczego tak źle się czuję, wpadłem w psychozę, że zaraziłem się śmiertelną, egzotyczną chorobą. Przyznaję, że dostałem nieposkromionego ataku paniki chwytającej za gardło, aż zabrakło mi tchu. Rozmyślałem o niebezpiecznych bakteriach krążących po ciele, zarazkach zjadających mnie od środka, wyżerających komórki i mutujących; o szalejących mikrobach, które przejęły mnie na własność. Przeżywałem katusze, wydawało mi się, że pod pachami rozwija mi się narośl, że guzy pokrywają mi plecy, że zaraz umrę spocony w gorących Indiach.

Leżałem twarzą do ściany, próbowałem liczyć czerwone i czarne plamy, zacieki, placki odpadającego tynku. Nie układały się w żaden wzór, na nic nie wskazywały, nie rozpoznawałem strzałek ani linii, za którymi mógłbym podążyć. Bałem się wstać, udawałem, że mnie nie ma, chciałem zniknąć, zwijałem się w kłębek, ale cienka narzuta była za krótka, żeby schować jednocześnie nogi i głowę, wiłem się pod spodem. Nie odwróciłem się, nawet kiedy usłyszałem, że Janek wstał, raźnym krokiem wszedł do łazienki i mył się w zimnej wodzie, stękając i charcząc. Wreszcie stanął nade mną, a ja udawałem, że śpię. Popatrzył, nic nie powiedział i wyszedł. Pożałowałem, że zgodziłem się lecieć do Singapuru.

Musiałem na chwilę zasnąć, ponieważ tym razem, otworzywszy oczy, nie zobaczyłem ściany. Leżałem przodem do łóżka Janka, kumpel siedział na nim z tacą. Podsunął mi czarną herbatę i małe spieczone tosty. Musiałem zjeść i żyć, choć nie miałem ochoty, nic mi się nie chciało ze strachu, z żalu, nie wiem z czego, ale wszystko wydawało się do dupy. Jadłem, a Janek nic nie mówił, znowu wyszedł. Wrócił z nowymi ubraniami: szortami i koszulkami z logo amerykańskich firm. Wysępił te ciuchy od Kumara, żebyśmy jak najlepiej prezentowali się na lotnisku.

– Ej, lord, wstawaj.

Zrozumiałem, że on też źle się czuje, ale mechanicznie wykonuje czynności, które należało wykonać, jak zawsze zadaniowy, skoncentrowany na wyznaczonym celu. Jak automat naśladowałem partnera. Ubrałem się, wyszliśmy na ulicę, pojechaliśmy na lotnisko. Nic więcej. Żadnych egzotycznych wrażeń, przygód do opowiadania, nie pamiętam nic oprócz tego, że byłem bardzo nieszczęśliwy. Jeden z najgorszych poranków w moim życiu. Przeszliśmy odprawę paszportową i celną, na pokładzie natychmiast zasnąłem na te sześć godzin lotu.

Ocknąłem się, z głośników nadawano komunikat o *weather conditions*, spojrzałem za okno, wlatywaliśmy w białą chmurę. To był ten moment, kiedy jeszcze przez sekundę widzisz świat poza obłokami, ale nagle wszystko znika i zawisasz w mlecznym, skłębionym bezkształcie. Poczułem mocne turbulencje, fotele się trzęsły, pasażerowie trzymali się kurczowo podłokietników. Żołądek podskoczył mi do gardła. Wylecieliśmy z bieli i nagle samolot przestał wibrować i się trząść, zamilkł. Obudziłem się do końca, pomyślałem, że silniki przestały pracować i zaraz zginiemy.

Janek spokojnie spał obok z uśmiechem na twarzy, a ja poczułem, że zaczynamy spadać, miałem miękkie nogi, uszy zatkane z powodu zmiany wysokości, aż mnie zabolały. Spojrzałem znów za okno, w dół, i zrozumiałem, że jednak mam lęk wysokości, dostrzegłem małe wysepki, morze, chaty, łodzie – uznałem, że lecimy zbyt nisko. Widziałem dziesiątki, setki statków na zupełnie gładkiej, jasnoniebieskiej powierzchni morza, wielkie transportowce zakotwiczone, bez ruchu, przeraziłem się, że samolot zaraz rozbije się na jednym z nich, trafiony – zatopiony. Słabość, panika. Woda i ląd zlewały się ze sobą, brakowało wyraźnych granic, jasnych podziałów, nie docierało do mnie, co widzę. Ostry zwrot samolotu i po chwili w dole ukazało się wielkie zielone pole golfowe. Dojrzałem człowieka, który właśnie uderzał kijem, ciśnienie szalało mi w uszach, wylądowaliśmy. Chciałem jak najszybciej wyjść z samolotu, mój kumpel wciąż spał, maszyna spokojnie kołowała po płycie lotniska.

Uspokoiłem się dopiero w pierwszej *smoking area* na lotnisku Changi, wszędzie wisiały tablice z informacją, że otrzymało tytuł „Best Airport" i szybko się rozrasta, trwa już budowa kolejnego terminala. Pierwszy szok to kran z czystą, chłodną, pyszną wodą, za darmo w dowolnej ilości. Nie mogłem przestać pić.

Wizytówkę z adresem wręczyliśmy kierowcy czarno-żółtej taksówki. Chińczyk w toyocie pokiwał głową i ruszył. Jechaliśmy przez gęstą, mocną zieleń, betonowe estakady przecinały dżunglę, autostrady ciągnęły się pod palmami i drzewami, których nazw nie znałem, ale kojarzyły mi się z tropikalnymi lasami. Kontrast: białoszary beton, czarny asfalt i ciemna, buchająca zieleń, przeciwieństwa połączone w jedno. W tym nowym dziwnym świecie spomiędzy roślin wyrastały wysokie bloki połączone przejściami, zabudowanymi mostami, jak scenografia filmu o dalekiej przyszłości, nie do spełnienia w Polsce, ale możliwej tutaj. Okiełznana natura poddana kontroli, pełen futuryzm, a nie słowiańskie i punkowe *no future*. Tutaj była wyłącznie przyszłość, przeszłość dostała zakaz wstępu, zamknięta w rezerwatach Europy Środkowo-Wschodniej oraz Indii. Planetarne nierówności w dystrybucji czasu, poczułem, że pruję czasoprzestrzeń na dziobie statku, który wbija się w przyszłość, za mną nic już nie ma, przeszłość przestała istnieć.

Gapiłem się przez okna taksówki na nowoczesne fantazyjne budynki, potem na dobrze utrzymane i odremontowane zabytki po Brytyjczykach. Z nowych, świeżo zbudowanych estakad rozpościerał się panoramiczny widok na Singapur, szeroki plan, czułem się jak bohater filmu o cywilizacji, która dopiero zaistnieje. I zalśni czystością – wydawało mi się, że blask wypucowanego miasta szkodzi białym ludziom. Fasady i szyby wieżowców odbijały światło mocnego słońca, bolały mnie oczy, więc pierwszą rzeczą, jaką kupiłem, były okulary przeciwsłoneczne. Morze, błękitne, jak wypolerowane, a na nim rozrzucone, niczym garść szmaragdów czy innych drogocennych kamieni, wyspy pełne blasku południa. Lśnienie wody, migotanie zieleni i kwiatów: od lotosów w jeziorkach po różowy, nieznany mi gatunek. Brakowało mi słów na opisanie tego, co widzę; potem, kiedy wziąłem się do spisywania wspomnień, musiałem szukać pomocy w książkach.

W samochodzie, tak jak na chodnikach, czyściutko, żadnych czerwonych plam na tapicerce czy na ścianach, żadnych łupin orzechów kokosowych, petów, śmieci. Pięćset dolarów kary za rzucenie niedopałka na ziemię. Janek od razu pstryknął kiepem za okno i śmiał się zadowolony, że przechytrzył system. Chińczyk gderał, ale go nie rozumieliśmy. Pewnie mówił, że kara grzywny grozi za plucie, śmiecenie i przechodzenie przez ulicę na czerwonym świetle. Potem wprowadzono zakaz importu gumy do żucia, podobno zatykała drzwi do wagonów metra; można było nieźle zarobić na jej przemycie do Singapuru. Wtedy nie wiedziałem o karze śmierci za szmuglowanie narkotyków, o chłoście – pięć, dziesięć, dwadzieścia kijów – wymierzanej nawet nam, zachodnim turystom, za drobne przewinienia. Tak, tak, w Singapurze, jak w Indiach, nie byliśmy już ze Wschodu, tylko z Zachodu, z Europy. Awansowaliśmy, równouprawnienie, takie same kary dla Polaków i Angoli.

Przed wylotem spędziłem w Delhi raptem dwa dni, więc pewnie dopiero na podstawie późniejszych podróży nabrałem przekonania, że Indie są jak Polska, a Singapur jak RFN. Mijaliśmy nieliczne samochody, mercedesy, może je dostrzegałem, bo znałem tę markę. Panował tu ordnung jak w Niemczech, liczył się biznes, już wtedy mówiono o „azjatyckich tygrysach". Lotnisko Changi otwarto w 1981 roku, kiedy przeciętny mieszkaniec miasta-państwa zarabiał pięć tysięcy dolarów amerykańskich na głowę. Pod koniec dekady średni dochód wynosił już prawie trzynaście tysięcy, a w Polsce nadal grosze. My, przewalacze, też trochę się przyczyniliśmy do ekonomicznego rozwoju Singapuru.

W śródmieściu dużo złota, marmurów, szkła, ale nie w stylu dubajskim. Skromniej, bardziej stylowo, bez puszenia się na szybki efekt. Zdumiały mnie krystalicznie czyste szyby w windach. W Szczecinie i Delhi to się nie zdarzało, tam oglądałem świat przez szarą zawiesinę, plamy, niedomyte, zasyfione szkło. Jechaliśmy długimi ślimakami autostrad, rozjazdów, przejazdów. Slogany, „Clean rivers, better life", jak w Indiach i PRL-u, ale tutaj wydawało się, że szczytne hasła są realizowane i wcielane w życie. Mnóstwo wody: morze, statki, port, wybrzeże. Żadnego smrodu od cieśniny, świeże powietrze ładnie pachniało – Wschód wonny jak kwiat. Nawet kierowcy riksz rowerowych w Chinatown czy Little India wyglądali na lepiej odżywionych i czystszych niż w Delhi. I nie było żebraków! Może żebrania zakazano, tak jak plucia i żucia gumy?

Pranie zwisało z okien starych domów, już wtedy wyburzanych, dziś po większości z nich nie ma śladu. Suszyło się na wszystkich piętrach wysokich bloków, ale prześcieradła lśniły bielą i były porządnie wywieszone. Ludzie grzecznie czekali w kolejce do autobusu, po mieście jeździły dwupiętrowce, *double deckers*, takie jak na pocztówkach z Londynu. Byłem w Azji, miałem w jednym miejscu to, co najlepsze z Zachodu, i zarazem całą egzotykę. Przy kolejnych pobytach przyszły różne przemyślenia, ale generalnie Janek zakochał się w Indiach, a ja w Singapurze.

Rozeznać się w tym świecie nie było łatwo. Długo nie mogliśmy znaleźć wejścia do budynku. Wiedzieliśmy, że to wynajęty, niezamieszkany lokal, znaliśmy adres, klucze miały czekać u portiera. Bencoolen Road, a może Orchard, już nie pamiętam. W każdym razie Plaza w nazwie; na dole *shopping mall*, wyżej rośliny i bryła wieżowca. Dzień handlowy, pełno ludzi się kręci, mienią się różne kolory skóry, ubrania, dźwięki: skośnoocy i inni, ciemniejsi, wtedy nie rozróżniałem mieszanki ras i religii znad cieśnin. W końcu się udało, konsjerż, winda i mieszkanie, pustawe, ot, podstawowe meble, łóżka, trzy czy cztery pokoje, jeden dla nas. Z okien widać było wieżowce, znaki wielkich firm, banki. Uznałem, że trafiliśmy do centrum świata.

Przylecieliśmy do Azji, żeby zmienić życie, zdobyć przyszłość, wcześniej byliśmy jej pozbawieni, ale nie spodziewaliśmy się, że czeka nas taka rewolucja. Znów przypomniał mi się utwór sprzed lat: „Ja nie gram, ja nie przegram. Bo nie mam żadnej ambicji". Tylko że ja miałem przed oczami cele do zdobycia, a noga starych załogantów nigdy nie postała w Singapurze. Wcześniej, kiedy grałem z Generacją, nie miałem nic do stracenia – teraz już tak. Słońce zachodziło nad Miastem Lwa i czułem się jak w bajce, chciałem, aby tak pozostało.

Wkrótce Szewc osobiście przyszedł nas powitać. Szczupły i wysportowany, miał elegancko przyciętą, lekko siwiejącą bródkę i krótko przystrzyżone włosy, przewiewne letnie ubranie: kolorową koszulę i tenisową marynarkę. Dobrze poczuliśmy się w jego towarzystwie, z miejsca nam zaimponował. Przedstawił się, ale poprosił, żebyśmy przeszli na ty, znał już nasze imiona. Janek przypatrywał mu się badawczo, ja miałem wrażenie, że znamy się od dawna. Grzecznie poprosił o pieniądze. Nie przeliczył ich, od razu wszystkie upchnął do czarnego skórzanego neseserka.

– Pan... to znaczy ty... nie liczysz?

– Chłopcy, przelicza tylko Peter Cheater. – Zaśmiał się.

– Kto?

– Taki młodszy kolega, bardzo zdolny, też ma firmę.

Opowiedział nam legendę o Peterze, jednym z szefów polskich grup przemytniczych. Potem słyszałem ją jeszcze wielokrotnie od innych przewalaczy z Singu.

Podczas wymiany waluty Piotr dokładnie przeliczał banknoty i zarabiał na tym dodatkowo spore pieniądze. Miał w głowie kalkulator, zaokrąglał drugie, trzecie miejsce po przecinku na swoją korzyść, przy dużych sumach i wielu operacjach wyciągał z tego spory, czysty zysk. Liczył lepiej od Hindusów, choć to oni wymyślili matematykę i podobno byli pierwszymi bankierami świata. W końcu się zorientowali, też przy transakcjach zaczęli liczyć do wielu miejsc po przecinku. Szewc zaznaczył wyraźnie: „Peter Cheater" – ale to z szacunku. „Kiedyś go poznacie, ale pamiętajcie, pracujecie dla mnie!".

Zeszliśmy z szefem na ulicę, w hallu oddał walizeczkę czekającemu tam Polakowi. Łącznik nawet się nie przywitał, natychmiast wyszedł. Na nasze pytające spojrzenia Szewc wyjaśnił:

– Trzeba jak najszybciej wymienić, dziś są dobre kursiki na Change Alley. Ale my musimy uczcić wasz przylot. Chodźmy!

Zabrał nas do Food Court. Mnóstwo małych knajpek pod zadaszeniem, lecz atmosfera jak na ulicy, żadnych obrusów, kelnerów, tylko *self service*. Menu w różnych alfabetach, zapachy znane z Indii i zupełnie nowe, różne potrawy, nie połapałbym się w tym, ale Szewc poprowadził nas do swojego ulubionego kucharza i zamówił jedzenie. Plastikowe talerze zapełnione ryżem, rybami, krewetkami, kalmarami. Po przejściach żołądkowych w Delhi zaznaczyłem, że *not spicy*, i wszystko smakowało wybornie, jak w hotelu Victoria albo i lepiej. Popijaliśmy zimne piwo Tiger, nawet nazwa i logo z tygrysem pasowały do atmosfery.

– Potrawy indonezyjsko-malezyjskie! Kuchnia z cieśnin, gdybyście jednak chcieli ostrzej, to w tym pojemniczku jest sambal, coś jak curry, ale trochę inny, lokalny styl. To jest nasi lemak, ryż gotowany z rybą, krewetkami, a to nasi goreng, ryż smażony. – Pokazywał i tłumaczył, co mamy przed sobą.

Był nam przewodnikiem, nauczycielem i ojcem, otaczał nas opieką. Zajadał ze smakiem, wyjaśnił, że jest głodny, ponieważ właśnie wrócił z tenisa. Pytał, jak nam minął lot, i upewniał się, czy kupiliśmy na *duty free* po kartonie fajek i butelce whisky, bo papierosy i mocny alkohol są bardzo drogie w państwie-wyspie. Odkupił od nas dziesięć paczek marlboro i jedną flaszkę johnniego po dobrej cenie, mieliśmy już lokalne dolary na własne wydatki.

– Czyli zawsze mamy kupować swoje picie i palenie? – upewniał się Janek, zajadając ze smakiem.

Jadłem bardziej wstrzemięźliwie, nie chciałem znów się pochorować.

– Jedzenie jest bardzo tanie, proszę ciebie, piweczko w takich jadłodajniach jak tu jeszcze ujdzie. Rząd dba o zdrowe i życie obywateli, więc na używki nałożono wysoki podatek. Muszą zarobić na te wszystkie inwestycje.

– Czyli to jest państwo kapitalistyczne? – spytałem.

– Mylisz się, chłopcze, ale nie do końca. Ustrój panuje inny niż w Europie Zachodniej. Tutaj władza jest przede wszystkim pragmatyczna. O tak, pragmatyzm! – Podniósł znacząco palec. – Singapur działa jak wielka rodzinna firma. Widzieliście te wysokie bloki? Są komunalne, trzy czwarte obywateli w nich mieszka. Dużo wyższy standard niż u nas, przez szczeliny między płytami nie wciska się wiatr, zapewniam. Nie trzeba być milionerem, żeby dostać mieszkanko. Choć miejsca na wyspie jest mało, nie czeka się latami jak w Polsce.

Słuchaliśmy, patrzyliśmy na Bossa jak na naszego guru, miał mocny, angielski akcent. Chciałem zostać kimś takim jak on.

Nie dodałem ostrych przypraw, a mimo to pociłem się od jedzenia i temperatury, popijałem więc z ulgą piwo i słuchałem grzecznie.

– Ekonomia? Najlepsza na świecie, nie ma cła eksportowego! Robią wszystko, żeby największe firmy i banki tu inwestowały. Jesteście, chłopcy, w centrum planety. Ten kraik z Trzeciego Świata awansuje do pierwszego i mówię wam, kiedyś prześcignie Japonię i Stany. Wierzę w to miejsce, dlatego zostałem *permanent resident*.

– Czyli nie jest pan, przepraszam, nie jesteś już obywatelem Polski? – wyrwało się Jankowi.

– Właściwie to nigdy nie byłem. Urodziłem się w Australii, mój tata po wojnie wyemigrował tam z Wielkiej Brytanii. Przeszedł cały szlak z armią Andersa, przez Iran i Palestynę aż po Monte Cassino. Panie, świeć nad jego duszą! Rasowy antykomunista, wiedział, że nie ma już czego szukać w ojczyźnie. Z takim pochodzeniem? Polska szlachta! – Pomachał palcem z dużym, starym sygnetem. – Władze powiedzą pewnie, że zdradził kraj. A to właśnie oni zdradzili! Nie mój papa, nie ja. Ja działam na rzecz Polski, dając pracę takim jak wy. Młodym, przedsiębiorczym, ciekawym świata, dla których nie ma szans w domku. A jak zarobicie, to przecież wasze pieniążki wpłacicie do banku, kupicie samochodzik, mieszkanko i nawet komuniści na tym zyskają. Bez takich jak wy PRL już dawno by się zawalił. – Wyssał miąższ z krewetek.

– Ale to by znaczyło, że pomagamy komuchom? – Zgubiłem się w wywodzie Szewca.

– Aż tak to nie – żachnął się. – Radosławie... Ładne, słowiańskie imię! Rado-Slav? Nie, też źle. Teraz będziesz Rado, ok?

– Ok – zgodziłem się. Nie znosiłem swojego imienia, każda ksywka, nawet zdrobnienie mi odpowiadały.

– Rado, budujecie razem ze mną kapitalizm w socjalistycznym kraju, od środka, jesteśmy jak konik trojański. Komuchy nas potrzebują, to prawda, bez dolarków z prywatnych kont rynek by się zawalił, bez towarów z NRD ludzie umieraliby z głodu. Bez Singapuru czy

RFN nie mieliby wideo i komputerków. Podobno teraz komputeryzacja ma uratować system. Cyfrowy socjalizm? Komputerem w stonkę? Śmiechu warte, nie uratujesz socjalizmu, podłączając go do maszyny liczącej, bo obliczy to, co wiemy. Że wychodzi zero! W takiej ekonomii zawsze kończy się na zerze! Boss zamówił dla nas deser, jakieś kolorowe owocowe pulpy, i gadał dalej.

– Komuchy coraz szerzej otwierają drzwi, wpuszczają świeże powietrze. Pewnego dzionka, zanim się zorientują, to rześkie powietrze ich udusi, bo zapanuje w Polsce kapitalizm. Jeszcze zanim zostanie oficjalnie ogłoszony! Chyba że się w porę zorientują, może już się zorientowali i po cichu sami zostają biznesmenami? Żydokomuna parszywa, wiedzą, gdzie są konfiturki, od wieków to wiedzą! Zapamiętajcie moje słowa, tu w Singapurze też tak zrobili i *voilà*, rozejrzyjcie się, nagle liberalizm pełną gębą! Ekonomiczny, oczywiście, bo wymierzając baty za przestępstwa, stają się konserwatystami, he, he.

– Ciekawe – bąknąłem.

Wtedy jeszcze nie rozumiałem do końca idei szefa, ale pamiętam, że poruszyło mnie jego przemówienie, wizja, jaką roztaczał. Miał charyzmę i talent przywódczy.

– Chłopcy, zarobicie swoje, ale pamiętajcie, że ta gierka toczy się o większą stawkę! Jesteście agentami dobrej zmiany w kraju! – Zamilkł na chwilę, dając nam czas na przemyślenie jego monologu. Zapłacił za wszystko i zakończył wieczór. – Niestety, czas na mnie. *Business is business*, sam się nie zrobi. Jak długo chcielibyście zostać?

– Jak najdłużej, oczywiście, chcielibyśmy odpocząć... – nieśmiało zaproponował Janek. W obecności Bossa nawet mój kumpel tracił rezon.

Szewc spojrzał na nas uważnie, liczył w pamięci koszty.

– Niech będzie, moja strata, macie tę i jeszcze jedną nockę w naszym apartamencie, a potem wracacie do Delhi. Akurat jest dobre połączenie pojutrze, wczesna godzina. W Delhi Sakar da wam następne zlecenie. Widzimy się rano, pokażę wam miasto i załatwimy parę spraw.

Upgrade życia i paszportów

Radek miał nadzieję, że rankiem Boss pokaże im atrakcje turystyczne, kolonialne zabytki Miasta Lwa. Jan liczył na wyprawę po sklepach, *shopping centers*, bazarach i straganach, nastawiał się na porównywanie cen, przyspieszony kurs nie marksizmu-leninizmu, bo ten przechodził na Akademii Ekonomicznej, lecz realnego, twardego singapurskiego kapitalizmu. Po spotkaniu z młodymi szczecińskimi przemytnikami Szewc miał jednak inne plany.

– Skoro przeszliście chrzest bojowy, musicie zdecydować, czy zostajecie na dłużej.

Obydwaj przytaknęli skwapliwie. Przecież byli na Dalekim Wschodzie, mieli zarabiać pieniądze i *let the dreams come true*.

– To wymaga podrasowania dokumencików, waszym paszportom trzeba zrobić *upgrade*, ok?

Kiwali głowami jak małe dzieci podniecone kolejnymi atrakcjami na placu zabaw.

– Tutaj, w innym, lepszym świecie, nie będziecie mieli z tego powodu problemów, ale ostrzegam lojalnie, mogą się pojawić w ludowej ojczyźnie. Decydujecie się?

Radek wcale nie był zdecydowany, ale milczał, Jan chciał wiedzieć więcej i pytał wprost. Szewc tłumaczył, że urzędnikom w Singapurze jest w zasadzie wszystko jedno, nie sprawdzają paszportów zbyt dokładnie. Poza tym oglądają codziennie setki tysięcy dokumentów z różnych stron świata i nie zdołaliby zapamiętać, jak powinien wyglądać oryginalny, porządny paszport turysty z RFN, a jak Polaka. Podobnie jest z kontrolą w Indiach, nie będą porównywać ulepszonych papierów z normalnymi, które mają turyści przylatujący z Orbisem.

– Natomiast jeśli dłużej polatacie, czego sobie życzycie i wy, i ja, a potem wrócicie na łono ojczyzny, synki marnotrawne – zachichotał – to wyszkolony polski wopista może być podejrzliwy. Musicie załatwić tak, żeby się nie czepiał, albo zgubić paszport i dostać nowy z ambasady, ok?

– Ok – zgodzili się.

– *Let's go, boys.* Przejdziemy się. Pokażę wam City.

Ruszyli posłusznie za ojcem chrzestnym.

Ulica znów buchnęła im w twarze wilgocią, ciepłem, zapachami, ludźmi. Od razu zauważyli, że w Singapurze mieszkają Hindusi, szybko nauczyli się też rozpoznawać Chińczyków, szczupłych, wyniosłych, zamkniętych w sobie i z jaśniejszą skórą. Byli też uśmiechnięci Malajowie, ciemniejsi niż Hindusi, inaczej zbudowani – mężczyźni przystojni, dziewczyny piękne, ale obydwie płcie wykazywały skłonność do tycia.

Górowały nad nimi wieżowce o magicznych nazwach: Albert Centre, Sim Lim Tower i Sim Lim Sqaure. Radek potrafił odczytać tylko szyldy po angielsku, singapurskie portowe, handlowe zaklęcia: „Tak Heng Co. Ltd. Sundry Goods Importers and Exporters", „Tan Quee", „South Enterprises". Szybko zobaczyli też swojskie, zrozumiałe napisy: „Peter Kong wita swoich starych i nowych klientów z Polski", „Tutaj sprzedaje się telewizory i wideo dostosowane do polskich standardów", „Specjalna oferta dla Polaków". Nikt nie reklamował się po niemiecku z ofertą dla Niemców. Poczuli się narodem wybranym, Singapur witał ich z otwartymi ramionami.

Z Bencoolen Street skręcili w Stamford Road i dotarli do białej katedry odbijającej zwrotnikowe światło. Po drugiej stronie North Bridge Road wznosił się budynek Peninsula Plaza, nawiązujący stylem do pobliskiej neogotyckiej katedry.

– Tutaj mieszkam – wskazał z dumą Szewc. – Przyznacie, że elegancko?

Chłopaki pokiwali głowami. Wieżowiec był wyższy, nowszy i ładniejszy niż ten, w którym zostali tymczasowo zakwaterowani przez Firmę.

– Oj tak, rozkręcamy się, chcę *make Poland great again*, takie mam hasło. Jest popyt, to i podaż musi się znaleźć. Rynek jest gorący. Oby koniunkturka się nie przegrzała...

Weszli do wysokiego hallu w środku świątyni nowoczesności, ruchome schody prowadziły stąd w górę i dół. W podziemiach, w szklanym boksie pomiędzy agencją najmu służących z Filipin a sklepem z aparatami fotograficznymi znajdował się mały kantorek. Za opuszczonymi żaluzjami pracował dla Szewca przysadzisty pan Ryszard. To on poprzedniego dnia odebrał walizeczkę z pieniędzmi. Starszy jegomość, co żadnej pracy się nie boi, fachowiec od stikerów, TBR-ów oraz paszportów. Mrukliwie powitał nowy narybek z Polski i przejął ich paszporty.

Każdą stronę nasączył przezroczystym klejem, po czym potraktował suszarką. Dokonał prezentacji, jak czarodziej handlujący odkurzaczami parę lat później, w latach dziewięćdziesiątych. Na jednej ze stron wbił pieczątkę, wziął patyczek do czyszczenia uszu, zamoczył go w wodzie i wytarł nim do czysta ślad pieczątki. Uzupełnił klej, znowu podsuszył. Po stemplu nie został nawet ślad.

– Proszę panów, tak to się robi w Singapurze! – odezwał się wreszcie, jak dumny ze swojej roboty rzemieślnik starej daty.

– Czyli mamy fałszywe paszporty? – Radek dopiero teraz zrozumiał, co się stało.

– My mówimy paski. Nie przesadzajmy, ale może niedługo, pracuję nad tym – pochwalił się.

Uwierzyli, że naprawdę ślęczy po nocach nad fałszywkami, których nie będzie potem musiał się wstydzić.

– Tak, Ryszard walczy z technologiami, ale nie panikujcie, macie porządne paski, oryginalne, tylko *upgraded*, tak jak obiecywałem. Fałszywe robią w Tajlandii albo w Indiach, na przykład Irańczycy, ci poganie, parsowie w Bombaju. My na razie działamy legalnie. No, prawie. Ale pokażemy, na co nas stać! – napuszył się Szewc.

– Zrobię lepsze niż oni – zaręczył pan Ryszard. – Potrzebuję trochę czasu. Coś jeszcze?

– Nie, dziękujemy.

Wrócili do hallu. Boss stwierdził, że ma jeszcze sporo spraw do załatwienia. Koordynowanie pracy wrzucaków latających wte i wewte pomiędzy Delhi a Singapurem wymagało siedzenia przy telefonie w biurze, czyli podniebnym apartamencie.

– Potem zapraszam na takie małe *dinner party*. Bądźcie na szóstą, siódmą, wjedźcie na poziom basenu. Weźcie jakieś rzeczy do pływania!

Kumple ze Szczecinexu uśmiechnęli się, uszczęśliwieni.

Mieli parę godzin wolnego na posmakowanie Dalekiego Wschodu. Ruszyli w stronę wybrzeża przez wielki zielony plac, kolonialną Esplanadę, po której sto lat wcześniej jeździli powozami Anglicy z hinduską służbą. Minęli potężny gmach sądu i ratusz z początku XX wieku. Doszli w końcu do mostu Andersona u ujścia rzeki Singapur do morza. Daleko, na redzie, dojrzeli cienie wielkich statków czekających na wejście do portu i rozładunek. Bliżej pracowały maszyny – powstawał nowy kawałek lądu. Miasto od początku istnienia zasypywało cieśninę sprowadzanym z daleka piaskiem, aby rosnąć, puchnąć i się bogacić.

– Janek, gdzieś tam musiał kotwiczyć parowiec, którym Conrad pływał na Borneo! Jesteśmy tu! Historia, książki, rozumiesz?! – Radek przypomniał sobie lektury z czasów szkolnych i ekscytował się, że z miejsca, na które patrzyli, odpływała „Patna" w *Lordzie Jimie*.

– I co z tego? – Jana zmęczyły wywody przyjaciela, ale widząc jego naburmuszoną minę, spytał o masywny gmach poczty, obok którego skręcili.

– Tam właśnie Conrad musiał odbierać swoje przesyłki! Rozumiesz, on tutaj był!

– Ok, a teraz jesteśmy my! – Jan pokiwał głową.

Radek chciał się wywiązać z zobowiązań wobec matki, więc poprowadził ich do pomnika sir Rafflesa, założyciela wolnego od cła portu handlowego. Placówka Kompanii Wschodnioindyjskiej, dla której na początku XIX wieku pracował Anglik, kontrolowała ruch w cieśninie, przyciągała statki, ludzi i fracht. Kupcy z całego wschodniego świata sprzedawali i kupowali tutaj towary.

Biały kamienny posąg wznosił się dumnie na tle wieżowców, a przewodnik wmawiał grupie anglojęzycznych turystów, że przed Brytyjczykami wyspa była pusta i niczyja. Za początek historii miasta uważał umowę dzierżawy podpisaną przez Rafflesa z lokalnym władcą. Szczecinex skupił się jednak na informacji, że wieżowiec po drugiej stronie rzeki, za posągiem, podzielony na trzy równe pionowe kratownice, jeszcze do niedawna był najwyższy w mieście i należał do wielkiego banku. Zamarzyli sobie, żeby kiedyś być jak Szewc i otworzyć tam konto.

Zostawili angielską wycieczkę i ruszyli w cieniu lśniących drapaczy chmur nabrzeżem rzeki, gdzie przycupnęły brudne, rozpadające się niskie domki. Zgniłe, obdrapane ściany były pokryte liszajami zacieków, barwnymi kolażami z kolejnych warstw tynku, plamami farby z różnych epok. Na oknach ledwo trzymały się zbutwiałe okiennice, a obok lśniły nowe neony, szyldy i tablice z chińskimi znakami handlowych zaklęć.

Nie potykali się o żebraków, jak w Indiach, ale Radek w końcu zauważył, że nie każdy mieszkaniec Miasta Lwa jest dobrze odżywiony. O framugi drzwi wspierali się bezzębni chińscy staruszkowie, w piżamach lub półnadzy, wystawiali żebra na słońce. Za uchyloną brudną zasłoną sędziwi mężczyźni leżeli na podłodze i palili długie fajki nabite opium. Zdawało się, że nigdy nie wstają, ogień do cybuchów podawało im obszarpane dziecko. Delikatny słodkawy zapach narkotyku mieszał się z mocnym odorem zielonej wody w rzece, pokrytej setkami drewnianych tradycyjnych łodzi, często zamieszkanych. Pod nogami chłopaków przemykały szczury, sprzedawcy nawoływali znad straganów na kółkach, w nozdrzach wierciło od pikantnych przypraw: indyjskiego curry, indonezyjskiego sambala, chińskich sosów sojowych. Zmęczeni egzotyką skręcili w głąb lądu, z powrotem pomiędzy nowe wieżowce i centra handlowe.

Na przystanku autobusowym betonowe słupy rozszerzały się ku górze i zamieniały w parasole, kapelusze grzybów. Modernistyczna mała architektura przypominała im rodzinne miasto, ale przystanek był czysty i schludny. Władza zaznaczała swoją obecność plakatami propagandowymi: „Singapore is our home – lets keep it clean and beautiful". W przeciwieństwie do mieszkańców Polski i Indii tutejsi obywatele stosowali się do zaleceń, nikt nie rzucał papierków na ziemię. Kolorowe tablice zachęcały: „Bring on a smile. Say Thank you", i rzeczywiście mieszkańcy Miasta Lwa uśmiechali się, próbując przekazać obcokrajowcom informacje w rozkładzie jazdy. Radek pomyślał, że trafił do Edenu, ale musi podszkolić swój angielski.

Jan wciągnął ich do *plaza*, galerii handlowej. Zakręciło im się w głowach od nadmiaru dóbr. Pochłonęło ich gapienie się na witryny, łażenie między stoiskami uginającymi się od towarów, oglądanie błyszczących gadżetów, dotykanie elektronicznych cudeniek w kolorowych plastikowych obudowach. Domy towarowe Berlina Zachodniego wydały im się skromne w porównaniu z azjatyckim sezamem.

Oszołomieni przypomnieli sobie, o czym marzą. Radek, nie namyślając się długo, kupił najtańszego walkmana Sony, swoje pierwsze *personal stereo*. Jan oglądał przenośną konsolę Game & Watch. W dzieciństwie zazdrościł posiadaczom zabawki z grami w rodzaju Snoopy Tenis. Rosyjska firma Elektronika ukradła Japończykom patent i produkowała tanie, brzydkie podróbki; swojskie socjalistyczne przygody Wilka i Zająca zastępowały w nich łapanie jajek przez Myszkę Miki. W Polsce można je było łatwo i niedrogo kupić, ale Janek nie mógł oderwać się od stoiska z prawdziwym Nintendo. Radek przez chwilę przyglądał się kumplowi, w końcu poszedł do stoisk z kasetami magnetofonowymi. Nie rozumiał, że Janek wraca myślami do początku liceum, kiedy syn jednego z kolegów ojca z pracy pożyczył mu Firemana, więc zamiast się uczyć, godzinami ratował postaci skaczące z płonącego domu. Dlatego teraz rozważał kupno podobnej gry, Fire Attack, ale zmienił zdanie i wybrał dwuekranowego Donkey Konga, największy, światowy hit japońskiej wytwórni Nintendo. Gracz musi uratować piękną Lady przed szalonym gorylem rzucającym beczkami i innymi przeszkodami.

Z powrotem do Peninsula Plaza zawitali o zachodzie słońca. Temperatura wreszcie spadła poniżej trzydziestu stopni. Wokół lazuru *swimming pool* stały plastikowe stoliki, leżaki i parasole z kolorowymi logo amerykańskich napojów. Boss w białym puchatym szlafroku kąpielowym machał do nich ręką. Obok niego stała niska, drobna Azjatka. Pomyśleli, że to służąca, i znów poczuli szacunek dla szefa. Ten jednak przedstawił kobietę:

– Mej, moja żona.

Kobieta ukłoniła się niczym posługaczka. Chłopaków to zdziwiło. Dużo później zrozumieli, że właśnie dzięki ślubowi z nią Szewc został obywatelem Singapuru.

– A to Magellan, jest w mojej firmie. Obleciał już świat dookoła, wielki polski podróżnik. – Boss się zaśmiał, ale facet, który wyglądał jak hipis z Zachodu, nie miał zadowolonej miny. – A to Han Solo, przyleciał z Londynu po tym, jak przeczytał o nas w reportażu w „Polityce". *Złota trasa*, dobry tytulik, choć dziennikarz przesadził, wiadomo, autocenzura, władza, ci wszyscy dziennikarze to sprzedajne sługusy. W każdym razie dobrą reklamę zrobiła nam rządowa gazetka. Han Solo woli pracować tutaj, ze swoimi i dla siebie, niż na budowach u obcych. Ma własną spółdzielnię, jeszcze mały biznes, ale myślę, że idzie w górę. Ten to jeszcze kiedyś nas wszystkich opisze w książce! Han Solo kiwał głową w skórzanym kapeluszu z szerokim rondem, pamiątce z wycieczki do Australii.

Usiedli obok zamyślonego Magellana, mrukliwego pana Rysia i nieco bardziej rozmownej kobiety, która przedstawiła się jako Czarna Maria, choć była szatynką. Czy jej ksywa miała cokolwiek wspólnego z imieniem wpisanym w paszporcie? Nad cieśniną Malakka każdy zmieniał tożsamość i stawał się kimś innym. Niepokoiło to Radka, zastanawiał się, czy jest jeszcze Radim, Radixem – dawnym basistą zespołu Generacja, czy już Radem – przemytnikiem. Jan natomiast postanowił rzetelnie zapracować na poważne biznesowe przezwisko. Nie przyznał się, że jeszcze kilka godzin temu grał w Donkey Konga jak mały dzieciak.

Popijali whisky z lodem, pogryzali orzeszki, pływali, choć wstydzili się swoich slipek, z powodu fascynacji Nintendo i stoiskami z muzyką nie kupili porządnych kąpielówek. Boss moczył nogi w basenie i konferował przez telefon. Jego żona roznosiła przekąski, indonezyjsko-malezyjskie sataje – grillowane kawałeczki mięsa na bambusowym patyku, podawane z ostrymi sosami. Czarna Maria się krzywiła, kiedy Azjatka głęboko kłaniała się przed gośćmi.

– Tłumaczyłam Mej już tyle razy, ale nic do niej nie trafia! W Polsce kobiety jeździły na traktorach, pracowały w fabrykach, a tutaj siedzą w domu i obsługują facetów. Co to ma być?

Magellan i inni najwyraźniej przywykli do komentarzy koleżanki, żaden nie zareagował, odezwał się natomiast Jan:

– Polki nawet w przemycie pracują...

– Żebyś wiedział, jak w serialu: „Jestem kobieta pracująca i żadnej pracy się nie boję".

– Mogę spytać, jak trafiłaś do tej roboty? Też po artykule w „Polityce"?

– Szewc ma to w ramce nad łóżkiem wywieszone, taki jest dumny. To jego kolega napisał – parsknęła Czarna Maria. – Anonimowo, w sensie pod pseudonimem, „Andrzej Person". Person to po angielsku osoba.

– Rzeczywiście! – Radkowi spodobało się proste rozwiązanie quizu.

– Geniusze! Szewc napisał to ze swoim dawnym wspólnikiem. Nieźle się ubawili.

– Mówił, że dziennikarze to rządowe hieny.

– Bo się pokłócili, ale jak go znam, gdy dojdzie co do czego, pogodzą się w imię wyższych idei, czyli interesów.

Na idealnym wizerunku ojczulka chrzestnego pojawiały się pierwsze rysy. Członkowie Szczecinexu spojrzeli na Szewca: gadał przez białą słuchawkę z antenką, jednocześnie robiąc notatki. Czarna Maria zdjęła szlafrok, Radek zagapił się z podziwem na jej opalone ciało i ładny, dwuczęściowy strój kąpielowy. Od razu zaczął sobie wyobrażać w nim Magdę.

– Młody, bo ci oczy pękną. – Maria wskoczyła do basenu.

Jej koledzy się roześmiali, a Radek poczerwieniał. Starał się nie patrzeć, kiedy pływała w tę i z powrotem jak sportsmenka. Wreszcie wyszła, ociekając wodą. Jan grzecznie podał jej ręcznik i próbował kontynuować rozmowę.

– Powiesz w końcu, jak zostałaś kobietą pracującą... w przemycie?

– Co ty, z UB jesteś, Cygan?

Jan się skrzywił. Radek przemógł skrępowanie i wziął kumpla w obronę:

– Jesteśmy nowi, więc ciekawi nas, skąd się wzięliście.

– Z jajka i plemnika, co nie?

Magellan, Rysio i inni znów zarechotali, mieli chyba niezły ubaw.

– Dobra, powiem, ale ty, młody, przynieś mi zimne piwo, a nawet piwko! – Spojrzała na kolegów i w stronę szefa. – Musisz odpokutować.

Czarna Maria żartowała, ale w taki sposób, że Radek wręczył jej browar z ukłonem. Poczuł, że przechodzi szybki chrzest dla kotów, jak w wojsku, choć w nim nie był.

– Widać, że jesteś z dobrego domu. Normalnie lord. Dziękuję ci, chłopcze. – Pociągnęła potężny łyk. – Przyleciałam w osiemdziesiątym czwartym z Almaturem, studencka wycieczka objazdowa. Koledzy z wydziału specjalnie założyli TPPI, żeby robić biznesy w Azji.

– TPPI? – Jan nie wiedział, o co chodzi.

– Oddział Towarzystwa Przyjaźni Polsko-Indyjskiej. – Radek, nieco wyszkolony przez matkę, poczuł, że może uczestniczyć w rozmowie na równych prawach.

– O, nie mówiłam, że to inteligent? Zna coś więcej niż kursy walut, książki czyta. Nie zaczytaj się za bardzo!

Radkowi coraz bardziej podobał się jej cięty dowcip.

– Kluby pojawiały się w całej Polsce, bo wiadomo, że dzięki nim łatwiej wyjechać – kontynuowała wyjaśnienia. – Nic dziwnego, że TPPI było większe od ruskiego klubu przyjaźni. Kto by chciał do Sowietów?

– Moja mama ćwiczy jogę, właśnie w oddziale w Szczecinie – pochwalił się Radosław.

– Ale ty jesteś tutaj, co nie, lord?

Ksywka szybko się przyjęła. Radek dowiedział się od Marii, że nie tylko on ma ambicję zwiedzania Indii. Wielu Polaków przylatywało z bagażem pełnym towaru na handel, ale po jego upłynnieniu naprawdę jeździli po subkontynencie. Drobny przemyt był jedynym sposobem, żeby zarobić na tak daleką turystyczną wyprawę.

W ten sposób Maria w 1984 roku obejrzała najważniejsze zabytki, Tadż Mahal w Agrze, Kadżuraho i Waranasi, ale kiedy zostało jej parę dni do lotu powrotnego, dowiedziała się, że można wyskoczyć do Singapuru i przywieźć do Delhi plecak pełen sztucznego jedwabiu. Taki kurs pozwoliłby jej i kolegom z grupy dorobić do skromnego uczelnianego stypendium. Polecieli więc Aerofłotem dalej na wschód, połowa pasażerów była z Polski. Maria podsłuchała rozmowę, że opłaca się kupić VCR i sprzedać Hindusom. Z całej grupy tylko ona zdecydowała się zainwestować w elektronikę.

– W drodze powrotnej z Singu moi koledzy udawali, że mnie nie znają, tak się cykali. Od tamtej pory nie mam dobrego mniemania o facetach. Wcześniej też nie miałam. – Maria zamilkła i znów skoncentrowała się na piwie.

– Wtedy nie było nawet TBR-ów, celnicy jeszcze nie kumali, ile osób przywozi wideo do Indii, wchodziło się na luzie przez zieloną – dorzucił Magellan, nie wiadomo po co. Może chciał zdyskredytować koleżankę, a może pokazać zmiany w biznesie. Zamyślił się. – Sztuka wolności. Przemyt jest najwyższą formą tej sztuki.

– Nie bądź taki mądry, Vasco da Gama – odpaliła kobieta.

– Magellan jestem.

– Niech ci będzie, Zbysiu...

Maria opowiedziała, że po drugim przylocie do Azji udało jej się wyskoczyć z Singapuru na plażę do Malezji. Popłakała się tam ze wzruszenia, że wyrwała się z Polski do piasków bardziej złotych niż w Bułgarii. Postanowiła wtedy, że już nigdy nie spędzi zimy w domu, nie będzie brnąć przez zaspy i błoto, niszczyć z trudem zdobytych butów w soli wysypanej na chodniku. Od tamtej pory każdej zimy podróżowała i robiła przewały.

– W tym roku zostałam na dłużej i chyba już nie wrócę... na łono ojczyzny. Bo po co?

– Ja chciałbym jednak obronić doktorat – odpowiedział Magellan. Han Solo wachlował się kapeluszem.

– Ja też wrócę, zostawiłem w Polsce dziewczynę – stwierdził. – Albo sprowadzę ją tutaj? Ale na pewno potem do domu... A wy, panowie? – zwrócił się do nowych.

– Ja wrócę, studia od października – odruchowo odpowiedział lord Radosław.

– Do czego tam wracać? – spytał retorycznie Jan.

Spojrzeli na siebie, ale już nic nie dodali.

Boss skończył konferencje telefoniczne i podszedł do swoich pracowników.

– Jak tam, *everybody happy?*

– Tak jest – potwierdził skwapliwie Radek.

– Złote życie, nieprawdaż, moi mili?

Wszyscy zebrani zgodnie pokiwali głowami.

– Musicie iść do dentysty – odezwał się nagle pan Ryszard.

– Tak, tak, posłuchajcie tej rady – przytaknął Boss. – Wyższość tutejszych dentystów nad polskimi nie ulega wątpliwości. Naprawdę się opłaca.

Spojrzał na złoty zegarek.

– Warto też zainwestować w muzykę – dorzucił Magellan w ramach porad dla nowicjuszy. – Każdy format znajdziecie: LP, CD i nowe technologie. Mają tu wszystko, od Madonny po Budkę Suflera, choć ja to raczej Rolling Stones preferuję...

Radek już chciał przyznać się do kupna walkmana Sony i kaset z Davidem Bowiem i Depeche Mode, ale wielki polski podróżnik patrzył w górę i zdawał się medytować nad niebem i dachami budynków. Przypominał Radziowi znajomych muzyków z epoki Generacji.

– No, dobra. Kolejne oddziały wracają do Singapuru, muszę się zbierać. – Boss znów popatrzył na zegarek. – A wam radzę, wyśpijcie się, bo jutro idziecie do pracy. I nie pijcie za dużo w samolocie, celnicy rozpoznają Polaków po tym, że są pijani. – Uniósł znacząco palec ze złotym sygnetem rodowym.

Debiutancki lot

Pytasz, czy byłem zdenerwowany.

Z elektroniką wcale nie, naprawdę. Potem, na wyższym levelu, to jednak się spociłem, wiadomo. Ale to później. Jedźmy po kolei. Za pierwszym razem Szewc uznał, że możemy wziąć po cztery torby na głowę. Jedna na podręczny, trzy na bagaż nadawany. Śmiał się, że to Polish pack w wersji super max. Nam nie było do śmiechu: spłacaliśmy długi za noclegi w apartamencie. Jako marchewka jest promocja: taksówka, basen, owoce morza i odpoczynek. Potem w ruch idzie kij i odrabianie wydatków szefa. Coś za coś, nic za darmo. Czułem, że tak będzie, Boss miał głowę na karku, ja bym robił tak samo. Ale wkurzał mnie tymi wykładami, tym waleniem w komunistów, Żydów i tak dalej. Radzio jakoś łatwiej przełykał jego gadkę, tak mi się wydaje: rodzinna tradycja.

Nie, nic nie chcę przez to powiedzieć. Tak po prostu.

Zresztą nieważne, nie o tym miało być.

No więc w każdej prostokątnej czarnej torbie marki Eminent tachaliśmy:

po dwa nationale, tak nazywano tu Panasonica. Najlepiej model G-500, Hindusi tylko takie chcieli, dlatego za nasze sanyo nie dostaliśmy tak dużo, jak powinniśmy, nazwa nic im nie mówiła. Plus aparaty,

Pentax K1000, żaden inny model nie wchodził w grę. Na wierzch kalkulatory Casio, walkmany Sony;

trochę kolorowych filmów Fuji, kaset wideo, takie pierdoły. Sporo to ważyło, a niosło się w rękach, nie na plecach jak polsporty. Na lotnisku w Singapurze zero problemów. Jak kupiłeś elektronikę, to możesz sobie ją zabrać, dokąd chcesz, w dowolnej ilości, cła nie ma, interes się kręci. Sprawdzali tylko, czy nie masz bomby, nic więcej. Inaczej na przylocie, akurat wtedy zaczynali wprowadzać cła na przywóz fajek. Papierosów nie reklamowano i były coraz droższe, a w wielu miejscach nie wolno było jarać.

No więc jak to szło?

Aha. Cały powrotny lot pykałem w mojego Donkey Konga, pik, pik. Lorda denerwowało pikanie gry, choć miał na uszach słuchawki, ale mnie uspokajało, ten zakup się opłacał. Zanim dolecieliśmy, potrafiłem już zaliczyć trzysta punktów i zdobyć dodatkowe życie. Zdążyłem nawet uwolnić Lady z rąk wściekłego goryla, a że gra za każdym razem zaczynała się od nowa, było co robić. Więc lecimy Singapur Airlines, elegancko, tylko właśnie palić nie wolno. W tamtą stronę Aerofłot, pozwala jarać, a linie azjatyckie jak zachodnioeuropejskie, poza demoludami, wszyscy dbają o zdrowie. Na stewardesy mówiono *Singapore Girl*, wszystkie wyglądają i zachowują się jak Mej, żona szefa. Identyczny wzrost, czarne włosy spięte w koki, uśmiechy na stałe przyklejone do twarzy, narodowe stroje. Potem rozpoznawałem, że czerwone wdzianko noszą szefowe tych *flights attendants*, trzeba być dla nich bardzo miłym, jeśli masz duży nadbagaż podręczny. Zresztą dziewczyny z Singapore Airlines były zawsze tak uprzejme, że nie robiły problemów, a spędziłem na pokładach tych linii wiele godzin. Oj, dużo.

No więc korzystamy z tych *Asian values and hospitality*. Dziewczyny dolewają alkoholu wedle życzenia, ale ograniczam się do piwa, staram się trzymać pion, zgodnie z rozkazem szefa. Ciągle gram w Konga, więc mam luz. Oprócz nas leci Czarna Maria, doskonale pamiętam, ona zawsze denerwowała się na stewardesy tak jak na Mej, żonę szefa. Grała taką amerykańską turystkę. Nie, że elegancka, to by było podejrzane, tylko casual, a nie na hipiskę. Nigdy bym się nie domyślił, że jest Polką, chyba dlatego latała od tylu lat.

Skontaktowałeś się z nią w końcu? Nic nie pamięta? Twierdzi, że w ogóle nie poznaliśmy się w Singapurze? No to przesadziła. Wstydzi się czy co? Ale dobra, co mnie to obchodzi.

Leciał też Magellan, styl jakby na himalaistę, sportowy, nikt nie rozpoznałby przemytnika z Europy Wschodniej. I jeszcze paru Polaków, których nie znaliśmy. Charakterystyczni, każdy z plastikową torebką wiszącą na sznurku na piersiach, trudno się pomylić. Nic dziwnego, że potem celnicy zaczęli ich wyłapywać, nabrali doświadczenia i szybko wyłuskiwali naszych ziomków. Torba Eminent też stała się znakiem rozpoznawczym i trzeba było przerzucić się na inne. Co najmniej dwudziestu Polaków na pokładzie, z wideo i tak dalej.

Kiedy my zaczynaliśmy, było jeszcze spokojnie, choć podobno nie tak jak dawniej. Mieliśmy uważać, więc uważaliśmy, choć paszporty paliły nas w kieszeni, już nie oryginalne, już przygotowane na duże przewałki. Jako nowi, z pustymi stronami, tabula rasa – gadał szef – mieliśmy skrzynki z podręcznego zgłosić legalnie, żeby dostać nowiutkie, świeżutkie wpisy z numerem Tourist Baggage Reexport, które mogłyby zostać później wykorzystane. A torby z bagażu rejestrowanego oznaczone, tak żeby wybieraki w Delhi mogły je odebrać z beltu. No, z tego pasa, co się kręci z walizkami. Latasz, to wiesz.

Singapurskie linie lądują o cywilizowanej porze, w ciągu dnia. Wychodzimy z samolotu z naszym podręcznym, w skwarze Indii ciąży jak cholera. Maria i Magellan mają tylko nadawany, od razu robią odwrót do Singu. Na terminal wchodzi sporo Polaczków, swój swojego zawsze jednak rozpozna. Wybieraki mają bilety domesticowe, lecą do Bombaju czy Kalkuty, wchodzą więc na tranzyt, wspólny dla *in-*

ternational i *domestic*. Na tym polega cały sztos. Jedna przestrzeń dla międzynarodowych, których się sprawdza, i krajowych, których już nie kontrolują. Prosty patent.

Wybieraki biorą nasze torby z pasa z bagażem. Każdy swoją, oznaczenie wstążką, a mają paszport z wpisanym TBR-em, który zgadza się ze stikerem zrobionym przez Rysia w Singapurze. Nagle odwołują swoje bookingi, robią cancel, że zmienili zdanie, i starają się wyjść bez kontroli, jako pasażerowie lotów krajowych nie są sprawdzani przez celników. A jeśli kontrola, to mają TBR-y w naklejowanych paszportach albo na chama, bez wpisu. Ja i Radzio idziemy do dwóch urzędników, zgłaszamy się grzecznie, że mamy elektronikę do rejestracji. Udajemy, że się nie znamy, ja do jednego, on do drugiego. Paszporty, stemple, bach, numer wbity, możemy iść. Poszło, zrobione, pierwszy występ mamy za sobą. Jakby nic wielkiego.

Policz sobie: na sam bagaż nadawany poszły moje trzy torby, trzy Radzia, po trzy Marii i Magellana. Dwanaście toreb, sześciu Polaków je odbierało, po dwie każdy i po dwa magnetowidy w każdej plus cztery z naszego podręcznego, czyli w tym jednym locie Boss przemycił dwadzieścia osiem magnetowidów. Schodziły po tysiąc dolców za sztukę, a kosztowały około czterystu.

Czyli sześćset dolców zarabiał na jednym, tak?

Szesnaście tysięcy osiemset przychodu ze wszystkich.

Wrzucak jak my dostawał na początku dwieście za lot, ale odbierający torby brał więcej za wyniesienie, bo większe ryzyko. Powiedzmy, trzysta dolców. Minus koszty operacji: jeden bilet Singapur Airlines kosztował więcej niż LOT-owski, tego akurat nie pamiętam dokładnie, ale koło czterystu dolców w dwie strony.

Od szesnastu osiemset odlicz więc nasze wynagrodzenia i bilety.

Do tego oczywiście po stronie Bossa koszty hotelu, szczególnie w Singu, bo w Delhi to były grosze, jakieś utrzymanie, kolacyjka dla początkujących, cena dojazdu na lotnisko.

Liczysz?

Widzę, że słaby jesteś z matmy. Lord Radzio też potrzebował na kartce i ciągle się mylił. A ja to w pamięci policzyłem jeszcze w samolocie za pierwszym razem.

Zaokrąglam, żebyś miał pojęcie o tym biznesie: około czternastu, piętnastu tysięcy zarobił Szewc.

Zielonych!

Albo i więcej, jak zebrał dużo wieszaków i wybieraków, a potrafił tym zarządzać. I tak ze trzy razy w tygodniu przynajmniej, w sezonie. Miał oczywiście koszty życia w Singapurze, wiadomo, taki apartament w Peninsula swoje kosztował, ale, człowieku, nic dziwnego, że potem mógł wejść w złoto i jeszcze szybciej pomnażać dochód.

Aha, przesadziłem. Była jakaś prowizja po stronie Sakara, też spora.

No dobra. Dziesięć tysi miał Szewc z tego lotu.

Nic dziwnego, że w latach dziewięćdziesiątych mógł przejść w duży, poważny i legalny biznes. Krawat, marynara, mokasyny, te sprawy, potem ci opowiem albo Radzio ci napisze.

Bo to już grubszy wątek...

Chciałem się uniezależnić, robić dla siebie, mieć większy zysk, ale potrzebowałem trochę gotówki na rozruch. Takie plany snułem, miałem ambicję. Teraz już nie, wiadomo. Nie tego...

Po wyjściu z lotniska same przyjemności. Wypaliliśmy fajki, negocjując cenę transportu z taksówkarzem. Nie zamierzaliśmy już wsiadać w busa Kocia, zresztą to był inny dzień tygodnia niż przyloty z Warszawy i nie środek nocy, hotelarz nie podstawiał swojego złomu. Nie było sensu targać toreb, wrzucamy je do bagażnika starego ambasadora i jedziemy normalnie jak biali ludzie na Pahargandż. A widziałem, że paru wybieraków zrzuca się na tongę, ten wysoki indyjski wóz zaprzężony w konia, tak oszczędzali, żeby się szybciej dorobić. Na taksówkę, na autobus nawet żałowali. Polak potrafi.

A my jak królowie życia: okna otwarte, znów jaramy, trzeba się nakurzyć po samolocie, choć w taxi napisane „no smoking", ale kierowca sam bierze od nas marlboro i puszcza muzykę z radia. Leci ludowa pendżabska bhangra albo jakieś bollywoody. Daję mu łyk whisky kupionej jeszcze w wolnocłowym. Driver odmawia, a my popijamy w superhumorach. Było jasno i mogliśmy przyglądać się miastu. Im bliżej, tym lepiej rozpoznawałem okolicę, wjazd w uliczkę od strony dworca, Krowie Rondo obok Relaxu. Po angielsku Six Tuti Chowk, czyli Rondo Sześciu Gówien, mówiąc wprost. My mówiliśmy, że Krowie, bo zawsze parę świętych krów tam się pasło. Zajechaliśmy do hotelu Vishall, gdzie stacjonowały wieszaki przylatujące z Singapuru, takie mieliśmy polecenie.

Vishall! O tak, każdy przewalacz zna to miejsce.

Mógłby mieć o gwiazdkę więcej niż Relax, przeznaczony dla mrówek z Polski, dopiero zaczynających karierę. A my pięliśmy się coraz wyżej, chciałem na sam szczyt, jak w Donkey Kongu, zbierałem punkty i zaliczałem levele. Tachamy torby do Sakara, następnego dnia mamy przyjść po naszą kasę, pełne zaufanie. Dał małą zaliczkę, w rupiach. Mówi tą swoją łamaną angielską polszczyzną, że jak odpoczniemy, to zaprasza do sklepu, i znika opylić VCR-y. Nie musiał sterczeć z nimi na Palika Bazaar przy Connaught Place, miał odbiorców indywidualnych albo handlarzy, którzy upłynniali dalej. Hindusi to mają łeb do interesów, naprawdę.

W Vishallu padliśmy na łóżka, wentylator kręcił się szybciej niż u Kocia. Z kibla nie śmierdziało, oprócz kurka i wiadra był też prysznic, poleciała nawet ciepła woda. Ok miejscówka. Okno wychodziło wprost na Main Street, więc jak odsapnąłem, to usiadłem w nim, piłem whisky, gapiłem się na indyjski burdel. I zaczęło mi się to bardzo podobać, bo w Indiach było jak w Polsce, tylko bardziej. Rozumiesz? Obco-nieobco, inaczej, ale podobnie. Trudno to wytłumaczyć...

Rozpoznałem z daleka kelnera, który podawał nam alkohol po zatruciu za pierwszym razem. Stał na dole, zapraszał do knajpy na parterze budynku. „Malina" – krzyknąłem z góry, spojrzał na mnie i wyszczerzył zęby, pomachaliśmy do siebie. Po drugiej stronie sklep U Miśka z biżuterią, właściciel brudną szmatą odkurzał szyby, żeby jego klejnoty zajaśniały pełnym blaskiem. Nie znaliśmy się, ale wrzasnąłem: „E, kurwa, Misiek!", a on odkrzyknął: „Chodź, kurwa, mój sklep!". Poczułem się jak w domu. Więc pogoniłem Radzia, który znów dawał się zahipnotyzować wentylatorowi, i schodzimy do hallu Vishalla.

A tam stoi trzech smutnych panów w wersji indyjskiej. W cywilu, ale machają odznakami i chcą paszporty. Ja w takim dobrym humorze, że mówię: „Spadaj, koleś", i wychodzę na streeta.

Wyobrażasz sobie?

Latem osiemdziesiątego siódmego jeszcze tak się dało, na chama albo w sumie z głupoty. Bo to była wizytacja DRI właśnie. Prawo indyjskie mówiło, że celnicy mogą działać także poza lotniskiem czy przejściem granicznym, i czasami robili naloty, z miesiąca na miesiąc coraz poważniejsze. Wtedy nam się upiekło, dzięki mojej bezczelności. Olałem to, przecież nie wiedziałem, jak poważni są to agenci. W ogóle nie skumałem, że to jakieś służby.

Zaszliśmy do Miśka, zapoznajemy się, przybijamy piątki. Ma całkiem ładną biżuterię w stylu zachodnim, ale ceny absurdalne. Targujemy się, wydziwiamy, pijemy czaj, nieźle gada po polsku, jak pół Pahargandżu wtedy. Uczy mnie różnych słów w hindi. *Moderćod* – skurwysyn – to już znałem, ale nie byłem pewien, czy można używać. Można. Oraz *ćori* – złodziej. Obiecuję, że wrócę po przemyśleniu sprawy ze świecidełkami. Koleś przestrzega, żeby nie iść do konkurencyjnego sklepu U Mishka, tak napisane. Podróba. Mówi, że to oszust. Ok.

Czuję, że alkohol, mocna herbata i cukier, energetyczna mieszanka, zaczynają działać, i ciągnę Radzia dalej ulicą. A tam jak w Polsce, co chwila Jureks handicrafts albo Piotruś Export, i tak dalej, po naszemu. Podchodzi żebraczka, stara kobieta, zasuszona jak mumia egipska, może mieć ze sto lat. Szepcze: „Sahib, one rupee", chcę potrenować umiejętności językowe i ją zwyzywać, ale rezygnuję i daję parę monet.

Już jestem bogaty, pomagam ludziom, poprawiam karmę.

Przystanęliśmy chyba obok dawnego kina Imperial, gdzie Sakar zbudował potem hotel Prince Polonia. Zagapiłem się na czerwone strumienie, którymi strzykają mężczyźni. Stoją wokół handlarza, ten siedzi w kucki na drewnianej platformie, ma wokół siebie puszeczki, pudełeczka, zawiniątka, liście oraz papierosy.

– Ty, patrz, on sprzedaje to, czym się pluje na czerwono? – Lord Radzio nagle budzi się z katatonii.

– No to bierzemy!

Magik uśmiecha się do nas szkarłatnymi zębami jak demon. Wskazuję palcem na jego mikstury, potem na swoje usta.

– *Paan! Betel nuts! Sweet!* – woła i miesza różne ingrediencje, pasty, orzechy na świeżym liściu wyciągniętym z wody.

Radzio wpatruje się uważnie w jego ruchy, tak jak potem potrafił zagapić się na tempo krojenia cebuli na straganie z omletami. Obok nas stają Hindusi, ponieważ białas zabierający się do żucia betelu to wydarzenie na co najmniej dziesięć minut.

– *Special? Very Magic?* – szepcze sprzedawca konfidencjonalnie.

Kiwam głową na zgodę, do dziś nie wiem, czy ten koleś, *paan wallah*, naprawdę dodaje *magic* drobinki opium, czy tylko udaje, dorzucając kolejną posiekaną przyprawę. Myślę, że ściemnił, mikstura z ciężkim narkotykiem to mit, *urban legend*, które opowiadają sobie brudasy z plecakami, niewolnicy Kali, udający, że szukają oświecenia.

Pisałeś o tym kiedyś.

Gdyby nie to, nic bym ci nie opowiedział.

Dobra.

Boję się brudu i zarazków, ale mistrz od mikstur ma czyste ręce, więc i zabawa nie skończy się tak źle jak nasz pierwszy indyjski posiłek. Wkładam zawiniątko do gęby, Radzio trzyma swoje w dłoni, ogląda ze wszystkich stron i czeka, żeby sprawdzić, czy ja przeżyję eksperyment. Sprzedawca i postronni widzowie patrzą jak na film, pokazują gestami, żebym ssał powoli. Pierwsze smaki spływają do ust, niebo w gębie, słodko, ostro, dziwnie, egzotycznie. Kiwam głową z uznaniem, pokazuję kciuk do góry i mamroczę: „Good, good". Lord zbiera się na odwagę i wpycha swój liść do ust. Przymyka oczy, jakby indyjska piękność w sari robiła mu laskę. Pamiętam, że tak wtedy pomyślałem, bo żując, nabrałem ochoty na seks, chciałem szukać dziewczyn albo iść do burdelu. Odpokutowałem już za wszystkie te grzechy.

Faceci się napatrzyli i rozeszli, my stoimy i żujemy. Sprzedawca podaje stołeczki. Siadamy wygodnie i rozkoszujemy się bombą smaków zapatrzeni w ulicę. Wtedy na Pahargandżu było niewiele samochodów, dopiero wyprodukowano maruti na japońskiej licencji, indyjska klasa średnia zakochała się w tym aucie. Więcej riksz rowerowych oraz wozy, z wielkimi kołami, dziś policja w ogóle nie wpuszcza takich do centrum. Krowy, słonie, konie, owce, kury, srają w latach osiemdziesiątych, gdzie popadnie, teraz jest dużo czyściej, nie trzeba ciągle patrzeć pod nogi. Za to wtedy nie było smogu i nie śmierdziało tak strasznie, człowiek nie poruszał się za dnia jak we mgle, rano z okien było widać drugą stronę ulicy, a nie szare mleko.

Szyldy sklepów ręcznie malowane, po zmroku nie świeciły się ledy i lightboxy. Prąd ciągle nawalał, turkotały małe generatory. Więcej osób ubierało się tradycyjnie, w białe dhoti i białe koszule; dżinsy wydawały się czymś jeszcze rzadziej spotykanym niż u nas. Tym bardziej jaskrawie biły po oczach sari kobiet, kolorowe bindi na czołach, szale dupatty, którymi osłaniały głowy przed słońcem, kurzem i spojrzeniami. Gapię się na życie Delhi, skrzyżowanie średniowiecznej wsi z zapchanym miastem, tłocznym, buzującym życiem. I chyba wtedy, kiedy orzeźwiające i podniecające substancje z betelu trafiły do mojego krwiobiegu, zakochałem się na zabój w Indiach. To było mi przeznaczone.

W Vishallu była taka sala na dole, gdzie w ciągu dnia funkcjonowała restauracja. Wieczorami, kiedy oficjalnie ją zamykano, wieszaki dawały parę rupii obsłudze i bawiły się na maksa, odreagowywały. Zapraszają, jest chyba ze dwadzieścia osób, głównie chłopaki z całej Polski, w naszym wieku, część pracuje dla Szewca, inni dla Petera, dla Prezesa, ale przy flaszce żadnych podziałów ani animozji. Wspólnota prawie jak w aśramie, tylko że za zasłoną mai, ułudy. Pytają od razu, czy DRI nie dało nam się we znaki.

– Jakie DRI? CIA? – ja na to.

Nawet nie wiedziałem, co znaczy ten skrót!

– Człowieku, Directorate of Revenue Inteligence, tajna policja skarbowa, byli tu!

Impreza jest chyba stypą, takim odstresowaniem, poważne miny. Wyjaśniam, że powiedziałem „spierdalaj", oni na mnie oczy i podziw wielki. To nie był ostry nalot, ale agenci kogoś zabrali, komuś wlepili karę za posiadanie niezadeklarowanej gotówki.

Wzięliśmy się za picie, nastrój się polepsza, ale dziewczyn brakuje, są raptem dwie, z czego jedna już zajęta, ta Jola, która była w Relaxie, mówią, że to dziewczyna Marka. Wszyscy smalą cholewki do tej drugiej, wolnej. Uznałem, że słabo się to statystycznie prognozuje, więc dałem sobie spokój.

Czarna Maria? Coś sugerujesz?

Ona chodziła swoimi ścieżkami, nie mieszkała w Vishallu, wynajmowała pokój poza Pahargandżem, chyba w Vasand Vihar. My też się tam potem przenieśliśmy, kiedy na bazarze zrobiło się za gorąco, już rok później, naloty policji, szukali waluty, nieprzyjemnie. W osiemdziesiątym siódmym jeszcze nie, ale Maria była jak Peter Cheater, z tych cwańszych, co na zimno działali, woleli nie wyświetlać się z tłumem nawalonych Polaczków. To mądra kobieta była, a my głupi. Może dlatego udaje, że nas nie pamięta? Zresztą przecież wtedy od razu zrobiła odwrotkę do Singu. Nie pamiętasz, co ci mówiłem? Grubo się bawiliśmy, balet na maksa, a koło dwunastej część ekipy jedzie na pocztę dzwonić do domu, *after midnight* tańsze połączenia. Radzio z nimi, zameldować się matce, ja nie miałem ochoty słyszeć swojej. Idę sam w miasto, mam wrażenie, że gdzieś migają mi w tłumie sylwetki Marka i Sakara. Wieczór kończę w jednym z ciemnych barów z tancerkami, gdzie rzuca się banknoty na dziewczyny i pije za drogie piwo. Na piętrze małe pokoiki, prostytutka bardzo młoda i nieśmiała. Wolę nie wiedzieć, ile miała lat, w ogóle nie chcę o tym mówić, bo oczywiście natychmiast zacząłem wtedy myśleć o Magdzie, poza tym to było samo zło.

Nowy radca ambasady

Marek, w ciemnym płóciennym garniturze, który dobrze maskował jego tuszę, wszedł do sklepu Sakara. Hindus czekał na progu, ubrany równie elegancko, tyle że w lokalnym stylu. Zamiast zawiniętego wokół nóg dhoti miał wyprasowane wąskie spodnie, a koszulę ze stójką zastąpił pendżabską kurtą wyszywaną w bogate wzory.

– Masz zaproszenie? – zapytał Marek po zdawkowym powitaniu.

– Tak, możemy jechać. – Hindus wskazał na swoją rikszę stojącą obok.

– Chyba nie podjedziemy tuk-tukiem pod ambasadę?!

– Jedziemy do mojego kuzyna, on zawiezie nas ambasadorem. Nie żółtym, nie taxi, tylko białym, tak jeżdżą poważni ludzie.

– A, to co innego – uspokoił się Marek i zasiadł z tyłu rikszy, na siedzeniu dla pasażerów.

Sakar umościł się na pojedynczym siedzisku kierowcy i odpalił maszynę. Pahargandż w latach osiemdziesiątych nie został jeszcze poszerzony, *main road* była więc niewiele szersza niż boczne zaułki. Długie minuty zabrało im lawirowanie pośród straganów, ludzi, krów, zaprzęgów, motocykli, samochodów i rowerów. Musieli się zatrzymać u wylotu ulicy, przy dworcu kolejowym, ponieważ na skrzyżowanie wszedł słoń z poganiaczem na grzbiecie.

– Kiedy byłem mały, graliśmy tu w krykieta.

– Hmm? – Marek myślał o czekającym ich zadaniu, ale wychylił się do przodu, żeby lepiej słyszeć kierowcę w hałasie motoru i ulicy.

– O tak, inne czasy. Bida z nędzą... Tak mówicie, prawda? Wspominałem ci, że moi rodzice przybyli z Lahore? Byłeś tam?

– Tak! – Marek uznał, że wypada przekrzyczeć hałas ulicy. Nie musiał się nadwerężać. Sakar po prostu miał ochotę opowiedzieć o sobie.

– Rzadko kto teraz tam jeździ, chyba że wspinacze w drodze do Hindukuszu i Karakorum albo hipisi. Ci nie boją się niczego! Lubię ich. Zaczęli tu przyjeżdżać, kiedy byłem nastolatkiem i szukałem pracy. Tak, tak, dzięki nim kupiłem pierwszą rikszę, najpierw rowerową, potem spalinową, ta jest już trzecia.

– Jak to, dzięki nim?

– Hipisi potrzebowali pomocy, kiedy wysiadali na dworcu albo przyjeżdżali z lotniska na Connaught Place miejskim autobusem. O tutaj, widzisz to miejsce? – Słoń zszedł ze skrzyżowania i skręcali już w ulicę biegnącą wokół starych brytyjskich budynków ustawionych w paru koncentrycznych kręgach. – Tu spotkałem pierwszego hipisa, był kompletnie zagubiony. Zaprowadziłem go do hotelu, załatwiłem haszysz, pokazałem Czerwony Fort. A potem przyszli następni, nauczyłem się od nich angielskiego, zarabiałem coraz więcej. Wy, Polacy, pojawiliście się na Pahargandżu dużo później. To zresztą wiesz, bo byłeś jednym z pierwszych. W osiemdziesiątym? Osiemdziesiątym pierwszym?

– Chyba tak. Wcześniej byłem w Afganistanie, jeszcze jako student, ale przyszli Rosjanie i szlag wszystko trafił.

– „Szlag wszystko trafił"? – Sakar nie zrozumiał wyrażenia, lecz Markowi nie chciało się wykrzykiwać tłumaczenia.

Zajechali na obrzeża Connaught Place, pod niedawno otwarte biuro LOT-u. Sakar zaparkował i wszedł do środka, lecz po paru minutach wrócił i oznajmił, że muszą poczekać, kuzyn jeszcze nie skończył pracy na mieście.

– To kuzyn też u Polaków pracuje? – zainteresował się Marek.

– Taka rodzinna tradycja? – uśmiechnął się Sakar.

– Tylko żebyśmy się za bardzo nie spóźnili... Jak przyjechałem pierwszy raz do Indii, byłem tłumaczem, pomocnikiem grupy himalaistów. Myślałem, że zwariuję przez to wasze *kal*, które może znaczyć „jutro" albo „wczoraj". Rozumiem, że macie swoje obyczaje, ale wiesz dobrze, że *business is business* i sam się nie zrobi. Jak załatwiłeś zaproszenie do ambasady?

– Mój kuzyn, inny kuzyn, Mohit, też pracuje u waszych. Wziął blankiet, ja wpisałem nazwisko. Bez problemu, nie martw się. Mam dużo kuzynów. Tata uciekał z bratem, mama z siostrą. Duża rodzina w Delhi. Ale sporo zginęło. O, jest kuzyn.

Kierowca zaniósł do biura przesyłki, znów czekali, Marek nerwowo przestępował z nogi na nogę. W Indiach czas zdawał się wymykać spod kontroli, pełzł gdzieś w bok własnymi ścieżkami.

– Tak... – westchnął Sakar.

– Co?

– Nic. Tylko chciałem spytać, czy wiesz, że tam straszy.

– Co?! Gdzie?

– W waszej ambasadzie. Rakszasy...

– Demony? No nie, nie mogę z wami... Już, kurwa, bez przesady. – Cierpliwość Marka do Indii nagle się wyczerpała.

Kuzyn właśnie wrócił. Umościli się na tylnym siedzeniu samochodu, jak przystało na poważnych biznesmenów.

Sunęli w korku aleją Shantipath, przy której stały siedziby wielu przedstawicielstw dyplomatycznych. Polska przyćmiewała wszystkie rozmachem. Budynek z końca lat siedemdziesiątych wzbudził zazdrość ambasadora ZSRR, w jego wartość artystyczną powątpiewali jednak architekci w Polsce. Krytykowali zbyt duże rozmiary i przesadną reprezentacyjność, ale zdaniem Ministerstwa Spraw Zagranicznych gmach ambasady pasował do wizerunku Polski jako silnego i bogatego kraju, partnera ekonomicznego wartego zaufania.

Sakar patrzył jak urzeczony na ogromny modernistyczny kompleks budynków. Marek musiał pociągnąć towarzysza do punktu kontroli bezpieczeństwa, obsługiwanego przez indyjskie wojsko. Pokazali paszporty oraz zaproszenie, dalej przeszli dopiero po wpisaniu danych do wielkiej księgi. Drugi *security check* składał się z polskich ochroniarzy. Ci przywiązywali mniejszą wagę do bezpieczeństwa i goście szybko znaleźli się w ogrodzie ambasady. Markowi zdarzało się już tu bywać w sprawach konsularno-paszportowych, ale nigdy jeszcze nie dostąpił zaszczytu uczestniczenia w dyplomatycznym przyjęciu. Przyjechali spóźnieni, więc ominęły ich oficjalne przemowy z okazji święta 22 Lipca. Międzynarodowy tłum gości raczył się już polską wódką, amerykańską whisky i gruzińskim winem, panowała wręcz nieformalna atmosfera. Podeszli do baru, wzięli po wódce z colą. Hindus rozglądał się niepewnie, oszołomiony awansem z rikszarza na przemytnika bawiącego się z dyplomatyczną elitą. Polak szukał wzrokiem nowego radcy handlowego, pana Chaberki, świeżego w Indiach.

Dostrzegł dyplomatę stojącego w gronie gości, których uwaga koncentrowała się na białej kobiecie. Mówiła po angielsku, żywo gestykulując i wywołując śmiech pozostałych. Marek podszedł jak gdyby nigdy nic i przysłuchiwał się rozmowie. Elegancka blondynka opowiadała o swoich pierwszych doświadczeniach w hinduistycznych świątyniach, grube indyjskie matrony komentowały jej przeżycia, a ich mężowie udawali, że nie zaglądają w dekolt pani Chaberkowej. Marek wtrącił się do rozmowy, rzucił krótkie, ale poważne porównanie roli braminów, starożytnej religijnej elity kapłanów, do znaczenia inteligencji w Europie; spotkało się to z aprobatą zarówno obcokrajowców, jak i Hindusów. W ten sposób znalazł się w środku grupy. Wygłosił krótki, barwny wykład na temat historycznego rozwoju podziałów kastowych, nie pozwolił sobie jednak na zanudzenie słuchaczy i szybko zmienił temat na lżejszy, po czym oddał głos pozostałym. Kiedy po paru minutach radca Chaberka musiał przeprosić towarzystwo i oddalić się do innej grupy, uznał za stosowne pożegnać się także z Markiem. Gość nieco na boku, przechodząc na język ojczysty, przedstawił się kulturalnie:

– Marek Byczyński, Instytut Orientalistyczny, Uniwersytet Warszawski. Nie byliśmy sobie wcześniej przedstawieni, bardzo mi miło. Pan chyba od niedawna? Jak pierwsze wrażenia, panie radco?

– Stanisław Chaberka. – Dyplomata podał dłoń, wbijając przenikliwe spojrzenie w rozmówcę. – No tak, ledwie parę dni temu przylecieliśmy z żoną na stałe. Ja byłem już parę razy w ciągu roku, ale teraz zaczęliśmy stały pobyt. Na pewno czeka mnie tu mnóstwo pracy, w końcu Indie to nasz najważniejszy partner handlowy pośród krajów rozwijających się...

– Mam wrażenie, że ostatnio nie tylko oficjalnie, ale także na płaszczyźnie, że tak powiem, międzyludzkiej. Tylu tu teraz Polaków...

– Co konkretnie ma pan na myśli? – zainteresował się radca.

Już podążał dalej, ale Marek uznał, że powinien przejść z nim kawałek.

– Wie pan, jak to jest, przyjaźń między narodami owocuje różnymi kontaktami. Teraz, kiedy LOT kursuje co wtorek... Drobne interesy, które moim zdaniem pozwalają podreperować budżety domowe w kraju...

– Proszę pana, ja się zajmuję budżetem całego państwa i jego przyszłością, a nie finansami pojedynczych osób. Działam w interesie Polski. Przede wszystkim. Do widzenia.

Radca się oddalił, a Marek uznał, że z tym urzędnikiem raczej nic nie załatwią po swojemu. Przekaże tę opinię Szewcowi. Chociaż... może pod maską dyplomaty kryje się inny człowiek? Razem z Bossem uważali, że każdego biurokratę można zmiękczyć gotówką wsuniętą do kieszeni.

Wrócił do Sakara. Hindus popijał kolejnego drinka, uśmiechnięty i nonszalancko wsparty o blat. Tuż obok stanął dobrze ubrany, starszy, mocno siwiejący mężczyzna z dziewczyną w prostej letniej sukience. Marek po angielsku zaproponował parze, że odstąpi im swoje miejsce przy barku. Dżentelmen podziękował w tym samym języku, po czym po polsku zapytał swoją towarzyszkę, czego chce się napić.

– Państwo z Polski? Nie przypuszczałem! – zagaił Marek i natychmiast przedstawił siebie jako naukowca i tłumacza, a pana Sakara, właściciela firmy Inter-Pol, jako importera-eksportera.

Hindus wręczył parze wizytówkę. Starszy Polak nawet na nią nie spojrzał. Wyjął własny bilet wizytowy.

– Kowalski jestem, Polska Żegluga Morska, miło mi. A to moja córka, Magda.

Dziewczyna dygnęła grzecznie, ale nie wyglądała na zainteresowaną konwersacją. Natomiast dyrektor PŻM zagadnął:

– Eksport-import? Co konkretnie?

– Przede wszystkim tkaniny, ale też plastik, długopisy, podpisuję duży kontrakt z pewną polską instytucją. Indie to biedny kraj, pochodzę z biednej rodziny, ale ciężko pracuję, powoli pnę się do góry. Wierzę, że tylko praca prowadzi do sukcesów, niezależnie od ustroju.

– Tu się z panem zgodzę. Swoją drogą, pięknie pan mówi po polsku. – Dyrektor się uśmiechnął, za to jego córka miała coraz bardziej znudzoną minę.

– Pracuję z Polakami, więc się uczę. Myślę, że mamy ze sobą wiele wspólnego. Naprawdę!

– Jeśli założymy, że pradawni Słowianie przybyli przed wiekami właśnie stąd, to mamy wspólnych przodków... – Marek chciał wygłosić kolejny krótki wykład, ale zerknął na przewracającą oczami Magdę i natychmiast zamilkł.

Sakar wrócił do prezentowania swojej działalności. Chciał się nieco popisać, skoro już się znalazł na takim eleganckim raucie.

– Poza tym Singapur, z sahibem Markiem, takie *joint venture* rozwijamy. *Business development* i w ogóle *development* Indii.

– Rozwój, zawsze, znów się zgodzę. A kierunek dalekowschodni jest bardzo przyszłościowy. Jak mówi przysłowie: *Audaces fortuna iuvat.* – Dyrektor puścił oko. – Z pewnością dla mojej córki, która jedzie do Singapuru w ramach wymiany studenckiej. Jestem z niej bardzo dumny!

– Tato! – Dziewczyna odezwała się po raz pierwszy.

Marek spojrzał na nią z rosnącym zainteresowaniem. Na pierwszy rzut oka niczym nie wyróżniała się w tłumie. Hinduski zadawały szyku drogimi sari, a żony dyplomatów z bloku socjalistycznego popisywały się kopiami sukni z Paryża. Jednak sposób, w jaki Magda odgarniała włosy i pogardliwie wydymała usta na słowa ojca, przyciągnął uwagę orientalisty przemytnika.

– Gratuluję! Myślę, że Singapur bardzo się pani spodoba. Będę tam niedługo, jestem do dyspozycji. Gdzie pani zamieszka? Nie chcę się narzucać, ale mogę pokazać parę miejsc...

Zauważył, że dziewczyna ma bardzo duże, smutne oczy. Trochę zielone, ale właściwie szare. Nie mógł się zdecydować, jak określić ten kolor.

– Byłoby miło z pana strony, prawda, Magdo? – podchwycił Kowalski.

Córka niechętnie podała adres w chińskiej dzielnicy Miasta Lwa. Marek powtórzył, żeby zapamiętać ulicę, i przyjrzał się jej długim, opalonym nogom. Uznał, że córka dyrektora jest naprawdę pociągająca, więc spróbował podtrzymać konwersację.

– Co będzie pani studiować, jeśli wolno zapytać?

– Antropologię i sinologię – odpowiedziała grzecznie, ale widać było, że nie zamierza rozmawiać ze starszymi facetami, i przeprosiła mężczyzn.

– Tylko mi nie zniknij, zaraz wracamy do hotelu! – rzucił Kowalski za odchodzącą nastolatką. Nie zauważył, że odprowadza ją wzrokiem także Marek. – Ach, ci młodzi... *Carpe diem*... I dobrze, ja nie mogłem sobie za młodu pozwolić na takie szaleństwa. – Zamyślił się na chwilę, po czym powrócił do dyrektorskiego tonu: – Niestety, nie mogę z nią lecieć, wracam na dniach do Madrasu, gdzie mam biuro. Zajmuję się dużymi tonażami, statkami, to zobowiązuje... – oznajmił z pewną dumą.

– Ależ oczywiście. Polska budowała już jakieś dla Indii, prawda?

– Tak, Stocznia Gdańska serię kontenerowców w osiemdziesiątym roku, a szczecińska, z którą jestem bliżej związany, drobnicowce w latach sześćdziesiątych. Od tamtej pory nic więcej. A szkoda, Indie potrzebują statków, a Polska twardej waluty.

– Na pewno! – potwierdził Marek z przekonaniem.

– Prawda? Nie ma co się oszukiwać, przy obecnym stanie gospodarki?! Wiem, jak to jest. PŻM od dawna działa na wolnym, światowym rynku. Wiecie, panowie, my właściwie jesteśmy kapitalistami od, powiedzmy, lat siedemdziesiątych.

– A więc prekursorami?

– W pewnym sensie. Sami walczymy o zamówienia, żeby zapełnić nasze statki. Właśnie doszły nam dwa panamaksy i cztery frachtowce. Ciągle powiększamy flotę, mamy teraz ponad sto jednostek!

– Imponujące! – głos Sakara zabrzmiał zupełnie szczerze. – A te panamaksy to...?

– Przepraszam, nasz żargon branżowy. Panamaksy to statki o maksymalnych wymiarach umożliwiających przepłynięcie przez Kanał Panamski. Dla mnie, z punktu widzenia tras na wschód, ważniejsze są raczej suezmaksy, czyli spełniające normy dla Kanału Sueskiego, ale ten jest na szczęście szeroki i dosyć głęboki... No nic, rozgadałem się, a musimy z Magdą się zbierać. Będzie miło, jeśli pan pomoże jej w Singapurze, tylko proszę pamiętać, to jeszcze dziecko! – Kowalski pogroził Markowi palcem i pożegnał się z nowymi znajomymi.

Gruby Budda mruczał pod nosem. Zamyślił się. Dawno nie spotkał takiej dziewczyny. Ani on, ani Sakar nie zauważyli, że ich rozmowie z Kowalskim z oddali przypatrują się Anna i Stanisław Chaberkowie.

Następnego dnia gmach ambasady, choć nie tak kredowobiały jak dziesięć lat wcześniej, lśnił i odbijał promienie słońca, aż indyjscy kierowcy na Shantipath musieli mrużyć oczy. Pod powiekami widzieli wtedy demony, przypominali sobie legendy o przekleństwie ciążącym nad posesją, dociskali gaz i starali się szybko zapomnieć to, co ujrzeli. Nawet czyściciel kanałów z najniższej kasty nie chciałby mieszkać tam, gdzie nocą rakszasy o obwisłych brzuchach, twarzach koloru miedzi, z wieloma rękami i nogami, wielkimi kłami, wychodzą z podziemi i szukają ofiar, by pić ich krew jak wampiry. Cała okolica wiedziała, że właśnie dlatego rząd oddał Polakom wielką działkę tak tanio. Komuniści nie wierzyli w klechdy i nie przejmowali się zabobonami.

W biurze radcy wiatrak pod sufitem obracał się leniwie, koszula zaczynała przylepiać się do ciała Chaberki, choć zdjął marynarkę i poluzował krawat. Wciąż nie mógł przyzwyczaić się do upału. Żałował, że nie może zrobić sobie przerwy, musiał odbyć spotkanie z dyrektorem Kowalskim, który bawił w mieście tylko przejazdem. Radca uznał, że przed tą nieoficjalną przecież wizytą pozwoli sobie na kieliszek koniaku i papierosa. Wolałby zapalić na zewnątrz, w cieniu wielkich żelbetowych słupów ambasady, patrząc na dziedziniec, który zgodnie z zamysłem architekta kojarzył się z pałacem dawnych muzułmańskich władców kraju. Chaberka znał z rycin ich portrety. Niestety, nie mógł wyjść. Jego pracę prowadziło się w gabinecie.

Dym z papierosa unosił się ku wentylatorowi, a radcy przypomniała się wystawa rysunków w Towarzystwie Przyjaźni Polsko-Indyjskiej na placu Teatralnym w Warszawie. Był tam ze szkołą, z okazji święta niepodległości młodej republiki, wkrótce po podpisaniu umów o współpracy przez premierów Nehru i Cyrankiewicza. Towarzystwo działało w nowo otwartej siedzibie, przestrzeń pachniała jeszcze farbą, wystrój wnętrz łączył nowoczesność z dekoracjami nawiązującymi do starożytnej kultury wielkich Indii. Na wystawie sztuki ludowej po raz pierwszy zobaczył wizerunki rakszas: demonów-ludojadów, hinduskich tytanów. Olbrzymie złe duchy grasowały po zapadnięciu zmroku, żywiły się surowym ludzkim mięsem. Zapamiętał ryciny, ponieważ oglądając je, myślał o duchach, którymi w dzieciństwie straszyła go babcia na wsi. Teraz dziwne słowo powróciło, o rakszasach ukrytych w podziemiach ambasady wspomniała jego żona Ania.

Zgasił papierosa i wziął ostatni łyk koniaku.

Na studiach czytywał magazyn „The Polish Review", który promował Polskę w Azji i Afryce. Chaberka nie przypuszczał wówczas, że znajdzie się w obcych krajach jako przedstawiciel centrali handlu zagranicznego CEKOP. Koledzy z lepszych rodzin, z gorszymi stopniami, ale za to ze znajomościami, pracowali na Zachodzie, a on, człowiek z awansu, trafił do Trzeciego Świata. Ciężko harował, aż został zauważony przez Ministerstwo Handlu, potem dostał się na pierwszą placówkę dyplomatyczną. W połowie lat siedemdziesiątych nabierał doświadczenia w demoludach, szczęśliwy, że jest w Pradze czeskiej, a nie na warszawskiej.

W stolicy Czechosłowacji poznał Anię, korespondentkę „Trybuny Ludu", dobrze zapowiadającą się dziennikarkę, choć za mało zainteresowaną polityką i ekonomią, a za bardzo kulturą. Wzięli ślub, u jej boku awansował coraz szybciej, choć w 1980 roku żona zbyt mocno sympatyzowała z „Solidarnością", co przysporzyło mu problemów w pracy. Za karę wylądowali na parę lat w małym i biednym afrykańskim kraju, do którego nikt nie chciał jechać. Tam, ku zdumieniu przełożonych, Chaberce udało się doprowadzić do podpisania kontraktów na polskie elektrownię i kopalnię. Dlatego w 1987 roku jego zwierzchnicy uznali, że nada się do New Delhi. Dyrektor jego departamentu twierdził, że doświadczenie z Afryki oraz Czechosłowacji i NRD przyda mu się także w Indiach, ponieważ to z tymi zaprzyjaźnionymi krajami bloku wschodniego Polska rywalizowała o rządowe kontrakty.

Chaberka znał na pamięć dane z rocznika statystycznego: na początku lat pięćdziesiątych polski eksport do Indii wynosił 2,8 miliona tak zwanych złotych dewizowych. Dziesięć lat później było to już 24,6 miliona złotych, a za Gierka – 124,9 miliona. Proporcjonalnie rósł również nasz import. Dopiero w połowie lat osiemdziesiątych nastąpiły stagnacja i regres wymiany. Radca miał się zająć naprawianiem szkód po swoim poprzedniku. Z hukiem wyrzucono go z Indii, ponieważ zbyt ambitnie skupował informacje o państwowych urzędnikach. Szafa pancerna Chaberki uginała się pod ciężarem tajnych akt, z których miał zrobić użytek. Przed wyjazdem otrzymał proste polecenie służbowe: zwiększyć wymianę handlową między krajami.

Przez interkom zaanonsowano gościa.

Dyrektor Kowalski był od Chaberki dużo starszy. Radca pomyślał, że jeśli ten facet wciąż pracuje na tak wysokim stanowisku, to musi nie tylko mieć mocne plecy, lecz także być fachowcem, i nabrał do niego szacunku. Gość przyjął koniak, zapalił i zwrócił się uprzejmie do siedzącego za biurkiem dyplomaty:

– Dziękuję, że znalazł pan dla mnie chwilę.

– Ależ... zależy mi na rozwoju naszych firm! – zadeklarował zupełnie szczerze Chaberka.

– Tak? – Kowalski spojrzał badawczo na radcę. – Cieszę się, bo powiem panu, prywatnie, że rzadko dziś w służbie zagranicznej spotyka się ludzi, proszę wybaczyć, młodszych ode mnie, naprawdę zaangażowanych w swoją pracę. Tym bardziej teraz, kiedy wszystko się zmienia...

Zawiesił głos, czekając na reakcję Chaberki. Słyszał o nim raczej dobre rzeczy, ale wolał osobiście upewnić się, z kim ma do czynienia.

– Muszę się z panem zgodzić, ale wychodzę z założenia, że mam robić to, co do mnie należy. Każda władza potrzebuje radców handlowych, prawda?

– Słusznie! Widzi pan, zdążyłem urodzić się przed wojną i cokolwiek mówić o sanacyjnej, faszystowskiej Polsce, to jednak wtedy panował etos pracy. *Ora et labora.* No, chyba że ktoś siedział w Berezie Kartuskiej za socjalizm, wtedy to co innego... – Kowalski uśmiechnął się ironicznie. – Nie ma co kręcić kadryli salonowych, jeszcze dziś mam, niestety, samolot z powrotem do Madrasu. Szkoda, że wcześniej nie udało się nam porozmawiać dłużej. Muszę panu zaufać, modlitwy partyjne możemy sobie darować. Pan jest z ZSL, prawda?

– Owszem, już mój tato był członkiem ludowców.

– Uważam, że członkom Zjednoczonego Stronnictwa Ludowego można ufać, czasem nawet bardziej niż nam, starym socjalistom z PZPR. *Actio fiduciae* – zaśmiał się dyrektor.

– Będę się cieszył, jeśli pan mi zaufa – uśmiechnął się Chaberka, choć nie znał łacińskiej, jak się domyślał, sentencji. Podobał mu się ten facet z Polskiej Żeglugi Morskiej, nieoficjalnie reprezentujący też Stocznię Szczecińską.

Kowalski dopił koniak, pozwolił na dolewkę.

– Nie powinienem już pić, ale w tych tropikach, nie oszukujmy się, jest to pewien sposób na przetrwanie. *Ad rem.* Rozumiem, że władze są zadowolone z umów na broń, które podpisał przewodniczący Rady Państwa, ale moja branża, stoczniowa i transportowa, oceaniczna, potrzebuje dużo, dużo więcej... Pański niefortunny poprzednik był o krok od zawarcia, poprzez Kumara Nara z SLM Manekin, dużego kontraktu na budowę statków oraz na frachty. Pan Kumar, aktualnie w więzieniu, już nam nie pomoże, ale rozumiem, że rozmowy będą kontynuowane?

– To mój priorytet! Mogę zapewnić, że po to właśnie tu przyjechałem! Niemniej sytuacja jest bardzo skomplikowana. Ja też będę zupełnie szczery: słyszał pan o szwedzkiej firmie Bofors? Podpisali kontrakt na dostawę czterystu dział przeciwlotniczych dla Indii, ale w Sztokholmie gazety podały, że ludzie premiera Gandhiego wzięli za to łapówkę od Boforsa. Mówiąc między nami, my to wiedzieliśmy wcześniej, bo dając w łapę, przebili naszą ofertę. Jaruzelski podpisał resztki, nic nieznaczące wobec tego, o co się staraliśmy. Trudno, na razie nie sprzedamy im więcej broni. Temat jest zamknięty, ale dopóki skandal nie przycichnie, atmosfera będzie napięta.

– Zmartwił mnie pan, ale przecież cywilne statki to inne ministerstwa, inni ludzie. Zresztą oni naprawdę potrzebują nowych jednostek, a my możemy je zapewnić. Stocznia Szczecińska zbuduje je szybko i na światowym poziomie. Rozmowy już się toczą, tylko że mamy konkurencję z NRD...

– No właśnie, ze Stasi nie warto zadzierać. Znam ich metody, pracowałem w Berlinie. Przy nich jesteśmy niewiniątkami... Ale tak, jak najbardziej, kontrakty cywilne to inne departamenty. Teraz pana pocieszę, już rozmawiałem w tej sprawie. Tak, tak, nie próżnuję, choć jestem tu od niedawna. Czy zna pan tego sekretarza stanu, jak on się nazywa... – Chaberka przerzucał wizytówki, które zgromadził w szufladzie. – Mam. Ramesh Khaterpalia?

– Brawo, panie radco. Rzeczywiście nie zasypia pan gruszek w popiele. Właśnie jego chciałem doradzić jako najlepszy kontakt na najwyższym szczeblu. Zapoznaliście się?

– Tak, będę niedługo na przyjęciu u niego. Wygląda na to, że nasze żony się polubiły, rozmawiały długo o polskim kinie. Nie, przepraszam, o rzeźbie. Proszę wybaczyć, ja akurat nie jestem specjalistą w tych tematach...

– Panie Chaberka, Khaterpaliowie to mecenasi sztuki, tam tkwi klucz do znajomości z nimi. Bo o ile mi wiadomo, mogę się mylić, sam radża jest nieprzekupny. Swoją drogą, co to za socjalizm, że arystokrata tkwi u boku premiera.

– Nie mamy nawet pieniędzy na łapówki. Nie to, co kiedyś. Ja zresztą naprawdę nie lubię tej metody finalizowania umów. Ale dziękuję za radę. Pan jest tutaj z córką o ile się nie mylę?

– Tak, ale leci na rok na studia do Singapuru. Zostanę zupełnie sam, więc szczerze zapraszam na pogawędki. Mój dom stoi otworem, może pan przyjechać z żoną i odpocząć.

– No właśnie, *à propos* Singapuru. Mam przyjacielską radę. Poznał pan wczoraj dwóch mężczyzn w ambasadzie.

– Poznaję tyle osób... – stropił się Kowalski.

– Marek Byczyński oraz jego wspólnik, Mister Serti czy Sakar? Ciągle mi się myli. Sakar. Przedstawił im pan córkę? To było akurat nierozsądne. To typy spod ciemnej gwiazdy. No, może prywatna inicjatywa. Ten Byczyński próbował ze mną zawrzeć znajomość, więc go sprawdziłem.

– Wie pan, prywaciarze niedługo będą u władzy... Jeśli taki Wilczek jest doradcą komisji sejmowych... Koledzy z partii też nic innego nie robią, tylko się prywatyzują, bo *pecunia non olet*. – Dyrektor spojrzał na swój elegancki zegarek. – Muszę zaraz iść.

– Jeszcze jedna sprawa. Jeśli podpiszemy kontrakty, to dlaczego te statki miałyby powstać w Szczecinie, a nie w Stoczni Gdańskiej? Jedna frakcja w rządzie uważa, że nie możemy ciągle karać stoczniowców z Gdańska za strajki, bo znów zaczną rozrabiać, i właśnie teraz trzeba by im dać zajęcie. Oni też budują dobre statki, parę lat temu zwodowali kilka dla Indii, właśnie wtedy, kiedy tak strajkowali, ale mimo wszystko robotę skończyli. Jednak druga frakcja...

– Szczecin na pewno lepiej się odwdzięczy, panie ambasadorze. – Dyrektor się przejęzyczył, lecz zaraz poprawił: – Na razie, panie radco, ale kto wie, co będzie potem? A właśnie, pański zwierzchnik, ambasador Gierluch, on też się prywatyzuje, na potęgę. Tranzakcja, spółka z ograniczoną odpowiedzialnością... Proszę się przyjrzeć, jak się załatwia takie sprawy na wysokim szczeblu... – Dyrektor zawiesił głos, a Chaberka starał się dobrze zapamiętać nazwę nomenklaturowej spółki. – Przepraszam, ale te potworne korki w New Delhi, muszę już jechać. Naprawdę się cieszę, że w końcu pana poznałem i trochę porozmawialiśmy. Wyrazy uszanowania dla pięknej małżonki! Kłaniam się!

Radek zrzuca starą skórę

Można śmiało powiedzieć, że przedkładam mapy i geografię ponad kalendarze i czas. Latanie samolotami może dziś wydać się nudnym w gruncie rzeczy zajęciem, jak kolejne wachty na pokładzie statku sunącego po oceanie. Trzeba jednak sobie uświadomić, że marynarz wpatrujący się w widnokrąg lub gwiazdy musi wciąż zważać na niebezpieczeństwa. My, przemytnicy, wiedzieliśmy, że cały czas grożą nam celnicy, agenci DRI, policja i władza. Pocieszaliśmy się, że nikt nie zamknie nas do więzienia, ale od pierwszego nalotu na Vishall bałem się, że stracimy pieniądze, że z trudem ciułane oszczędności przepadną.

Cały czas czułem adrenalinę, także lecąc samolotem, przekraczając granicę, czekając na tranzycie, przekazując torby lub wychodząc z wideo i kamerami na TBR. W dzieciństwie nie kradłem jabłek z sadu sąsiada, nigdy nie zwędziłem nawet zapałek ze sklepu Społem, nie ściągałem na klasówkach, pilnie studiowałem i nie musiałem uchylać się od wojska. Nic mi nigdy nie groziło, natomiast w Delhi i Singapurze nie mogłem wieczorami zasnąć, nabuzowany, podminowany, zestresowany. Na początku adrenalinę czuł każdy wieszak, dlatego pił whisky na lepszy sen. Później, kiedy przemyt stawał się rutyną, alkohol był już nawykiem, z którego nie potrafiliśmy zrezygnować.

Praca z Jankiem powodowała, że oprócz wieczornej whisky zabijaliśmy stres, włócząc się godzinami po Pahargandżu. Na początku tych spacerów interesowali mnie przede wszystkim ci, których uważałem za podobnych do mnie: hipisi, dzieci kwiaty i ich naśladowcy, biali z zaklętego kręgu bananowych placków zjadanych w kafejkach dla podróżników. Wydawało mi się, że tak jak oni szukam sensu w życiu, rozglądam się za romantycznymi przygodami, przeżyciami, chcę czegoś więcej niż przeciętny zjadacz chleba. Uprzedzę wypadki, przyznając, że Indie wyleczyły mnie ostatecznie ze złudzeń zuchwałej, samolubnej młodości.

Poprosiłem Janka, żebyśmy przekąsili nie w hinduskiej jadłodajni, lecz w Cafe Mandala albo Sziwa Bar. Wszystkie knajpki dla Westmanów były podobne. Mój przyjaciel perorował, że Pahargandż jest jak targowisko Turzyn, ale zwielokrotnione, wzmocnione i oszałamiające. W Polsce na bazarze gadał z przekupkami, babciami sprzedającymi pięć jajek i czosnek, rolnikami na wozach pełnych ziemniaków, ze stojącymi tuż obok „importerami" włoskich płaszczy ortalionowych, marynarzami dorabiającymi do pensji sprzedażą przemyconych dżinsów. Zazdrościłem mu, kiedy przychodził na Turzyn szlifować angielski ze Skandynawami chcącymi kupić wódkę jeszcze taniej niż w sklepie Społem. Uczył się też niemieckiego od szkopów, którzy dawali się naciąć cinkciarzom na sztosy. Droczył się z Cygankami przepowiadającymi przyszłość oraz ich mężami oszukującymi frajerów w trzy karty. Po powrocie z MOP-a i po kolejnych ekspedycjach na socjalistycznym jedwabnym szlaku przychodził na Turzyn jak do domu, sprzedawaliśmy tam przemycone z Berlina kartony gumy Maoam, buty Salamander, kolejkę Piko i inne luksusy. Znali go dobrze na targu pod Szczecinem, a teraz Hindusi rozpoznawali na Main Bazaar w Indiach, czuł się tam jak ryba w wodzie. Tylko z białymi w jakimś Budda Cafe nie potrafił nawiązać kontaktu, ja zresztą też nie.

Kuchnia była ukryta w głębi, a miejsca siedzące wychodziły na ulicę. Dwie strefy niezauważenie przechodziły jedna w drugą – tuż za blatem naszego stolika stał skuter, miejsce obok zajął handlarz owoców z wózkiem i zaglądał nam w talerze. Mali żebracy trzymali się na dystans, ponieważ menedżer kawiarni odganiał ich długim kijem. Janek robił do dzieciaków głupie miny, one się śmiały i odpowiadały grymasami. Po sąsiedzku spoczął na chwilę wędrowny asceta Sziwy czy Wisznu, mój wspólnik pozdrowił go gestem złożonych dłoni. Przy następnym stoliku w zamkniętym kręgu młodzi Izraelczycy dyskutowali o trasie w Himalaje, nie widzieli ani żebraków, ani sadhu z dredami, mimo że wymownie wskazywał na swoją pustą miskę. Janek wstał i podał mu talerzyk z samosami, wyznawca Sziwy podziękował i odszedł, choć wolałby pieniądze niż jedzenie.

Przy drugim końcu naszego chyboczącego się blatu przysiadł biały pryszczaty młodzieniec w orientalnych szmatach. Złapał kelnera za rękę, pytał trudno zrozumiałym angielskim z Anglii:

– Jest piwo? Ile jest kast i warn w Indiach?

– Nie rozumiem, przepraszam. Nie mamy piwa. – Chuderlawy pracownik kawiarenki był speszony.

Uśmiechnąłem się pod nosem. Już wiedziałem, że alkohol podają tylko w restauracjach lepszych hoteli, dla niepoznaki wlewając piwo do dzbanków. Angol znał Indie gorzej ode mnie i zadawał głupie pytania. Z torby wyszywanej w znak Om wyciągnął wyświechtaną książeczkę, całe przedramię miał pokryte tatuażami. Odczytywał kelnerowi na głos fragmenty o starożytnej hierarchii społecznej Indii, ten grzecznie słuchał. Zupełnie nie wiedział, o co chodzi. Nie próbował oswobodzić ręki, cierpliwie czekał, przyzwyczajony do ekstrawagancji białych ludzi. Janek nie mógł przegapić okazji do rozmowy, jakich codziennie odbywał setki.

– Hej, skąd jesteś?

– Z Manchesteru, a wy?

– Z Polski. Co to za książka?

Koleś puścił rękę kelnera, a ten czmychnął w głąb kafejki. Angol pokazał nam okładkę. Helena Blavatsky, *Theosophy*, tytuł brzmiał jak lektura dla mojej matki. Uświadomiłem sobie, że jej pewnie by się tu podobało, tylko mnie Indie wciąż przerażały. Bałem się zwartego tłumu, masy ludzi, odpadów i odchodów, po nocy śniły mi się kokosy jako ludzkie czaszki.

– Ci Hindusi sami nie wiedzą, kim są! Nie znają kast... – Długowłosy Europejczyk skrzywił się, pokazując zepsute, czarne zęby.

Przypomnieliśmy sobie, że pan Rysio radził iść do dentysty w Singapurze.

– Może kelner nie jest dobrym partnerem do filozoficznych rozważań? – skomentowałem, choć zazwyczaj wstydziłem się swojego angielskiego, szlifowanego przez lata za namową matki, ale tutaj brzmiącego sztucznie.

Facet z Manchesteru nie zrozumiał ironii. Zapalił cienkiego indyjskiego papierosa bidi i rozgadał się o sobie. W Indiach spędzał całą angielską zimę, większość czasu na południu, na słonecznych plażach Goa. Drugie pół roku pracował w domu; bez ogródek przyznał, że handluje narkotykami, by zarobić na heroinę dla siebie i wyjazd do Azji. Zrozumiałem, że zepsute zęby i mętny wzrok to skutek ciężkiego uzależnienia.

– Teraz jadę do Dharamsali, chcę zobaczyć Dalajlamę.

Westchnąłem. Matka kazała mi tam jechać, ale na razie musiałem zarabiać.

– Powodzenia – rzuciliśmy i ruszyliśmy w ciemne zaułki Pahargandżu.

Jankowi tutejszy bazar podobał się nawet bardziej niż Turzyn. W Szczecinie nie było sprzedawców czaju, nikt nie hipnotyzował klientów, przelewając napój strugą na pół metra, z wózków nie unosiły się zapachy imbiru i kardamonu. Tylko w Indiach przyjezdnego oblepiał tłumek dzieci próbujących sprzedać turystyczne pamiątki lub żebrzących o monety. Właśnie to, co innych podróżników wprowadzało w popłoch i przerażenie, podobało się Jankowi. Dziury w jezdni pełne wody, brudne kible, które kojarzyły mu się z pociągami PKP, rejwach, gwar, tłok i hałas – wszystko to, co mnie męczyło, a nawet brzydziło.

Z góry doszły nas dźwięki bębnów, na dachu hotelu Om Lodge czy Kryszna dostrzegliśmy tłumek dzieci kwiatów.

– Chodźmy zobaczyć.

Janek musiał mnie ciągnąć za łokieć. Po zajrzeniu w czarne zęby Anglika nie miałem już ochoty na kontakty z hipisami. Mój przyjaciel nadal próbował się z nimi zaprzyjaźnić albo poczuł impuls, z ciekawości chciał sprawdzić, co się dzieje na dachu.

Wdrapaliśmy się na samą górę po wąskich schodach. Na tarasie wianuszek białych dziewczyn i chłopaków, trudno było odróżnić płeć, otaczał lokalnych artystów: wokalistę, bębniarza i mężczyznę grającego na małych organach. Europejczycy usiłowali włączyć się w ich rytm z własnymi instrumentami, ale brzmiało to jak nieudany koncert folkowy.

Stanęliśmy na skraju zgromadzenia, nikt nie zwracał na nas uwagi, choć wyróżnialiśmy się z tłumu, widać było, że jesteśmy z innej bajki. Janek w koszulce z logo Sony z ciuchów od Kumara, dżinsach i trampkach; ja w rozpinanej koszuli w kratę, szortach i pepegach. Westmeni byli wolni i szaleni, ale wyglądali jak alternatywne oddziały undergroundu. Każdy nosił podobny mundurek poszukiwacza oświecenia, konsumenta karma coli; skakali w rytm muzyki w szerokich, lejących się ciuchach szytych w Indiach, ale tak naprawdę niemających wiele wspólnego z tradycyjnym ubiorem. Mieli naszyjniki, korale, egzotyczne torebki, długie włosy, półprzymknięte oczy.

– Co to za zespół? – Janek jak zwykle odważnie zagadnął jedną z dziewcząt, lecz nie usłyszała go w hałasie muzyki.

Niezrażony skierował to samo pytanie do chłopaka, który jako jedyny miał ogoloną głowę i krótką bródkę oraz hinduskie dhoti, takie, w jakim chodził Sakar. Zagadnięty długo opowiadał o duchowej przemianie w transie, o *incredible full moon party* na Goa, o *most amazing beach*, po czym przerwał monolog i wrócił do tańca. Postaliśmy jeszcze chwilę, w końcu machnęliśmy ręką. Nie mieliśmy o czym rozmawiać z tymi ludźmi.

Występując z Generacją, poznałem wielu podobnych krajowych długowłosych buntowników. Przychodzili na koncerty reggae i punka, wciąż szukając idealnej formy sprzeciwu wobec władzy i całego świata. Przez parę lat „kariery" na scenie miałem poczucie, że to moi ludzie, moi kumple, mój świat, ale teraz oglądałem Azję nie ich oczami, tylko z nowej perspektywy. Zapewne potraktowaliby to jak zdradę. Każdy z dawnych znajomych chciał przyjechać do Indii, ja już tu byłem i mnie odrzucały, jakbym oddychał wonią zdechłego hipopotama. Nie chciałem się zatruć, więc wróciliśmy do Vishalla, gdzie znajome wieszaki otwierały kolejną butelkę whisky. To było nasze miejsce, nasi ludzie, nasze sprawy, znaliśmy język i problemy. Nie mieliśmy nic wspólnego z hipisami wydającymi pieniądze rodziców. My ciężko pracowaliśmy.

Przyszliśmy do Inter-Polu po nowe zlecenie. Sakar uśmiechał się jak zawsze dobrodusznie, ale tłumaczył nam, że zaszły zmiany. Wystraszyłem się.

– Jest *little problem, but don't worry*, nie martwcie się, panowie. Skończyły się nam deklaracje walutowe, więc musicie profesjonalnie schować i przewieźć walutę. Specjalnie mam dla Szewca tylko funty kuwejckie, najwyższe nominały, same pięćsetki, więc nie ma tego dużo. O, tak to się robi.

Ku naszemu zaskoczeniu na biurku leżały rolki papieru toaletowego. Sakar wziął jedną, polecił trzymać koniec i zaczął delikatnie rozwijać. U początku, przy tekturowej rolce, włożył pierwszy banknot, potem kolejny, nawinął trochę papieru, umieścił następne, powtórzył operację.

– To nie będzie dziwnie wyglądać, że lecimy do Singapuru z papierem do... podcierania?

– Podcierania? – Sakar nie zrozumiał, był skoncentrowany na nawijaniu kasy.

– W sensie, że z papierem do dupy. No, toaletowym?

– Wszyscy biali mają w Azji problemy z żołądkiem, więc nikt się nie zdziwi – uśmiechnął się Hindus.

Przypomniała mi się pierwsza sraczka i musiałem przyznać mu rację. Dalej już wspólnie nawijaliśmy banknoty.

– Dużo się nie zmieści, ale dopiero next week mają być nowe deklaracje, a kolejka po VCR-y czeka. – Sakar wręczył nam po parę rolek na głowę i bilety do Singapuru.

Janek spojrzał na daty.

– Przecież to już dziś! Za trzy godziny!

– Musicie się pospieszyć – spokojnie potwierdził Hindus.

Pobiegliśmy do Vishalla, zgarnęliśmy torby, wrzuciliśmy rolki i pognaliśmy na lotnisko imienia Indiry Gandhi. Zadyszeliśmy się, spociliśmy, ale byliśmy na czas.

Nie mieliśmy szczęścia, lecieliśmy znienawidzonym Aerofłotem. Rosyjskie linie lotnicze przypominały nam, skąd przybyliśmy, w ich samolotach czuliśmy się jak w obozie socjalistycznym. Brak zakazu palenia dodatkowo pogarszał sprawę, odzwyczaiłem się od smrodu fajek na pokładzie, ale zajarałem z innymi pasażerami. Ruskie stewardesy w drugiej połowie lat osiemdziesiątych nie nosiły designerskich czerwonych uniformów jak dziś. Fatalnie prezentowały się w dużych czapkach, podobnych do tych, jakie nosili milicjanci i żołnierze stacjonujący niedaleko Szczecina, na Ziemiach Odzyskanych. Brzydkie były nawet plakaty reklamowe, choć Aerofłot od zbojkotowanej olimpiady w Moskwie w 1980 roku próbował wejść na rynki międzynarodowe. Byliśmy wściekli na swojego szefa, że nie lecimy Singapur Airlines.

Szewc czekał na parkingu Changi Airport. Odebrał dyskretnie rolki z funtami, a kiedy zgłosiliśmy zastrzeżenia, ochrzanił nas za narzekanie.

– Widzę, że szanowni panowie już się przyzwyczaili do luksusu, ale to jest praca, a nie przyjemność. W końcu płacę za latanie, prawda? – Boss był nie w humorze, nagle stał się zasadniczy i pryncypialny. Zmienił jednak ton, widząc nasze zaskoczone i smutne miny. – To nie ja kupiłem takie bilety, tylko Sakar. Zasadniczo dobrze, że mi mówicie, muszę to wyjaśnić z nim w rozliczeniu. Czasem nie wiem, czy nie oszukuje. Może każe mi płacić za bileciki normalnych linii, a kupuje tańsze, sowieckie? Sprawdzę. Inni szefowie są na miejscu w Indiach, a ja tutaj, muszę mieć współpracownika. Marek mi pomaga, ale jak wiecie, także lata, ciągle się rozmijacie.

– To dlaczego nie jesteś w Delhi? – chciał wiedzieć Janek. Ja bym się nie odważył zapytać tak wprost.

– Cygan, powiem szczerze, po prostu nie mogę. No nie mogę. Musiałem stamtąd wyjechać, nie do końca legalnie, sprawa ciągnie się w sądzie od lat, mam dobrego adwokata. Bezpieczniej jest dla mnie nie przekraczać granicy Indii... Ale dobrze, teraz mam dla was bileciki właśnie na Air India. Wylot za dwie godzinki, chodźmy do samochodu po skrzynki i trąbki. Monsun zaraz się skończy, sezon ślubów się zaczyna... Ceny idą w górę, jest ruch w interesie! Hindusi chcą filmować wesela i oglądać je na zmianę z *Terminatorem* na wideo. – Zachichotał.

Nadaliśmy po trzy torby bagażu rejestrowanego, po jednej mieliśmy w garści. *Special polish pack* się nie zmniejszał. Czekaliśmy na *boarding*, żałowałem, że nie odpocznę w Singapurze. Zebrało mi się na marzenia.

– Może pojedziemy do tej Dharamsali, do Dalajlamy? Chciałbym też polecieć do Kuala Lumpur albo na Sumatrę i Borneo.

Patrzyłem na samoloty z całego świata kołujące na płycie lotniska. Australijskie Quantas i lot do Perth, British Airways do Londynu, Pan Am w drugą stronę, nad Pacyfikiem do Los Angeles, Air China do Pekinu, Emirates do Dubaju, Cathay do Hongkongu... Świat wydawał się dostępny jak na dłoni, wielki atlas miałem rozpostarty przed nosem.

– Też bym chciał, tylko trzeba na to zarobić, nie? – uciął Janek.

W pamięci liczył, ile potrzeba pieniędzy na rozkręcenie własnej firmy albo chociaż małej spółdzielni. Przypomniał mi się kolejny odcinek przygód Wilmowskiego, *Tomek wśród łowców głów*. Pomyślałem, że młody biały sahib w tajemniczy sposób nigdy nie miał problemów z kasą. A nas ograniczały pieniądze, budżety, zarobki, oszczędności – ekonomia.

– Wiadomo, ale stąd, z Singu, to musi być tania podróż. Nawet nie samolotem, lecz statkiem. Może następnym razem zrobimy wycieczkę? Chociaż do Kuala Lumpur, autobusem się dojeżdża. I skoczymy na tę malezyjską plażę, o której mówiła Czarna Maria? – namawiałem Janka.

Chyba już wtedy zaczynaliśmy mieć inne cele, inne marzenia, ale byłem od niego uzależniony, nie potrafiłem zdobyć się na samodzielność.

– Niezła z niej babka... Tak, koniecznie pojedźmy. – Kiwał głową, ale myślał o czymś innym. Nagle wypalił: – Ty, a co myślisz, zacznijmy latać dla siebie, co? Rozejrzymy się w Singapurze, poznamy jakichś sprzedawców, dostaniemy VCR-y na kredyt kupiecki, sami je sprzedamy, oddamy kasę. Obliczyłem, że...

Głos z megafonów poinformował, że *gate open for Air India flight to New Delhi*.

W samolocie zająłem miejsce przy oknie. Mogłem wyglądać i snuć marzenia o statkach, jachtach, łodziach, popłynięciu do Papui-Nowej Gwinei, zamieszkaniu na bezludnej wyspie lub chociaż na Tahiti jak Gauguin. Skoro nie należałem już do alternatywnego świata, wolałbym być podróżnikiem niż przewalaczem. Niestety, w latach osiemdziesiątych nikt nie płacił za wojażowanie, a za magnetowidy miałem za parę godzin zainkasować zielone franklliny.

Przeniosłem wzrok z okna na *flight attendants* narodowych linii lotniczych Indii. Kobiety nosiły bogato zdobione, kolorowe szalwar kamiz – spodnie i koszulę lub długie sari. Niezbyt praktyczne, ale tak piękne, że pozwoliłem sobie na parę drinków więcej niż poprzednim razem. Zamawiając i odbierając napoje, mogłem z bliska zobaczyć bindi na czołach stewardes, które nie zginały się w ukłonach jak służące z Singapur Airlines. Chodziły godnie wyprostowane, choć uśmiechnięte. Przed 11 września 2001 roku zdarzały się już zamachy terrorystyczne, mimo to międzynarodowych lotów nie kojarzono z zagrożeniem; były przyjemnością i „luksusem w przestworzach". Stewardes nie trenowano w sztukach walki ani rozpoznawaniu nerwowych pasażerów; znały się na gatunkach wina oraz elegancji. W Indiach w latach osiemdziesiątych zawód stewardesy, wcześniej uważany za niegodny porządnej dziewczyny z przyzwoitego domu, stawał się pożądaną pracą otoczoną nimbem blichtru. Również ja przyczyniałem się do tych zmian, przemycając magnetowidy, na których cały kraj oglądał amerykańskie filmy.

Same same, but different

Uniknęli bryzgów błota z wielkiej kałuży, w którą wjechał skuter obciążony mężczyzną, kobietą i dzieckiem, wpadli jednak na śmieci zamiecione pod mur, wdepnęli w stos zużytych kubeczków z wypalanej gliny, na Pahargandżu nie używano jeszcze plastikowych pojemników. Przepchnęli się obok kolejki stojącej do ulicznego punktu telefonicznego, ajent pilnował i opłat, i cennego aparatu. Ogonek ludzi wił się też pod urzędem, inny na przystanku autobusowym. Publiczne autobusy jeździły rzadko, pasażerowie upychali się także na stopniach i niebezpiecznie zwisali nad ulicą.

Kawałek dalej Janek wdał się w dyskusję z kaszmirskim handlarzem. Facet usiłował nabrać go na fałszywą paszminę; twierdził, że dobry materiał rozpoznaje się, przeciągając go przez pierścień. Stary numer. Janek umiał palcami wyczuć, czy to tkanina z wełny górskich owiec, czy wymieszana z tańszymi dodatkami. Zawsze była wymieszana, żaden znawca nie kupował paszminy na Pahargandżu.

Uskoczył przed smarkiem starszego mężczyzny, opróżniającego nos mocnym strzyknięciem przed siebie, i wpadł na wysokiego, dobrze zbudowanego chłopaka w ich wieku. Sikhijska gruba bransoleta i granatowy turban dodawały mu powagi. Materiał zdawał się powiększać jego głowę, co w połączeniu z dużym, ale prostym nosem powodowało, że wyglądał dostojnie, choć zarost – nigdy niegolony, zgodnie z obyczajami współwyznawców – miał krótki i młodzieńczy. Jego aparycja nie pasowała do pracy ulicznego sprzedawcy sztucznej biżuterii, więc kiedy już poznali cenę błyskotek, pociągnęli rozmowę z nim. Przedstawił się: Akal Singh, nazwisko oznaczało przynależność religijną. Skryli się w załomie muru przy jednej z małych hinduistycznych kapliczek. Mieszkańcy domu codziennie rano składali tam Ganeszy w ofierze kokos i kadziła.

Jan zaprzyjaźnił się już z połową Pahargandżu, witali i pozdrawiali go z daleka biedni i bogaci, ci u władzy i ci mający z nią na pieńku. Potrafił zagadać i zażartować z grubym braminem i wąsatym policmajstrem z pałką, ze staruszką, która o świcie niosła wodę ze studni, i sprzątaczem z najniższej kasty, niedotykalnym zbierającym odpady. Zaczepiał właścicieli sklepów i knajp, rzemieślników wyrabiających orientalne pamiątki, żebraków, hurtowników, detalistów, policjantów i drobnych złodziei. Radek asystował koledze, szedł za nim jak cień, przysłuchiwał się rozmowom, mało aktywny, zdegustowany i zawiedziony Indiami. Gadali z kelnerami i naganiaczami z barów oraz z nocnymi kucharzami, którzy na swoich wózkach pichcili aż do świtu omlety z dodatkami lub sprzedawali ryż z warzywami w glinianych miseczkach. Akal Singh miał jednak w sobie coś wyjątkowego, po raz pierwszy rozmawiali z sikhem.

Grzmiało i zanosiło się na ciąg dalszy monsunowych opadów, więc chcieli iść z nowym kolegą na piwo. Wzbraniał się z powodów religijnych, za to zaprosił ich do rodzinnego domu – trafiła mu się okazja, by popisać się w kamienicy znajomością z egzotycznymi obcokrajowcami.

Pulchna, niewysoka matka Akala, w okularach na nosie, z otwartymi ramionami powitała gości z Polski. Jan w pokłonie dotknął jej stóp, tak jak tradycyjnie czynią synowie i córki w geście szacunku. Znak podejrzany w szkole życia „na streecie" wywarł znakomite wrażenie: Polak natychmiast został uznany za domownika, przybranego syna o jasnej karnacji.

Gospodyni nakarmiła chłopaków jak własne dzieci, pysznie, domowo i świeżo. Załamywała ręce, że są źle odżywieni, ponieważ stołują się w brudnych garkuchniach. Sikhowie nie jedzą mięsa, więc na stół wjechały aromatyczne warzywa, idealnie ugotowany ryż z przyprawami i placki prosto z domowego pieca. Pałaszując, przyglądali się świętym obrazkom na ścianach i słuchali opowieści o sikhijskich mistrzach duchowych sprzed wieków. Mama Akala martwiła się o ich dietę, ale także o rozwój wewnętrzny.

Nagle przerwała wywody i odsłoniła telewizor przykryty kolorową narzutą, podobnie jak w domu Radka w Szczecinie.

– *Color!* – oznajmiła z dumą.

Osobiście włączyła nieduży, tani odbiornik. Rozległo się pukanie do drzwi, na telewizję przyszli sąsiedzi z naprzeciwka. Chwilę później zjawili się następni lokatorzy budynku i Polacy razem z połową kamienicy obejrzeli serial w indyjskiej telewizji. Nic nie rozumieli, nigdy wcześniej nie spotkali się z konwencją telewizyjnego tasiemca, ale bawili się świetnie. To musiał być *Hum Log*, czyli „My, ludzie", latem 1987 roku emitowano setny odcinek. Akal próbował tłumaczyć, kim jest dany bohater i co działo się z nim wcześniej. Jan i Radek wywnioskowali tylko, że oglądają cykl o zwykłej rodzinie w czasie przemian społecznych. Pojawiło się nawet określenie „liberalizacja", doskonale znane im z Polski. Liberalizacja przepisów i zarazem obyczajów powodowała, że pani domu bolała nad upadkiem moralności, alkoholizmem i pogonią za dobrami materialnymi. Oglądała jednak serial regularnie oraz kupowała *washing powder* Nirma, reklamowany przed każdym odcinkiem i w jego trakcie.

Po napisach końcowych zostawili panią Singh narzekającą z sąsiadkami na nowe czasy i poszli na dach. Akal zaproponował mocny haszysz sprowadzany z Himalajów. Długo i precyzyjnie szykując skręta, opowiadał, że państwowa telewizja dopiero na początku lat osiemdziesiątych, z powodu Asian Games, „olimpiady państw azjatyckich" w Delhi, rozpoczęła nadawanie kolorowego programu na cały subkontynent. Od tej pory trwał masowy import telewizorów, magnetowidów i kamer z Singapuru, mimo dwustuprocentowego cła, dzięki któremu rząd chciał załatać dziurę budżetową. Jan już przy pierwszym buchu mocnego haszyszu zrozumiał, że właśnie cło napędza przemyt i daje Polakom pracę. Wypuszczając dym, pomyślał, że wszyscy ludzie na świecie łakną tego samego: wideoigrzysk i wideoprzyjemności, rozrywki pozwalającej zapomnieć o codziennych trudach. Przy drugim buchu dotarło do niego, że władze Indii i Polski bały się nowego stylu życia, słusznie wyczuwając w nim zagrożenie dla rządzących.

Im dłużej palili, tym bardziej daleka ojczyzna upodabniała się w jego wyobraźni do Indii. Natomiast Radek nawet po trzecim machu miał wątpliwości i nieufnie dopytywał o tutejszy stan wojenny, próbując zweryfikować cannabisowe koncepcje kolegi. Upalony Akal opowiadał ze szczegółami o poprzedniej premier Indii, Indirze Gandhi. Żelazna dama, podobna do Margaret Thatcher w Wielkiej Brytanii, już w połowie lat siedemdziesiątych stwierdziła, że w kraju panuje chaos, więc dla dobra ojczyzny musi zaprowadzić „stan wyjątkowy".

– Widzisz, u nas tak samo! – Jan nie przestawał lansować teorii o podobieństwach. – Wojsko też mówiło, że ratuje kraj!

– Przed kim trzeba ratować Polskę? – zdziwił się Akal i wziął się za przygotowanie drugiego skręta.

Radek perorował o niezależnym społeczeństwie i „Solidarności", jakby całą młodość spędził w podziemiu, a nie grając na gitarze i zajmując się „handlem walizkowym". Na obcej ziemi sprawiał wrażenie żarliwego patrioty, głęboko zaangażowanego w życie społeczno-polityczne umiłowanej ojczyzny. Ku jego zaskoczeniu Akal słyszał o „Solidarności" i Lechu Wałęsie, a nawet widział na ulicy demonstrację hinduskich robotników popierających braci z dalekiego kraju.

– Dobra, dobra – Jan trochę bełkotał, jeszcze nie przyzwyczaił się do haszyszu z Himalajów. – Ale przed kim trzeba ratować Indie?

Ciężko mu było się skoncentrować i wysłuchać opowieści o sterylizacjach przeprowadzanych przez władze, najpierw w zamian za radioodbiornik, potem także przymusowo, nawet bez zgody zainteresowanych. Zrozumiał jedno:

– Czyli Indira to zła kobieta była!

Akal przytaknął i oznajmił z dumą:

– Z całego narodu najbardziej bała się nas, sikhów!

Współwyznawcy nowego kolegi domagali się istnienia własnego państwa ze stolicą w Amritsarze, gdzie znajduje się najważniejsze sikhijskie miejsce kultu, Złota Świątynia.

– Musimy tam pojechać. – Radek chciał zapamiętać przynajmniej jedno miejsce, które powinien zwiedzić w Indiach.

Później wszystko mu się już poplątało, ponieważ Akal, tłumacząc zbrojną interwencję wojska przeciwko separatystom, w jego nomenklaturze *freedom fighters*, nagle przeszedł do opowieści o Asian Games i zdobyciu przez drużynę Indii tytułu mistrza świata w krykiecie. Polacy kompletnie nie rozumieli, o jaką grę chodzi, więc gospodarz pobiegł na dół po swój kij do krykieta. Nie mogli dojść do porozumienia, czy przyniósł kij, pałkę, czy może coś jeszcze innego, zahipnotyzowała ich jednak relacja z historycznego meczu. Akal nagle zapomniał o religijno-etnicznych waśniach, zwycięstwo napawało go dumą, jak wszystkich innych w kraju. Po tej wygranej Indie, jego zdaniem, wreszcie uwierzyły w siebie. Z przekonaniem i zaangażowaniem wywijał kijem, naśladując pozycje i ruchy graczy, a oni, upaleni, pokładali się ze śmiechu, a potem próbowali mu wyjaśnić, że w ich kraju takie emocje wzbudza tylko piłka nożna.

Kiedy się uspokoili, Radek przypomniał sobie, że wcześniej rozmawiali o Indirze Gandhi.

– I co z nią?

– Zabiliśmy ją!

Radek wybałuszył oczy, więc Akal musiał wytłumaczyć, że premier została zamordowana przez własnych, sikhijskich ochroniarzy, w zemście za to, że wydała rozkaz ataku na Złotą Świątynię. Dalej już w ogóle nie było im do śmiechu, kiedy usłyszeli o hinduskiej spirali przemocy. Po zabójstwie Indiry Gandhi tłum w odwecie zabił około dziesięciu tysięcy sikhów. Akal obrazowo i ze szczegółami relacjonował gwałty na kobietach, podpalanie jego współwyznawców, krew płynącą rynsztokami. Upaleni chłopcy ze spokojnej i cichej Polski wizualizowali sobie, jak przed kamienicą, na której dachu właśnie palili haszysz, mordowano ludzi pod obojętnym spojrzeniem policji.

– Pahargandż płonął i wtedy właśnie zginął mój ojciec...

Gospodarz zamilkł. Goście też nie wiedzieli, co powiedzieć.

– Bardzo mi przykro. – Pierwszy odnalazł się Radek, ale zabrzmiało to sztucznie i nieszczerze.

Jan wstał i poklepał po ramieniu Akala wciąż stojącego z kijem w dłoni.

Grubsze przewały

Uwierz mi, życie polskiego przemytnika nie było takie proste, jak teraz się wydaje.

Lądujemy w Delhi, urzędnik na lotnisku dokładnie przegląda paszporty, wciąż nowe, z ledwie paroma pieczątkami, ale jednak polskie.

– Dlaczego znowu przylecieliście do Indii?

– Bo to wspaniały kraj! – wypaliłem po angielsku i dodałem nawet w hindi: – *India bot aćća*.

Znałem nie tylko przekleństwa, ale także „bardzo dobry", więc spróbowałem obłaskawić celnika. Uśmiech od ucha do ucha nie wystarczył. Hindus skrupulatnie sprawdził, czy TBR-y się zgadzają. Dzięki ciężkiej pracy Ryśka w Singapurze wszystko było ok, numery z wpisu do paszportu i stikery takie same jak na skrzynkach magnetowidów.

– A po co kamera? Aparat?

– Jestem dziennikarzem. Kolega też.

– Poproszę wasze legitymacje dziennikarskie.

– Aaa, nie mamy przy sobie. – Zdumiałem się, że celnik jest aż tak dociekliwy, ale nadal się uśmiechałem.

– Trzeba o tym pamiętać! – Hindus puścił nas wolno.

– *Danjevat sir, sukurija*.

Leje się ze mnie uprzejmość. Oni to lubili, nie byli przyzwyczajeni, że białasy są takie miłe.

Po nawrotce do Singapuru Rysiek zrobił nam szykowne polskie legitymacje dziennikarskie z „Trybuny Ludu", dobre, co? I pokazał, jak elegancko prasuje paszporty. Celnicy skumali, że ich wpisy TBR znikały z dokumentów, więc przyciskali mocno długopisy, żeby zostawić wyryty ślad. Ale na to też był sposób – żelazko, ciepło i się prostowało. Rysiek pięknie to robił, nic nigdy nie przypalił, miał wyczucie. Nie zostawał żaden ślad. Większość Polaków się specjalizowała. Na przykład wrzucak w ogóle nie wychodził w Indiach, zawracał i znów, po dwóch, trzech dniach, przylatywał ze sprzętem. Wtedy TBR nie był mu potrzebny; potrzebny był tylko wybierakowi – wieszakowi krajowemu, który wynosił sprzęt jako pasażer domesticowy, niby latał sobie po kraju z magnetowidem. Wiem, że to pozornie idiotyczne, ale celnicy w Indiach myśleli jak urzędnicy u nas, w komunie. Wydawało im się, że wszystko mogą skontrolować, i wierzyli w moc papierów, dokumentów. Czyli jak masz wpis i pieczątkę, to wszystko jest ok, nikt nie dumał, po co latasz krajowymi liniami z magnetowidem i kamerą. Magia biurokracji na tym polega, że stempel zastępuje myślenie.

Ktoś musiał przewozić kasę Szewca do Singapuru, czyli jednak wychodzić z lotniska w Delhi, a następnie lecieć z powrotem, a Boss nam ufał, więc na Pahargandżu odbieraliśmy dla niego walutę. W ogóle jak my zaczęliśmy latać, to niestety nie były już złote czasy, nie było łatwizny. Patrz: przylatujemy ze Skierniewic, czyli z Singu, a wokół pasa z bagażami stoi ze trzydziestu celników, wybieraki to widzą i co mają robić? Wiedzą, że od razu zostaną zgarnięci, więc się wycofują, a wtedy ja i Rado musimy sami wziąć bagaż nadany i polecieć gdzie indziej. Na przykład do Bombaju, już krajowymi, wrócić do Delhi i spróbować jeszcze raz albo co gorsza z powrotem do Singu.

Czyli powstają zatory finansowe, bo nie ma kto przewieźć kasy Firmy, a wręcz straty, Boss płaci za bilety po raz kolejny i może następnym razem się uda. Byli tacy, co próbowali nawet przez Pakistan, tylko że wtedy przejście lądowe pod Lahore i nie zrobisz tej trasy wiele razy. Męczące, na piechotę kawał trzeba iść, poza tym to nie jest wielkie lotnisko, ot, buda przy drodze, i cię zapamiętają. Robiło się gorąco i ktoś wymyślił – pewnie wielu będzie twierdzić, że to akurat oni wpadli na ten genialny pomysł, wiesz, kozacka sława przewalacza, autora patentów – żeby wymieniać się torbami na tranzycie. Czyli ja i Radzio odbieramy z beltu nasze torby Eminent, ale nigdzie nie wychodzimy, DRI patrzy, a my jak gdyby nigdy nic siadamy w hallu, gdzie mieszają się pasażerowie międzynarodowi z krajowymi. Lokalny wieszak przysiada obok, ma identyczne bagaże, tylko wypchane szmatami, owocami, czym się da. Dyskretna podmianka, on leci do Kalkuty czy Bombaju i wychodzi elegancko ze sprzętem jako krajowy. Potem to wykorzystywaliśmy na początku złota.

Kolejny patent był taki, że płaciło się więcej za *business class*, żeby mieć prawo do większej ilości bagażu podręcznego. Wszystkie torby bierzemy na pokład, do luków nad głową, i teraz uważaj. Air India wpadły na taką racjonalizację, pomysł na zwiększenie obłożenia lotów, że międzynarodowy z Singapuru lądował w Delhi, gdzie mogli się dosiąść pasażerowie krajowi, czyli bez kontroli paszportowej. Więc na pokładzie, a nie na tranzycie, wieszaki z lotu *domestic* zabierali od nas te torby z elektroniką! I samolot leciał dalej, na przykład do Bombaju, gdzie przewalacze krajowi wychodzili bez kontroli ze sprzętem.

Dlatego pojawili się nowi uczestnicy gry, na tym levelu, w innych miastach, konkurencja dla Sakara, co miało swoje skutki, ale o tym zaraz. W każdym razie graliśmy z władzą w ciuciubabkę, kto chytrzejszy i *to make it short*: trasy się wydłużały, koszty zwiększały, a ceny sprzętu w Indiach wcale nie szły w górę, tylko powoli spadały. Ja i Radzio nie chcieliśmy ryzykować i ciągle wyświetlać się jako pasażerowie z Singapuru albo ciągle krajowi, bo to się stawało podejrzane. Dlatego stosowaliśmy płodozmian, raz tak, raz tak, to było bezpieczniejsze, poznałem Bombaj, Leopold Cafe, wiadomo, i w ogóle Colabę, fajne miasto.

Chciałem założyć własną spółdzielnię i piąć się w górę, zaliczać kolejne levele. Ciułaliśmy kasę, trzymaliśmy gotówkę u Akala, jemu ufaliśmy bardziej niż Sakarowi. Jako polscy obywatele nie mogliśmy otworzyć konta w tej hinduskiej komunie. Powinniśmy byli to zrobić w Singu, ale wypłaty dostawaliśmy na Pahargandżu, więc trzeba by przewieźć nielegalnie oprócz pieniędzy Szewca także swoje. Radzio bał się dodatkowego ryzyka, ale w końcu przemyciliśmy nasze oszczędności na Wyspę Lwa i otworzyliśmy tam konto, bez problemu, pełna wolność gospodarcza.

Wyrabiałem sobie siatkę kontaktów, nie chciałem prosić Szewca, żeby zapoznał mnie ze swoimi dilerami elektroniki. Dowiedziałem się, że Boss kupuje ulicę dalej od Peninsula, na Low Street, w Pata Brothers, ale nie śmiałem sam iść do hinduskich braci, którzy na biznesie z Polakami dorabiali się milionów. Normalnie mam wrażenie, że wszystkie nasze grupy tam kupowały! Jakiś monopol mieli czy co? Nie wiem. Może poszła taka dobra fama, poczta pantoflowa. Dziś Pata mają hotele i nieruchomości, dobrze na tym wyszli.

Nie mogłem też poprosić o pomoc Magellana, Czarnej Marii ani innych wieszaków z Firmy, których poznaliśmy. Wszyscy byli lojalnymi ludźmi Szewca, nie zamierzali działać na własny rachunek. Radzio, lord normalnie, tak zresztą już wszyscy na niego mówili, wylegiwał się na leżaku i pływał w basenie u szefa lub podróżował. Wybrał się do rezerwatu na Pulau Ubin i objechał chyba pół wyspy autobusem. W przyrodzie zasmakował. Włóczył się po tych Southern Ridges, dżungli w środku miasta. Dotarliśmy razem nawet do Kuala Lumpur, choć na krótko, do stolicy Malezji jechało się ponad siedem godzin. Aha, no i ta plaża, którą zaraziła nas Czarna Maria. Te wycieczki rozbudziły w nim apetyt na dłuższe wyprawy.

Potrzebowałem cashu w Singu na kapitał zakładowy, ale chciałem też mieć dolary odłożone w Polsce. A tam były już paczki, które wysłaliśmy na początku. Trzeba minimalizować ryzyko i dywersyfikować portfel, różnicować, mieć zabezpieczenie, czyli bawić się w kotoniarstwo i takie wątki. Przypilnować w Polsce sprzedaży ciuchów od Kumara. Ta inwestycja miała się zwrócić, jasne, ale więcej – przynieść dochód, żeby dalej obracać kasą. Biznesplan na poważnie, młode wilki jesteśmy.

Sakar się przydał. Doradził, żeby zrobić duże kółko, czyli pętelkę do Szczecina, tam i z powrotem. NRD-owskim Interflugiem i rosyjskim Aerofłotem za niecałe dwieście dolarów, polecieć Singapur–Berlin–Moskwa–Delhi. Linie socjalistycznych państw udawały, że są dochodowymi przedsiębiorstwami, że reagują na światowe zmiany, więc nasz LOT lądował w Delhi, przecież ci menedżerowie partyjni wiedzieli, co w trawie piszczy, mieli pełne samoloty i dobre wyniki na kwartał czy jakiś tam „rok budżetowy". Tylko, uważaj: ceny biletów są liczone po oficjalnym, czyli zaniżonym kursie dolara, a nie wolnorynkowym. Dlatego nawet jeśli ci dyrektorzy mieli łeb na karku, to wyżej dupy nie podskoczysz, prawda? Byli ograniczeni socjalizmem, co wykorzystywała nasza, że tak powiem, alternatywna ekonomia międzynarodowych przewałów. Interflug i Aerofłot tak samo działały.

Radzio wtedy prawie nie wychodził z hotelu w Delhi, twierdził, że ma gorączkę i jest chory czy jakieś tam. Ogólnie coś mu się znów rzuciło na głowę i ciało. Leży, słucha muzy na walkmanie, a ja biegam zajarany i załatwiam z Sakarem bilety, ustawiam precyzyjnie daty i loty, żeby pętelka działała jak szwajcarski zegarek. Chodzi o to, żeby mieć ze trzy dni przerwy w Berlinie i wyskoczyć na szybko do Polski.

Potem wideo, trąbki – kamery, cały *Polish pack* czeka w torbach w przechowalni na Schönefeld, a my z walutą, biżuterią od Akala na kredyt, walimy do Szczecina. Paszporty jakoś przeszły, nie wiem, czy dlatego, że droga lądowa, czy jeszcze nie były nadmiernie zużyte.

Udało się. Nie wyświetlamy się u matek, nie ma czasu na sentymenty. Paczki z ciuchami od Kocia czekają u Grażynki, koleżanki z liceum, pakujemy je i ruszamy do Warszawy na ten wielki bazar, Skra albo Perski, jak mu tam? Dzikie tłumy, prawie jak na Pahargandżu, więc dobrze się tam czułem. Miałem wtedy jakiś pociąg do tej ciżby, ładne stare słowo, nie? Teraz odwrotnie. Ciżba i jak ryba w wodzie. Pamiętam, jak przez megafon, bazarowy radiowęzeł, nadają ogłoszenia: kupię, sprzedam, zgubiło się dziecko. Jakaś baba chce sprzedać węża, ludzie stają i się gapią, w Delhi każdy głupi fakir ma takiego. W przyczepach kempingowych zapiekanki z pieczarkami, polane ketchupem. Lepka, ciepła ohyda bez smaku w porównaniu z byle samosą czy plackiem na ulicy Indii. Szajsfood! Dżins z Turcji, bluzki z Tajlandii (później podobno zalały rynek), konkurencja dla naszych szmat, wiele osób tam budowało swoje biznesowe imperia. Wycieczka do Bangkoku kosztowała wtedy chyba z milion złotych, a brakowało miejsc, Polska w ruinie, ale ludzie mają pieniążki. Wtedy to jeszcze były stadiony, targowiska; rok czy dwa później, ale jeszcze przed Okrągłym Stołem, to się normalnie na ulice wylało. *Shopping centers* z łóżek polowych na każdym rogu, handel na całego.

Sami kapitaliści w tym kraju, co?

Ale my pierwsi, uważam.

Ambitnie, planetarnie.

Pierwsze telefony z Hongkongu, wielka ściema, ponieważ nie działają na większości central telefonicznych w PRL-u. Brakuje porządnej elektroniki z Dalekiego Wschodu, popyt jak w Indiach. Łóżka polowe z kasetami wideo. Pirackimi, ale wtedy nawet nie znano tego pojęcia, to później, po osiemdziesiątym dziewiątym. Wtedy po prostu filmy były i nikt się nie zastanawiał skąd. *Top Gun* (i oczywiście kurtki w stylu z filmu), *Akademia policyjna, Powrót do przyszłości, Indiana Jones* i mnóstwo jakiegoś badziewia w stylu *Cannibal Holocaust*. Polacy oglądali to samo co Hindusi, globalizacja jakaś.

Tak jak dziś pewnie jogging, co?

Tak czytałem.

Jacyś młodsi od nas, licealiści, może początkujący studenci, chodzą i pytają o komputery. To ciekawe, bo w Singapurze pełno tych „maszyn liczących", podzespołów, chipów i takich wątków. Dzieciaki mówią, że w Warszawie otwarto pierwszy prywatny sklep z komputerami, Slavel się nazywał, przy dworcu Śródmieście. Pierwszy! A w Singu co druga *shopping plaza* z *computers*, całe sklepy pełne płytek, joysticków, gier. W Polsce maniacy mieli swoje giełdy, ale szukali nowych źródeł sprzętu. Zaciekawili mnie, tacy byli podjarani. Ciągle o tym „Bajtku" gadali, że w „Bajtku" pisali, że pokazali, że stamtąd wiedzą. Nie znali Szewca, a on wiedział, co z tego wyjdzie. I miał rację, ale oni wierzyli, że komputery zmienią wszystko. Cud jakiś nad Wisłą i druga Japonia, czwarta władza, normalnie fantastyka. Tak to wtedy było, ciekawe czasy w sumie. Ale dużo ułudy.

Popatrz, czym się skończyło.

Wywnioskowałem, że na komputery jest jeszcze większy szał niż na wideo, i obiecałem sobie, że sprawdzę temat po powrocie do Singapuru. Tam, na Skrze czy Perskim, zaczął się wątek z mikro, podzespoły, dyski twarde i floppy.

Pamiętasz takie duże dyskietki?

To w sumie było na szybko, te gadki, bo sprzedajemy nasze szmaty i wracamy do Szczecina, złotówki z utargu wymieniamy na dolce, u nas lepszy kurs niż w stolicy. Wiadomo, portowe miasto, choć bez morza, jest ruch, marynarze, cinkciarze i tak dalej. Potem do Pekao, nasza waluta idzie na konta. Radzio chyba większość przywiózł, ja tylko część, żeby mieć w kraju zabezpieczenie. W banku nikt nie pyta, skąd mamy pliki zielonych, władze się cieszą z realnych franklinów przylatujących do kraju, trafiających prosto do państwowego banku. Państwowe przedsiębiorstwa potrzebują twardej waluty na surowce czy maszyny, te niedostępne w obozie socjalistycznym. LOT musi mieć twardy cash na zakup ropy do samolotów na globalnym rynku, od Arabów. Dzięki tej ropie my krążymy wokół globu, nie? Tu właśnie była ekonomiczna luka, w którą my się wciskaliśmy, jak chwasty mogliśmy rosnąć w szczelinach niędzy betonowymi płytami. Ale rozumiesz, oni byli zależni od nas, a my od nich. Dolary z przemytu szły na oficjalną gospodarkę socjalistyczną – może już wtedy nawet tak nie mówili, sami nie wiedzieli, co to ma być. Może już był kapitalizm?

Aha, jeszcze taka kwestia: Sakar powiedział mi w Delhi, że w Moskwie dobrze schodzą dżinsy, ktoś mu tak przekazał. On jeszcze wtedy nosa nie wyściubił za granicę. Dopiero potem zrobił się z niego wielki Pan International. Więc w ramach organizacji i zarządzania wykonuję telefon z Indii do Polski przed przylotem. Do Grażyny, jej można było ufać, a mogła sobie przy okazji dorobić. Potem chyba pierwsza w mieście miała stragan na ulicy. Kupiła dla nas trochę dżinsowych spodni ze sklepów Odry, naszej lokalnej, słynnej fabryki. Tak jakby stawała się wspólniczką, nikt poza nią nie wiedział, że jesteśmy na chwilę w Szczecinie.

Więc mamy wideo z przechowalni oraz dżinsy, lecimy z NRD do ZSRR, tam cały wieczór na tranzycie. Jest czas, więc krążę, zagaduję, ale tak delikatnie, bo wiadomo, Sowiety, niby pierestrojka, ale jednak. W końcu trafiam na Rusków, którzy wydają się w porządku, właśnie przylecieli, i od słowa do słowa – handelek. Jak usłyszeli, że mamy dżinsy, zrobili zrzutkę i wszystko poszło hurtem – po ichniemu opton, pełna opcja. Widać, że spragnieni dóbr, ciuchów, wszystkiego, jeszcze bardziej niż my i Hindusi. Ślinka im cieknie na widok „amerykańskich" spodni z polskiej Odry. Wygłodniali tak jak my, nie wyobrażali sobie, że już niedługo będą mieli w sklepach *skolko ugodno*. A nam, Szczecinex *power*, za same sztany zwracają się bilety z całej szalonej pętelki, jesteśmy finansowo coraz bardziej do przodu i wsiadamy w nocy na pokład jaka lecącego do Indii. Potem, kiedy wróciliśmy na szlaki na ostro, to już regularnie swoje pętle kręciliśmy co jakiś czas, to był taki wyłącznie nasz, rozumiesz, ekstrabiznesik, taka spółka córka.

Dobry patent, mówię ci!

Bilety kupiliśmy sami, z własnej kasy, wideo też nasze. Nie mogłem się doczekać kredytu kupieckiego, zainwestowałem swoje i Radzia pieniądze, kupiłem w sklepie w Singu, w detalu, na pewno drożej niż nasz Boss, ale przebitka zapowiadała się spoko. Problem w tym, że Szewc chciał, żebyśmy szybko latali i robili mu duży obrót, choć ceny na Singapore Airlines, Air India, Thai, były wyższe niż w Aerofłocie. A nam finansowo duża pętla opłacała się nawet bardziej niż bezpośredni lot, tylko trwała dłużej, krążyłeś dookoła świata z VCR, na który już czekali klienci w nienasyconych Indiach, przebierali nóżkami. Więc ta pierwsza pętla to właściwie początek mojej Firmy, można powiedzieć, wtedy skromnej, dwuosobowej spółdzielni. Rozpoczętej, żeby na chwilę znaleźć się w domu.

Przez Moskwę było bezpieczniej, bo który z celników i agentów DRI by się spodziewał, że singapurski panasonic nadleci z ZSRR? Normalnie żaden! Kiedy ląduje Aerofłot, to na lotnisku w Delhi robi się tłum jak na plaży w Międzyzdrojach. Jeszcze na Szeremietiewie kupujemy w kiosku takie charakterystyczne ruskie oprawki na paszporty. Wkładamy nasze papiery do środka, trzymamy w ręku i z daleka wyglądamy na ludzi sowieckich. Z naszego samolotu wychodzi ze trzysta osób, całe wycieczki ze Związku Radzieckiego i trochę takich jak my cwaniaków z obozu. Każdy coś przemyca, ale drobnicę, to są mrówki, a ja chciałem być słoniem, księciem. Przyjaźń między ZSRR a Republiką Indii jeszcze większa niż z Polską, więc celnicy przymykają oczy, nic nie sprawdzają. Brawurowo przez zieloną linię *nothing to declare* i nikt nie zaczepia, bo tego dnia, o tej godzinie, DRI nie spodziewa się Polaków z elektroniką! Bez TBR-ów, kombinacji, siatki ludzi. To były tylko cztery VCR-y, po dwa na głowę, ale przebitka cała nasza, zarobiliśmy po pięćset dolców na każdym – więc chciałem ruszać z własną prywatną inicjatywą, bez Szewca. Ale moje plany zostały pokrzyżowane.

Sakar siedział na zapleczu Inter-Polu, ubrany jak zwykle w tradycyjny strój. Za nim wisiały plakaty w hindi, nie rozumiałem ich, wszystkie z szafranowymi zdobieniami, w kolorze indyjskich nacjonalistów, to już wiedziałem od Akala, który z tego powodu nie lubił łącznika od wideo. Mister Sakar ucieszył się na nasz widok.

– Johnny, jak dobrze, że jesteś!

– Wszystko ok. Coś się stało?

– Nic nie wiecie?! Macie szczęście, wielka wpadka!

– Właśnie przylecieliśmy z Moskwy, czysto i spokojnie było...

– No właśnie, a wczoraj ciachali loty z Singapuru przez cały dzień, wszystkie. Każdego Polaka brali. Mnóstwo sprzętu poszło się... jebać? Tak mówicie?

– Właśnie tak. Mamy cztery VCR-y i drobnicę do opchnięcia. Bierzesz?

– Jasne, wezmę, dam dobra cena, wczoraj przepadły wszystkie skrzynki i trąbki od Szewca, od Prezesa, nawet od Petera Cheatera. DRI sprytne, czekali przy samym wyjściu, łapali też domestikowych. Chyba skumali wszystkie sposoby i wpadka. Obora!

– Nie można odzyskać z depozytu?

– Nie, przepadek mienia! Rozumiecie? Pierwszy raz taka skala. Wszyscy, od których kupuję, stracili, ja straciłem! Moi klienci przejdą do innych Hindusów, będą straty!

Sakar załamywał ręce. Dosyć komicznie to wyglądało, był tak tłusty, że nie mógł zbankrutować. Dał nam bardzo dobrą cenę, bo potrzebował sprzętu, i powiedział, że Szewc wzywa nas do Singapuru. Byliśmy wykończeni pętelką, ale musieliśmy lecieć, bilety już czekały.

Boss przeniósł się do Riverwalk Apartments, poważna sprawa. Wkurzył się, w jego ślady do Peninsula wprowadził się cały tłum, Szewc nadawał szyk. Ten Profesor, co też założył firmę, podobno tam mieszkał, chyba Peter Cheater, albo odwrotnie, to Peter był pierwszy, a nasz szef za nim. Nieważne. Ciasno od Polaków tam się zrobiło. Każdy z naszej branży kojarzy to miejsce, tak jak wcześniej, dajmy na to, Lucky Plaza.

Riverwalk to był piękny nowy budynek, dopiero co oddany do użytku. Bezpośrednio nad rzeką, obok mostu, w ścisłym centrum miasta, bardziej prestiżowo już się nie da. Na dole knajpy z ogródkami nad wodą, potem biura i najwyższa część – mieszkania. U podstawy tej części nie dość, że basen, to jeszcze kort tenisowy. Panorama na ujście rzeki i statki na redzie, a w drugą stronę widać kopułę City Hall. Elegancko. Zresztą byłeś, to wiesz.

Szewc tą przeprowadzką zdystansował innych, zostawił konkurencję w tyle.

Siedział nad basenem, rozpierał się w plastikowym fotelu i łaskawie pozwalał się obsługiwać Mej Li, a ona się kłaniała i podawała te chińskie pierożki, wontony. Z sosem sojowym, oczywiście. Czuliśmy się głupio, próbowaliśmy pomóc, ale wychodziło na to, że też jesteśmy służbą Bossa, więc przestaliśmy. Był Marek, widzieliśmy go pierwszy raz od przylotu. Tylko uśmiechał się ironicznie. Szef pytał o naszą trasę, chwalił inicjatywę, nie obraził się, że robiliśmy na własny rachunek. To nie było jak w filmach o gangsterach, naprawdę, polskie firmy w Singapurze nie działały jak mafia i teraz multikorporacje. Był luz, familia, taka rodzinna atmosfera.

– Zresztą to już bez znaczenia, *boys*. Przechodzimy na wyższy level!

Cieszyłem się, że relacje z Szewcem się nie popsuły, ale teraz niepokoiła mnie zmiana sytuacji gospodarczej, którą dopiero co zrozumiałem i opanowałem. Nie nadążałem.

– To jest przełomowe lato. Anno Domini tysiąc dziewięćset osiemdziesiąt siedem! Polska wchodzi na międzynarodowy ryneczek złota. *I am Polish and I'm proud!*

– W jakim sensie?

– Od dziś przewalamy żółtko! Żółteczko, kochani!

– Dlaczego? Przecież dobrze zarabiałeś, my też.

– Ej, Cygan! Chcemy zarobić jeszcze więcej, i teraz nas na to stać – entuzjazmował się Szewc.

Wszyscy przy stole byli specjalistami od ekonomii liberalnej. Marek pokiwał głową i włączył się do rozmowy.

– O wpadce słyszeliście już od Sakara, ale sami wiecie, że to się zbliżało, prawda?

– No tak. „Znów w Indiach?", „Gdzie są wasze legitymacje dziennikarskie?". Coś wisiało w powietrzu, DRI powtórzyło nalot na Pahargandż. – Radzio wspominał sytuację, która wprawiła go w dygot.

Pamiętam, że spietrał wtedy strasznie. Rzeczywiście był dym, Vishall obstawiony przez policję, w środku agenci, już nie tacy uprzejmi jak poprzednio. Mogli dupnąć za samo posiadanie dużej gotówki, więc zrobiła się obora. Radzio ze strachu wrzucił swoją kasę do kibla i potem żałował, ja schowałem swoją na korytarzu i opakowanie zniknęło. Po wyjściu agentów przeprowadziłem wewnętrzne śledztwo, wyszło, że hotelowy boy podejrzał i zwinął. No, działo się ostro.

– Właśnie, nawet Lord to zauważył – pochwalił Boss.

Nie wiem, czy Radzio wyczuł, że to jednak sarkazm. Nie miał w tym gronie opinii dobrego przewalacza, akceptowano go wyłącznie dlatego, że pracował ze mną. Był moim asystentem, człowiekiem do towarzystwa i noszenia toreb, takim adiutantem. Wiedziałem, że za plecami nazywają nas Flip i Flap albo Pat i Pataszon, tylko nie wiadomo, który jest który.

Mej Li sprzątnęła, dygnęła i zniknęła. Pomyślałem, że z tymi kobietami niby nie jest w porządku, ale z drugiej strony to fajne życie dla facetów. Nad wyspą zachodziło słońce, wiało od morza. Atmosfera w sam raz na historyczne chwile ułańskiego protokapitalizmu. Boss przemawiał. Ten to miał nawijkę, ja nie mogę.

– Po pierwsze, DRI wie, że Polacy przewalają elektronikę. Po drugie, właśnie dlatego dokładnie sprawdzają wszystkich Polaków, nawet tych na lotach krajowych. – Podnosił kolejne palce, dbał o dramaturgię, chciał, żebyśmy skupili na nim uwagę. – Po trzecie, ryneczek się nasyca, jest dużo magnetowidów, a za mało kolorowych telewizorów. Tych nie da się przywozić w dużych ilościach samolotem, wiadomo, gabaryty. Ceny VCR spadają, a ryzyko się zwiększa. W takiej sytuacji trzeba zainwestować w coś innego, czysta logika kapitalistyczna. Jaka jest nisza na ryneczku? – spytał retorycznie. Upajał się własną przemową, lubił mówić i być słuchany. – Zaraz skończy się monsun i zacznie pora ślubów. Panienka młoda, stare obyczaje, ja to szanuję, musi być obwieszona złotem, pan młody też musi mieć go trochę na sobie. Dlatego przechodzimy na złoto! Nie muszę dodawać, że mam odpowiednie fundusze, nie jest mi potrzebny kredycik kupiecki.

Spojrzał na mnie. Sugerował, że dopóki nie zgromadzę ogromnej gotówki, nie będę dla nikogo poważnym partnerem w dużych interesach. Chyba oczekiwał oklasków, ale siedzieliśmy cichutko, zaskoczeni nieoczekiwaną zmianą sytuacji. Głos przejął Marek.

– Wykonałem testy. Szlak jest przetarty, wszystko przygotowane, nasz człowiek w Bombaju, niejaki Staś, Hindus, czeka na złoto. W dodatku Peter Cheater już to robi.

Boss skrzywił się na wzmiankę o koledze, ale jednak konkurencie.

– Za to Prezes jest daleko w tyle za nami. Liczy na Pahargandżu straty po ostatniej wpadce, nie starcza mu wyobraźni, żeby zmienić przewalany towar – dodał szybko Marek ku uciesze szefa. – Najważniejsza w interesach jest wyobraźnia – dodał, zerkając na niego.

Po twarzy Szewca rozlało się zadowolenie.

Paliłem papierosa i starałem się szybko odnaleźć w zmiennej koniunkturze, a Radzio swoje, normalnie jakieś kino moralnego niepokoju. On w ogóle nie nadążał.

– A mówiliście, że nigdy nie wejdziecie w złoto! Zarzekaliście się, sam słyszałem. To później wejdziemy w narkotyki?

Grubo przesadził. Naszych mocodawców przytkało, ale go zabajerowali. W sumie już nie słuchałem, myślałem i kalkulowałem. Wyglądało na to, że nie rozkręcę teraz własnego biznesu, bo jak Szewc słusznie zauważył, nie miałem gotówki ani aż takich znajomości, żeby dostać złoto w kredycie. Poza tym byłem ostrożny, nie pakowałbym się od razu, nie ryzykowałbym sam skoku na tak głęboką wodę. VCR-y spadły do drugiej ligi, ledwo się do niej dostałem. Miałem za to patent na dużą pętelkę, to było moje; męczące, ale własne, że tak powiem. W tamtej chwili potrzebowałem wiedzieć jedno.

– Ile płacisz?

– Cyganek, synku mój! To jest konkretne pytanie, ja cię lubię, chłopcze!

Boss przeszedł do szczegółów finansowych. Zarobek wydał mi się odpowiedni do ryzyka. Na początek proponował tysiąc dolarów! Radzio miał nietęgą minę, ale domagał się tylko dłuższego urlopu w Singapurze, uparł się na wycieczkę na którąś z dalszych wysp. Lord Podróżnik.

Ambicje dyplomaty

Anna, choć zmęczona kolacją u ambasadora, siedziała wyprostowana na tylnym siedzeniu służbowego samochodu. Skupiona patrzyła w gęstą, wilgotną ciemność za szybą. Radca Stanisław Chaberka położył swoją dużą dłoń na drobnej kobiecej dłoni, wspartej o skajową tapicerkę dużego fiata.

– O czym myślisz? – zagadnął, ponieważ niepokoił się, kiedy żona rozmyślała i planowała ich wspólne życie bez jego wiedzy. Wydawała mu się wtedy zupełnie obca, a przez to jeszcze piękniejsza niż zwykle.

Zabrała rękę, nawet nie odwróciła wzroku w jego stronę, mówiła do mroku ulic New Delhi, punktowo rozświetlanego ogniskami i światłami pojedynczych pojazdów. Szeptała, żeby nie słyszał jej hinduski kierowca. Po latach pracy z Polakami znał już trochę ich język.

– Jesteś lepszy od niego. To ty powinieneś mieszkać w tej willi.

– MY powinniśmy?

– Tak, my. Jesteśmy tego warci i należy się nam, za naszą wspólną, ciężką pracę. – Spojrzała na męża, w jej oczach zamigotały odbicia świateł mijanej rikszy. – Twój szef nawet dobrze nie zna angielskiego. Jest stary, gruby i wstrętny. Jak on na mnie patrzył?! – Potrafiła być dobitna, nawet szeptem.

– Patrzył, przyznaję. Nie on jeden gapi się na ciebie.

– Ale nie każdy kładzie mi rękę na kolanie! Mówiąc „pani Aneczko"! – parodiowała ambasadora. – Skoro „pani", to bez „Aneczko", niech się zdecyduje.

– Wszyscy trochę wypiliśmy. Poza tym to było „Pani Aneczko, ja panią podziwiam". I zaraz zabrał rękę. To człowiek starej daty, inne obyczaje – uspokajał Chaberka, ale się zgarbił.

– Brr. – Anna się wzdrygnęła. – Przestarzałej daty. Skorumpowany komuch! Ciasne horyzonty, żadnej wyobraźni. A ta żona! – Wzniosła oczy do góry.

Radca nie mógł się nie zgodzić, że przy jego partnerce małżonka ambasadora sprawiała co najmniej niekorzystne wrażenie. Stanisław działał i myślał jak dyplomata, więc nigdy nie odważyłby się użyć bardziej dosadnego określenia.

– Żona człowieka, który ma reprezentować kraj? Przyjmuje gości w podomce i papuciach?! Wieśniaczka ze złotymi zębami! – wysyczała Anna.

– Pamiętaj, że ja też jestem ze wsi! – uniósł się Staszek.

– Ale nie masz złotych zębów i wiesz, jak się ubrać. Poza tym skończyłeś studia, a twój szef to chyba jakiś marcowy magister. Jesteś człowiekiem na poziomie, za innego bym nie wyszła. – Teraz to Ania uspokajająco wzięła jego dłoń w swoją.

– Jasne. I nawzajem. – Radca uśmiechnął się do żony i próbował tłumaczyć. – Generał po dojściu do władzy nie wymienił wszystkich ludzi na placówkach, to zrozumiałe. Trzeba zachować ciągłość służby, funkcjonowania państwa, inaczej nic nie będzie działać. Przesadzasz, Gierluch nie jest taki zły. Jowialny dziadek, zakochał się w tobie platonicznie.

– On nie zna takich słów jak „platonicznie". A teraz ty powinieneś dbać o strukturę, ciągłość i jak jeszcze chcesz to nazywać. „Bieżąca działalność aparatu władzy", tak mówicie? Wiesz, że potrafisz? Staszku?

– Razem z tobą na pewno.

Słysząc to zapewnienie, uśmiechnęła się, ale po chwili znów odwróciła twarz do szyby pokrytej plamami zabitych owadów, plackami rozbitych muszek, strzępami komarów.

– Przede wszystkim ten budynek, ta cholerna ambasada, działa mi na nerwy, nie wytrzymam tam – rzuciła w stronę ulicy. Radca się zasępił. Wiedział, co żona ma na myśli. Znowu te rakszasy.

Następnego dnia Stanisław Chaberka wolnym krokiem przemierzał chłodny, zacieniony dziedziniec ambasady. Ogromne, skrzące się bielą patio projektanci ukryli pod siatką zadaszenia, żelbetową, ale sprawiającą wrażenie lekkiej. Popołudniowe słońce wpadało więc ukośnie przez kwadratowe prześwity, wysokie palmy daktylowe wysuwały długie pierzaste liście przez otwory w dachu. Woda w wielkiej fontannie szemrała cicho, główny mechanik, Mohit, naprawił instalacje na *garden party* z okazji święta państwowego. W półcieniu między promieniami azjatyckiego słońca Chaberka mógł na chwilę zdjąć marynarkę, zawiesić ją na ramieniu i poluzować krawat.

Z krużganka godnego sułtanów wszedł do dwupiętrowego apartamentu, czystego, białego i nowoczesnego jak cała ambasada, prawie pustego, nie licząc prostych mebli z ciemnego drewna, zaprojektowanych wraz z całym budynkiem. Radca rzucił marynarkę na metalowy wieszak i wszedł do kuchni po lewej stronie hallu.

– *Namaste, sir* – przywitała się gospodyni, Madhu. Gotowała curry na obiad.

– *Namaste, namaste.*

Miał nadzieję, że jej nie spotka, ale takie były konsekwencje posiadania służby w domu. Nie mógł się przyzwyczaić, że ktoś krząta się dookoła, kiedy on nic nie robi. Odruchowo chciał pomóc, tak został wychowany przez babkę. Najbardziej nieszczęśliwy był w trakcie sjesty, gdy natykał się na Madhu na tarasie. Służąca właśnie wtedy podlewała rośliny, zamiatała opadłe liście i przeganiała jaszczurki. Uważała, że to najlepszy moment, by pokazać, jak ciężko pracuje, on zaś nie potrafił spokojnie pić i palić, kiedy ona tuż obok rozsiewała zapach olejku paczulowego. Woń pieprzu i czekolady drażniła nozdrza Chaberki. Ciemna skóra kobiety niepokojąco lśniła przy pracy, jędrne ciało wymykało się spod bluzki czoli, włosy wypadały spod dupatty, chusty, którą skromnie zakrywała głowę. Właśnie ta teatralna wręcz wstydliwość Madhu deprymowała go najbardziej, w połączeniu z egzotyczną wonią i brązową mokrą od potu skórą wydawała mu się prowokacją. Czuł się bezpieczniej, jeśli gospodyni znikała przed jego powrotem na sjestę do domu, sprawiało mu jednak przyjemność, kiedy nalewała mu pierwszego porządnego drinka w ciągu dnia. Nie liczył tych wszystkich koniaczków, które wypijał służbowo, w trakcie pracy z ambasadorem lub przyjmując ważnych gości.

– *Drink? Vodka?* – Madhu szybko się nauczyła, że pan domu nie pije o tej porze szkockiej whisky, jak inni polscy dyplomaci, lecz czystą wódkę z dwoma kostkami lodu i plastrem cytryny. Nie miała natomiast pojęcia, że to dziwactwo jest ukłonem Chaberki w stronę jego ludowych korzeni, symbolem szacunku dla tradycji, z której się wywodził.

– *Yes, please. Curry not very spicy!* – wskazał na przyrządzane jedzenie.

Bał się, że Madhu znów wzburzy nie tylko jego hormony, lecz także żołądek, i doprowadzi do ataku wrzodów dręczących go przez niemal całe dorosłe życie. Od kiedy objął placówkę i zamieszkali z Anią na stałe w New Delhi, toczył codzienną kulturową wojnę o jedzenie i alkohol. Wygrał już batalię o drinki, ale wciąż walczył z nadmiarem chili i tłuszczu, choć Madhu, jej mąż Mohit oraz kierowca, którego imienia nie potrafił zapamiętać, pracowali dla Polaków od lat.

Z drinkiem w dłoni zszedł po trzech stopniach do salonu, a stamtąd na taras. Westchnął ciężko, ponieważ tam z kolei pracowała Ania.

Przycinała pędy i podlewała rośliny, nie ufała umiejętnościom ogrodniczym służącej. Niski biały murek i zieleń w donicach oddzielały taras od zadaszonego patio ambasady. Nawet szorstkowiec Fortunego, palma, która znosiła polskie zimy, więc rosła w wielu ogrodach w ojczyźnie, tutaj wyglądała bardziej egzotycznie. Szorstkowiec, sagowiec wygięty, trujący, lecz piękny oleander oraz krzewy cytrynowe przejęli w spadku po poprzedniku Chaberki. Anna za punkt honoru postawiła sobie utrzymanie ogródka w dobrej formie, a wręcz zwiększenie liczby roślin, więc ciągle dokupowała nowe.

– Dzień dobry, kochanie. Jak w biurze? – Żona radcy zawsze zaczynała rozmowę jak przykładna partnerka urzędnika, ale wiedział, że to zaledwie niewinny wstęp. Im milsza była na początku, z tym większym prawdopodobieństwem szykował się trudny ciąg dalszy.

– Dziękuję, do przodu, ale zbyt powoli...

– Nie martw się! Zobaczysz, poznałam parę nowych, ważnych osób...

Wymieniała nieznane mu nazwiska i zrozumiałe wszędzie na świecie rządowe czy biznesowe tytuły i funkcje. Chaberka potrafił rozmawiać z ludźmi, zarówno ważnymi, jak i nieważnymi, dopiero kiedy się napił i wyluzował, ale drinknięty musiał z kolei uważać, żeby nie powiedzieć o jedno zdanie za dużo, nie wygadać się z czymś, czego potem by żałował. Traktował swoją służbę poważnie i odpowiedzialnie, wolał więc się nie odzywać, jeśli nie było to konieczne. Nic dziwnego, że to Ania, a nie on, zdążyła zapoznać się z kilkoma odpowiednimi paniami z towarzystwa. Co prawda niezbyt poprawnie gustowała głównie w damach z państw kapitalistycznych, a nie z NRD czy ZSRR, ale radca handlowy wiedział, że w Indiach tak właśnie mieszały się wpływy polityczne.

Inaczej niż w latach pięćdziesiątych polscy dyplomaci dostali nie tylko pozwolenie, ale wręcz przykaz, by wchodzić tutaj w relacje z przedstawicielami wciąż oficjalnie wrogiego Zachodu. Od początku istnienia republiki na jej terenie krzyżowały się i ścierały wpływy dwóch obozów, choć rządząca Partia Kongresowa miał wpisane w ideologię „dążenie do socjalizmu". Począwszy od rządów pierwszego premiera Jawaharlala Nehru, Republika Indii przyjmowała pomoc i doradców także ze Stanów Zjednoczonych, z Wielkiej Brytanii i innych krajów Europy Zachodniej.

Już w latach sześćdziesiątych władze PRL-u musiały przymykać oko na fakt, że rządowi Indii doradzają zarówno marksistowscy ekonomiści z Warszawy, jak i liberałowie z Londynu czy Paryża. Dzięki temu polscy ekonomiści opracowujący plany pięcioletnie dla subkontynentu zapoznawali się na wschodzie z zachodnimi teoriami. Później zarażali nimi swoich studentów i doktorantów przybywających z całego Trzeciego Świata. W Polsce niektórzy ministrowie i sekretarze obawiali się, że rozmiękcza to właściwą linię ideologiczną partii, ale inni, nastawieni bardziej postępowo, uważali Indie za ważny poligon doświadczalny nowych idei. W 1968 roku tak zwana polska szkoła rozwoju właściwie przestała istnieć, część ekonomistów musiała opuścić kraj, inni przeszli na wymuszone emerytury. W tym samym roku szef Chaberki, ambasador Gierluch, rozpoczął wielką karierę w dyplomacji, a już od końca lat siedemdziesiątych rządził niepodzielnie polską placówką w Indiach. Radca znalazł się zaś w stolicy niepojętej dla niego, wciąż największej demokracji świata, ponieważ republika była źródłem zawsze potrzebnych dewiz, wiecznie brakującej herbaty, bawełny i rzadkich rud.

Stanisław wiedział, że bez pomocy żony nie doprowadzi do podpisania nowych umów międzypaństwowych. Anka od lat ratowała męża w sytuacjach oficjalnych i towarzyskich, w trakcie błahych konwersacji, w których sam czuł się niepewnie. Potrafił prowadzić negocjacje, dyskusje zmierzające do jasno określonego, namacalnego i wymiernego celu, natomiast ona była świetna w small talks, które jemu wydawały się marnowaniem czasu. Nie potrafił rozmawiać o niczym, choć wiedział, że nic nie da się załatwić bez tych pustych, miłych słów, bez podtrzymywania relacji społecznych. Ploteczki z partnerkami innych dyplomatów, z żonami dyrektorów ważnych firm i przedstawicieli rządu Indii – to była jej domena. W przeciwieństwie do męża umiała z zaangażowaniem i pełnym przekonaniem rozmawiać o pogodzie, filmach, muzyce, ubraniach, samochodach, jedzeniu. Dobrze jej wychodziło rytualne narzekanie pań z towarzystwa na służbę – delikatne, żeby nie urazić patriotycznych uczuć miejscowych notabli.

Niestety, nie mogła gawędzić o dzieciach, bo ich nie mieli, ale zauważył, że pomiędzy kobietami z ich klasy społecznej nawiązywała się na tym tle specyficzna nić porozumienia. Europejki w Delhi w zasadzie zazdrościły pani Ani tej odrobiny wolności, roztaczały przed nią wspaniałe wizje rozwoju zawodowego. Jest przecież dziennikarką, to szansa warta wykorzystania. Oczywiście Nowe Delhi to nie Nowy Jork, ale można oglądać zabytki i wystawy, pisać reportaże i książki, kręcić filmy. A nawet oddać się działalności charytatywnej, tyle tu strasznej biedy. Oj, tak, dużo, straszna nędza, coś z tym trzeba zrobić! Z kolei Hinduski z wyższych sfer kiwały głowami i otaczały Polkę opieką; szczerze żałowały biednej, bezdzietnej, białej kobiety, doradzały konsultacje z braminami, świętymi mężami, pielgrzymki, a nawet magiczne obrzędy, co Anię już trochę denerwowało, ale tworzyło punkt wyjścia do nawiązywania znajomości.

Nie bez znaczenia były także inne atuty pani Chaberkowej. Proste, pieczołowicie farbowane platynowe włosy, z przedziałkiem, odchylone na boki i ścięte równo na wysokości ust, przydawały jej władczej powagi. Jeśli zechciała, potrafiła jednak śmiać się głośno i perliście, topiąc lody podczas rozmowy. Zawsze wyprężona jak struna, zawsze zadbana, nigdy nie pozwoliłaby sobie przyjąć gości nieprzygotowana i bez makijażu, jak najwyraźniej miała w zwyczaju żona Gierlucha. Elegancja oraz cięty dowcip powodowały, że mężczyźni się jej bali, zresztą słusznie, ale nie potrafili się oprzeć jej magnetyzmowi, garnęli się do niej, znudzeni na przyjęciach własnymi żonami. Stanisław nie był zazdrosny, nauczył się, że sukces ich małżeństwa zapewniało jego poświęcenie dla interesów ojczyzny połączone z osobistymi przymiotami Anny. Mówiono zresztą, że są „piękną parą", choć nikt nie wiedział, że to ona nauczyła go grać w tenisa i pilnowała, żeby nie utył. Pod jej czujnym okiem Stanisław nosił tylko dopasowane garnitury, golił się starannie, włosy przycinał regularnie u fryzjera, by układały się w dystyngowaną, leciutko siwiejącą, krótką falę nad czołem. Pod opieką takiej stylistki nawet jego lekko kartoflowaty nos zdawał się zmieniać kształt. Nikt nie domyśliłby się chłopskiego pochodzenia jednego z największych elegantów socjalistycznej dyplomacji.

Po ostatniej rozmowie w drodze powrotnej od ambasadora bał się, że za wsparcie żony zapłaci wysoką cenę. W samochodzie zrozumiał, czego ona pragnie, i z doświadczenia wiedział, że jej życzenie musi się spełnić. Inaczej będzie samotnie spał na kanapie w salonie i zrywał się o świcie, żeby Madhu po przyjściu do pracy nic nie zauważyła.

– Jeśli nie wyhoduję tu gęstej dżungli, będą ciągle się na nas gapić.

Ania usiadła tuż obok męża, na wyplatanym fotelu. Mebel zupełnie nie pasował do nowoczesnego wnętrza, sprawiał wrażenie, że pochodzi z XIX wieku i należał wcześniej do angielskiej lady. Wyjęła swoje cieniutkie, eleganckie papierosy, pozwoliła podać sobie ogień. Zabrała mężowi drinka i pociągnęła mocny łyk.

– Zrobić ci? – Wskazał na szklankę z alkoholem. Wolał ją mieć na wyłączność.

– Nie, nie, dla mnie za wcześnie. Pamiętasz ten taras u Gierlucha? – Teraz przechodziła do rzeczy.

Skinął głową i starał się nie patrzeć na jej nagie ramiona. Od paru dni czuł się podminowany brakiem pożycia małżeńskiego, wstydził się używać słowa „seks".

– Te wielkie orchidee? Zauważyłeś ogród? Szerokie liście bananowca, te malutkie... jak one się nazywają? Jadłoszyny! Krzaki bambusa?

– Anka, wcześniej nie byłaś aż taką... – szukał słowa – ...florystką?

– Staszek, mówię ci to od początku! Nie lubię tego miejsca! Nie wierzę w opowieści Madhu o rakszasach, ale tutaj krąży jakaś... zła energia. Żona od przyjazdu skarżyła się na bóle głowy. Twierdziła, że w nocy słyszy hałasy, choć jego zdaniem w całym budynku panowała cisza. Podziwiał ją, ale wiedział też, że jest wrażliwa, czasem aż za bardzo.

– Poza tym gdybyśmy mieszkali w tej willi, nikt by nas nie szpiegował...

Nagle zamilkła. W kontekście pracy męża to nie było szczęśliwe sformułowanie, ale po chwili podjęła wątek. Byli na terenie ambasady, więc mówiła bardzo cicho, jak w samochodzie, prawie szeptała mu do ucha, czuł jej ciepły oddech.

– Zastępca attaché wojskowego podgląda mnie z naprzeciwka. Ta okropna żona kierownika wydziału politycznego wpada nagle, nie-zapowiedziana, i sprawdza, co robimy. Trzeci sekretarz podsłuchuje za ścianą, bo chce zająć twoje miejsce! Chce mieć rangę pierwszego sekretarza, jak ty!

– No co ty, on? Nie ma szans... Wiesz, dyplomatyczne piekiełko, myślałem, że się przyzwyczaiłaś. Przecież w Pradze było tak samo, nie pamiętasz?

– Pamiętam! Polaczki mieszkające i pracujące na jednym terenie są gotowe się zagryźć, byle zająć lepszą pozycję. Kołchoz pełen bestii. Oczywiście, że pamiętam. Oczywiście, że dobrze to znam, właśnie dla-tego musisz, kochany, być trochę bardziej ambitny.

– Jeszcze bardziej, niż jestem?

– Jeszcze bardziej. Musisz mierzyć wysoko, tak jak ja.

Uśmiechnęła się do niego i jeszcze raz pociągnęła z jego szklanki.

– Tak jest. Szefowo. – Wysilił się na ironię podkreślającą jego za-pomnianą niezależność.

– Staszku, po prostu nie chcę mieszkać w TYM przeklętym budynku.

Omiotła spojrzeniem wspaniały orientalno-nowoczesny gmach, pocałowała męża w policzek i weszła do środka. Za progiem, już stojąc w cieniu salonu, rzuciła jeszcze:

– A to, co ci mówił ten Kowalski, może się przydać?

– Tak.

– Wykorzystaj tę szansę. Muszę wziąć prysznic, przebrać się i jechać do miasta. Jestem umówiona. Trzymaj się! Wierzę w ciebie. Wierzę w nas.

Zepsuła mu przerwę w pracy. Zamiast upajać się przez pół godziny tym, że zrealizował marzenia i pracuje jako radca handlowy w ambasadzie swojej ojczyzny, Polskiej Rzeczypospolitej Ludowej, w New Delhi, musiał kombinować, jak zajść jeszcze wyżej i zająć miejsce starego ambasadora. Chciał napawać się cieniem, widokiem zieleni oraz sobą i długą drogą, którą przeszedł, aby znaleźć się właśnie w tym miejscu, w tym czasie, w cieple Wschodu. Był dumny, że przyjechał do Indii na tak wysokie stanowisko, na razie w zupełności mu ono wystarczało. Z punktu widzenia Anki tylko otwierało drogę do dalszych awansów. On rozkoszował się świadomością, że jako prosty chłopak ze wsi zamieszkał w tropikach, w modernistycznych i przestronnych apartamentach rozległego kompleksu dyplomatycznego. Budynek ambasady symbolizował nową i lepszą socjalistyczną przyszłość. Jej obietnicę Staszek poznał jako dziecko i uwierzył, że świat można zaprojektować i zbudować na nowo. Anna nie pozwoliła mu cieszyć się tym, co miał. Teraz nie da mu spokoju, więc musi zdobyć kolejny szczyt, dla niej i dla siebie.

Wiedział, że nie pożałuje, choć w głębi duszy obawiał się, że kiedy zostanie już ambasadorem Polski w Indiach, Anka zapragnie być ambasadorową w Paryżu lub Nowym Jorku. Czuł się przyparty do muru przez żonę i pracę, ale uznał, że sukces z kontraktami będzie też sposobem na zrealizowanie jej ambicji. Ta modernistyczna brytyjska willa z okresu międzywojennego nie jest wcale taka wilgotna i ciemna, jak mu się na początku wydawało podczas wizyty u Gierlucha.

IV. Szczecin–Budapeszt 1984

Na naprawę twoich nerwów spracowanych,
To najlepszy dzisiaj brom.
Ledwo pstrykniesz automatem sterowanym,
Tabun gości pędzi przez twój dom.

Kapitan Nemo, *Wideonarkomania*

Generacja

Po feralnym sylwestrze, na którym Magda się nie zjawiła, Radosław zaczął regularnie palić papierosy. Był więc ostatnim Mohikaninem zdrowego trybu życia, pojęcia zresztą wtedy szerzej nieznanego ani opozycjonistom, którzy palili jednego za drugim, ani niepozostającej w tyle władzy. Krajowe extra mocne kopcił Wałęsa w karnawale „Solidarności". W trakcie wywiadu dla zachodniej telewizji jednocześnie palił, jadł zupę i trzymał dziecko na kolanach. Amerykańskimi marlboro zaciągał się wicepremier Jagielski, negocjując z przywódcą związkowym porozumienia sierpniowe. Żółte zęby i nieświeże oddechy demokratycznie łączyły członków partii i „Solidarności", inteligentów japiszonów w swetrach i klasy ludowe, milicjantów w mundurach z przestępcami. Hierarchię społeczną wyznaczała jedynie marka papierosów.

Tej zimy, znów wyjątkowo srogiej, kłęby dymu wypełniały zarówno mieszkanie Radka, jak i męskie oraz żeńskie toalety jego liceum w Szczecinie. Obłoki gęstsze niż rok wcześniej, ale nieco mniej śmierdzące, bardziej aromatyczne, ponieważ Magda na przerwie zawsze przynosiła do toalety papierosy z Pewexu. Ze szlugami w umalowanych (wbrew regulaminowi) ustach dziewczynom łatwiej było dumnie udawać, że Magda jest taka sama jak one. Tylko Agnieszka ze swoją małą, ale wierną świtą, ze stosownie brzydkimi kumpelkami, przy których jej uroda świeciła mocnym blaskiem, pogardliwie wydymała wargi i paliła własne fajki. Reszta dziewczyn dawała się poczęstować eleganckimi dunhillami z magicznym napisem „International" na dole paczki oraz brzmiącym jak zaklęcie „London–Paris–New York" na górze. Uczennice starały się nie zauważać, że „nowa" nosi „amerykańskie" adidasy za kostkę, getry z lajkry do spódnicy z dekatyzowanego dżinsu i dresowej bluzy z kreszu. Koleżanki udawały, że nie robi na nich wrażenia burza loków na głowie, spinana na boku grubą frotką. W dodatku Magda wszystkie te elementy, zgodne z najnowszymi trendami, nosiła w tak naturalny sposób, że nawet nauczyciele się nie czepiali.

W męskiej toalecie mniej starannie dobierano marki papierosów i użytkownicy tego miejsca nie potrafili określić szczegółów garderoby Magdy, ale również oni starali się zachowywać kamienne twarze. Udawali, że z trudem zdobywanych dżinsowych katan, bandan i podwiniętych spodni nie noszą z powodu dziewczyny z reeksportu.

Ćmiąc podkradane matce carmeny, z których unosił się dziwny fioletowy dym, pewexowe marlboro albo mustangi od Janka, Radek dumał, do której frakcji towarzyskiej ma przystać i jakie metody działania wybrać. Mógł zapisać się do małej grupy tych, którzy postawili na Magdzie krzyżyk i twierdzili, że w ogóle się nią nie przejmują, że wcale nie spłynęła do ich szkoły ze stron pisma „Bravo", jej gadki o seksie są na pokaz, a tak naprawdę jest sztywniarą, córeczką tatusia. Mógł też zgłosić akces do licznej partii, która dziewczynę znienawidziła, ale nadal się z nią zadawała. Tymczasowo wybrał trzecią drogę – przystał do najmniejszego stronnictwa, dowodzonej przez Janka szajki, która wciąż kochała się na zabój w nowej uczennicy i próbowała skruszyć jej zimne serce. Paczka składała się z herszta – Jana – oraz Bogdana, Maćka i właśnie Radka. Kiedy zdecydował się trwać przy kumplu, w którego możliwości bezgranicznie wierzył, i właściwie dopiero po sylwestrze przyznał sam przed sobą, że należy do elitarnego klubu zakochanych po uszy, pozostała jeszcze kwestia systemu uczuciowych podchodów.

Janek, natchniony zawiedzioną miłością, planował dużą trasę handlową podczas zbliżających się ferii zimowych. Mróz trzymał tęgi, ale właśnie to miało gwarantować sukces.

– Człowieku, w Budapeszcie na dworcu Keleti zawsze jest towar! Niezależnie od pory roku. Brakuje tylko kupujących, bo boją się śniegów, wiesz? Ceny spadają, za mały popyt, a podaż się trzyma. Kupimy tanio, a tutaj sprzedamy drożej! Kobity z Turzyna pytają o dostawy, mówię ci. Można zgarnąć porządną kasę za jednym strzałem. Trzeba mieć ambicję i odwagę!

Radek słuchał i kiwał głową, wypuszczając dym w stronę uchylonego lufcika toalety. Marlboro smakowały lepiej niż carmeny, wolałby już zawsze palić amerykańskie papierosy. A na to trzeba zarobić, poza tym bardzo chciał znowu ruszyć w świat. Czuł jednak, że musi odnaleźć własną drogę do serca Magdy, inną niż poprzez szpan, kradzione fury, zagraniczne fajki i ciuchy. Uznał, że może na coś liczyć, tylko działając po swojemu, czyli artystycznie i romantycznie. Na propozycję Jana odpowiedział więc wymijająco, nie wdając się w szczegóły. Obydwaj nie mówili otwarcie o swoich emocjach. Jan też nie przyznałby głośno, że zamierza olśnić Magdę, wzmacniając argumentami finansowymi swój urok osobisty i doświadczenie z dziewczynami. Nie wymawiał imienia Magdy, kiedy opowiadał o złotych piaskach Keleti, nawiązywał za to do doświadczeń z NRD i niezrealizowanych planów podboju Berlina Zachodniego z ostatniego lata. Radek kiwał głową, ale w jego głowie rodził się zupełnie inny plan.

Na jednej z przerw natknął się w toalecie na Maćka. Kolega, choć był jedną z pierwszych ofiar Magdy, pokiereszowaną przez amory w sposób dosłowny i widoczny na nadgarstkach, nie tracił melancholijnej wiary w przyszłość. Radek poczęstował muzyka ostatnim carmenem wykradzionym mamie.

– Maciek, może by tak założyć zespół?

– A grasz na czymś?

– No, za małolata grałem na skrzypcach, teraz mam... eee... przerwę?

Plan Radka, wizualizowany zarówno podczas bezsennych nocy, jak i w trakcie drzemek na matematyce, polegał na tym, że olśni dziewczynę, występując na scenie, ale nie miał jeszcze opracowanych szczegółów. Teraz uzupełniał je na gorąco.

– Mam kuzyna. Może mi oddać gitarę basową, musiałbym się przestawić, to nie będzie problem.

– No nie wiem, może? – Maciek niby obojętnie wydmuchał fioletowy dym, ale oczy mu rozbłysły. – Znasz Brygadę Kryzys?

– Pewnie, mam czarny album! W sensie, Czarną Brygadę. Oni wymiatają, ten Brylewski jest naprawdę dobry. Kto tam gra na basie, bo nie pamiętam?

– Wereński. Ale słyszałem, że w paru kawałkach zagrał inny koleś, ze Szczecina? Ma coś wspólnego...

– No co ty, od nas? Ekstra! Ciekawe, kto to mógł być. Dlaczego nie jest wymieniony na okładce?

– Nagrywali w stanie wojennym, mieli przepustki na testowanie sprzętu i poruszanie się nocą po mieście. A ten jeden basista nie dostał glejtu, musieli go przemycić do studia. Na nielegalu grał swoje partie, nie mogli wpisać go w papiery. Nieźle, co? Jakiś Tomek.

– Ale akcja! – Radek zgasił swojego peta na podłodze. – Pamiętasz ten numer? „Jeżeli jest coś nowego. Jeżeli jest nowy świat. Ten, na który czekamy. I o którym marzymy. Na pewno nie ten" – zanucił. Naprawdę lubił ten kawałek.

– „I tak tu już nie ma nic. Do stracenia" – dokończył Maciek. – Dobra, spróbujmy. Nie mamy nic do stracenia, jak cała nasza GENERACJA. Tak będziemy się nazywać.

– Generacja, dobre!

Dzwonek na lekcję zmusił ich do opuszczenia toalety.

W ten sposób Radek z podpatrzoną u Janka pewnością siebie namówił bratnią, twórczą duszę do założenia zespołu. Żaden z nich nie powiedział głośno, że Generacja rozpoczyna próby z powodu Magdy. Znaleźli trzeciego, perkusistę, który na co dzień grzmocił death metal, ale nie mieli wyjścia, kolega posiadał zestaw bębnów. Maciek już od lat grał na gitarze solowej, został więc frontmanem grupy, Radi zaś, jak teraz wolał być nazywany, gorączkowo uczył się szyć na basie załatwionym od kuzyna. Poza tym wtórował liderowi w chórkach oraz wymyślił i narysował skomplikowany i trudny do odczytania, za to efektowny znak „Gen-e-racja". Odpowiadał za całą stronę wizualną działalności: plakaty koncertów i okładkę kasety, którą udało im się później nagrać. Przerobił parę znaczków ZSMP na przypinki z nazwą, eksperymentował z koszulkami, niestety, logo narysowane flamastrem od razu się spierało. Starsza siostra opowiedziała mu o podziemnej technice sitodruku i obiecała skontaktować chłopaków z opozycyjnymi drukarzami. Przede wszystkim jednak Rado, Radi, Radix, pełnił zaszczytną funkcję *spiritus movens*, jak sam dumnie o sobie mówił.

Jeszcze bardziej nieśmiałego Maćka zaciągnął na rozmowę do dyrektora liceum. Wykalkulował, że w dobie odprężenia władza powinna zgodzić się na próby Generacji w sali gimnastycznej oraz wykorzystywanie kurzącego się sprzętu nagłaśniającego. Dyr zawsze uważany był za liberała, i teraz, na fali liberalizacji oraz dzięki powrotowi Magdy K. do miasta, wyraził łaskawą zgodę, tym bardziej że teksty w stylu The Beatles, z tajemniczymi wstawkami o ptakach śpiewających w Syjonie, początkowo nie zwiastowały żadnego polityczno-społecznego zagrożenia. Szło nowe, w okólniku z kuratorium dyrektor dostał wytyczne, żeby pozwalać młodzieży się wyszaleć, więc Generacja została koncesjonowanym undergroundem i oficjalnie działającym licealnym zespołem, małym wentylkiem bezpieczeństwa.

Do dziś pamięta szczegóły powstania legendarnej szczecińskiej kapeli, po latach udzielił zresztą kilku wywiadów, na ich podstawie łatwo zrekonstruować początki Generacji. Niewiele szczegółów pamięta natomiast z wyprawy na Węgry. Jan potrafi odtworzyć szlak i wylicza towary, którymi obrócili w złotym trójkącie. Twierdzi, że wybrał się wtedy aż do Radomia, gdzie polonijna firma od niedawna szyła sofixy. Zdobył kilka par nowych polskich butów sportowych. „Trwałe, modne i wygodne. I na zimę, i na lato. Chodzi syn i chodzi tato". Śniegowców nie zdołał załatwić, produkcja zeszła na pniu z wielomiesięcznym wyprzedzeniem, a pod zakładowym sklepem i tak wiła się długa kolejka.

Z Radomia pojechał do Pruszkowa i tam, być może od Piotrka, który w przyszłości miał zostać ich głównym dostawcą, kupił koszulki z nadrukami AC/DC i Iron Maiden. Jan musiał sam organizować towar, ponieważ Radek rzępolił w tym czasie na próbach z Generacją. Obiecał, że dołączy, kiedy ekspedycja wyruszy już za granicę, na południe. Jego udział w dochodach z handlowej pętelki był zaplanowany jako odpowiednio mniejszy, ale humaniście z czwartej A chodziło raczej o trzymanie ręki na pulsie niż o zarobek. Nie miał odwagi zupełnie porzucić kumpla, ale w styczniu i lutym wierzył raczej w punk rocka i nową falę niż w „drobnokapitalistyczną niszę".

W końcu rozpoczęła się przerwa międzysemestralna i ruszyli pociągiem Polonia na Węgry. Pomimo śniegu zalegającego cały obóz socjalistyczny już w Czechosłowacji uznali, że jest ładniej niż w PRL-u, a piwo smaczniejsze, tańsze i łatwiej dostępne. Znów byli gdzie indziej, Radek promieniał, zdawał się nie przeszkadzać mu nawet panujący w pociągu zaduch, wżarty w wagony stary smród szlugów i brudu. Przez niemyte od miesięcy, zachlapane błotem szyby patrzył na przesuwający się krajobraz. Śnieg przebijał się przez spartiałą uszczelkę do przedziału, leżał też w przejściach między wagonami, nawiewany wiatrem Europy Środkowo-Wschodniej. Zmrok zapadał bardzo wcześnie, koło piętnastej robiło się ciemno i łagodna melancholia podróży oraz pejzażu zamieniała się w głęboki, depresyjny smutek, ale chłopaki się nie poddawali i napawali wyprawą. Rano na parę godzin wpadało do przedziału mocne światło słońca, a wtedy wystawiali do niego twarze. Radek mrużył oczy i myślał o tym, że dalej, za Budapesztem, są inne, południowe kraje. Stambuł, Bliski Wschód, Afryka i wielka Azja, której Europa Wschodnia była pograniczem. Jeśli Polacy przybyli przed wiekami ze wschodu, to Szczecinex Company wracało do domu, do korzeni, ale nie rosyjskich, nie sowieckich, tylko tropikalnych. Śladem praludzi gonili za słońcem, szukali złotego runa i ziemi obiecanej, gdzie czubki palców nie bolą od mrozu.

Obydwaj na parę dni zapomnieli o Magdzie i cieszyli się, że są w ruchu, w trasie. Budapeszt wciągnął ich zabytkami i historią wielkiej, potężnej monarchii. Nawet Jan zainteresował się architekturą, choć raczej nowoczesną, taką jak centrum handlowe Sugar i spółdzielczy dom towarowy Skala, oraz przejściami podziemnymi, czystszymi niż w Szczecinie. Nie mieli dużo czasu na turystykę, musieli skoncentrować się na bazarowym handlu przy dworcu Keleti. Towar schodził szybko, ale zachowywali czujność, kręcili się tutaj Polacy zajmujący się handlem walutą oraz sztosami na dużą skalę. Można było łatwo dostać w zęby od pionierów polskiej mafii, cinkciarzy Nikosia, już wtedy jeżdżącego czarnym porsche. Jan przed wyjazdem zasięgnął języka, więc doskonale wiedział, że właśnie w stolicy Węgier tworzy się PRL-owska „przestępczość zorganizowana". Nie zdradził Radkowi swoich źródeł, powiedział tylko, że na miejscu działają cwaniacy z Trójmiasta oraz ich rodzinnego Szczecina, zapamiętał parę imion i przygotował się na najgorsze.

Dla prawdziwych gangsterów było jednak za zimno. Wychodzili z okolicznych barów, na przykład z prowadzonej przez Rumunów knajpy Bukareszt, robili zwiad i po honorowej rundce wracali do ciepłych lokali. Nie interesowali się gówniarzami, którzy handlują drobnicą. Przy fajkach i kieliszku zapoznawali się bliżej z nowymi jugosłowiańskimi kumplami; już za parę lat zaczną z nimi robić grube interesy na przemycie narkotyków. Na razie obie nacje wspólnie przewoziły kradzione zegarki elektroniczne z Wiednia. Towar przez Keleti jechał dalej, nad Odrę i Wisłę.

Założyciel Szczecinexu był w swoim żywiole. Dwoił się i troił, gadał po polsku, rosyjsku, niemiecku i węgiersku, żartował z kupującymi i innymi handlarzami. Obaj kumple z uśmiechem zawyżali ceny przy sprzedaży, a potem załatwiali zniżki, kupując towar. Zmarznięci, ale rozkręceni, zarobione pieniądze od razu zainwestowali w kolorowe swetry i dekatyzowane dżinsy z Turcji: kurtki z odczepianymi rękawami i dekatyzowane piramidy. Z nową transzą mandżuru ruszyli pociągiem do domu. W Szczecinie natychmiast wszystko upłynnili.

Jan z eskapady na południe przywiózł sobie żółtą kurtkę i spodnie pod kolor. Radi uznał te ciuchy za obciachowe. On wrócił w szpanerskiej skórzanej kurtce w stylu The Ramones. Koledzy zaniemówili, kiedy wszedł w niej na próbę Generacji, wyglądał lepiej niż lider zespołu. Maciek był zazdrosny, w dodatku ciągle niezadowolony z Radziowego poziomu gry na basie. Potrzebował jednak kumpla, który dobrze prezentował się na scenie, a ponadto zagrzewał kapelę do boju. Przez ostatnie dni ferii grali codziennie. Jan, popijając piwo, asystował przy próbach, dopingował muzyków i podobnie jak oni czekał, aż Magda wróci z wyjazdu na narty. Czasem zastanawiali się wspólnie, oczywiście udając, że w ogóle ich to nie obchodzi, czy pojechała do Karpacza, na Kasprowy czy, jak głosiła fama, do Czech (plotki o Austrii uważali za grubo przesadzone). Starali się sprawiać wrażenie, że zażarta dyskusja to zwykłe pogaduchy w przerwie na papierosa, ale kiedy tylko zjawiła się w szkole, szybko załatwili u dyrektora debiutancki koncert Generacji.

To miał być *show* na początek nowego semestru, impreza dla szykujących się do matury. Radi wymalował trzy plakaty, po jednym na każde piętro liceum, a nawet odważył się podejść do Magdy, stojącej pośród koleżanek, i zaprosić wszystkie na występ. Wtedy chyba po raz pierwszy ośmielił się spojrzeć jej w oczy. Pokiwała głową, wszystkie dziewczyny zaręczyły, że przyjdą, wiadomo, takie wydarzenie i atrakcja. Możliwe, że basista w roli menedżera się zaczerwienił, zdarzało mu się to nawet wiele lat później. Przeprosił i szybko odszedł, miał jeszcze tyle spraw do załatwienia.

Tego dnia sala gimnastyczna była wypełniona po brzegi. Generacja nie miała konkurencji, więc cieszyła się zainteresowaniem zarówno ambitnych humanistów, jak i kujonów z mat-fizu. Dzięki szeptanej promocji Jana zespół zaocznie polubiła także bananowa młodzież, która zamiast uczyć się do matury, handlowała i kombinowała, jak wyjść na swoje w upadającym państwie. Pod drabinkami gimnastycznymi stali speszeni młodzieńcy w swetrach i pewni siebie kozacy w dekatyzach. W grupkach chichrały się szare myszki z kitkami, ubrane w białe bluzki z kołnierzykami, w których pójdą też zdawać na studia, jak i laski z fryzurami na mokre włoszki, w kolorowych spódnicach z trzema falbanami. Szkolne misski Agnieszka i Magda wraz ze swoimi świtami wróciły z papicrosa w toalecie i rozglądały się wyzywająco. Magda założyła lajkry i getry do kolan, a image'u dopełniały rękawiczki z koronki, bez palców, takie jak na zdjęciach nowej gwiazdy pop, Madonny. Agnieszka stylizowała się wtedy na gotycką i mroczną fazę The Cure, miała więc oczy podmalowane ciemną kreską, postrzępione włosy i cała ubrana była na czarno. Gdyby tego wieczoru w szczecińskim liceum organizowano konkurs piękności i stylu, jury miałoby dylemat, którą z tych dwóch dziewczyn ogłosić zwyciężczynią. Wciąż obowiązująca socjalistyczna moralność oszczędziła im kłopotu, gdyż zabraniała tego rodzaju turniejów.

Tuż przed początkiem występu przez okno wcisnęło się dwóch punków. Chodzili do budowlanki, ale dowiedzieli się o imprezie i uznali, że nazwa nowego zespołu brzmi bardzo jarocińsko. Generacja zdążyła przygotować cztery własne utwory oraz jeden cover The Beatles i jeden Brygady Kryzys, muzycznych ideałów Maćka. Kawałek Maanamu dołożył do programu Radi, czasem niezdecydowany, czy bardziej kocha się w Magdzie czy w Korze Jackowskiej. Przemyślał strategię: siedem utworów powinno wystarczyć, występ musiał trwać co najmniej dwadzieścia minut, ale nie więcej niż pół godziny. Nauczył się od Janka, że trzeba mieć plan, ale scenariusz musi zawierać przestrzeń na improwizację. Ani dobre rady kumpla, ani szpanerska kurtka nie pomagały jednak opanować tremy.

Dyrektor szkoły wygłosił krótkie przemówienie o najważniejszym egzaminie życia czekającym klasy czwarte, o początku semestru, normalizacji w kraju oraz nowych pokoleniach ojczyzny ludowej. Potem dyskretnie usunął się z sali gimnastycznej, pozostawiając młodzież samą sobie z pełnym zaufaniem do jej dojrzałej postawy obywatelskiej. Zgaszono górne jarzeniówki, walące po oczach w trakcie skoków przez kozła na wuefie. Na chwilę zapanowała kompletna ciemność, tu i ówdzie rozbrzmiewały chichoty.

Jan włączył kolorofony, dwa własne zestawy C-23, które kupił na sylwestrową imprezę, oraz dwa szkolne. W rytmicznie migającym świetle Generacja weszła na scenę. Pod Radim ze zdenerwowania ugięły się nogi. Maciek był pewniejszy siebie, grał już wcześniej w osiedlowym domu kultury, miał doświadczenie estradowe. Zaczęli od *She loves you*, tak na rozgrzewkę, obydwaj gapili się na Magdę. Stała w środku tłumu, lecz wystarczająco blisko sceny, by jej twarz co chwila wyłaniała się w migających światłach kolorofonu: oświetlona na czerwono, żółto, zielono, niebiesko, jak w teledysku. Nawet podrygiwała do rytmu, bo nic więcej nie było słychać. Melodia, solówki gitarowe oraz nieco cienki głosik Maćka ginęły w charkocie głośników. Po pierwszym utworze rozległy się jednak brawa, tylko dwóch punków gwizdało zawiedzionych, ponieważ nie spodziewali się The Beatles w wykonaniu zespołu o nazwie Generacja. Maciek dziękował do mikrofonu, przedstawiał muzyków, a Radix poprawiał kable.

Zagrali dwa szybkie kawałki autorstwa Maćka, trochę w stylu wczesnego Lennona i McCartneya, a trochę Lipińskiego i Brylewskiego, ale na głośnikach Tonsilu i kablach z NRD zabrzmiały jak na anarchistycznej zadymie albo w heavy-metalowym garażu. Następna w kolejności miała być słynna już ballada, wokalista i lider nie ukrywał, że napisana jeszcze jesienią z miłości do Magdy. Dla niepoznaki nosiła tytuł *Judyta*, co miało się kojarzyć z Judaszem i zdradą.

Zrobiło się romantycznie, przy wolnym tempie i mniejszej ilości dźwięków głośniki sprawowały się ciut lepiej. To był właściwie popis solo Maćka, perkusista delikatnie wybijał melancholijny rytm jak ze starego jazzowego standardu, a Radek monotonnie grał ten sam prosty riff, który najpilniej ćwiczył w ostatnich dniach. Stał nieco z tyłu, światła padały na frontmana, a ten zawodził, że śni i myśli tylko o Judycie. Miał zamknięte oczy, Radi natomiast patrzył na prawdziwą adresatkę utworu. Kołysała się w rytm melodii, po drugiej zwrotce nawet podśpiewywała prosty refren. Podobno właśnie wtedy basista zrozumiał, że Magda nie ma pojęcia, jak na nich działa, i nie jest królową lodu, lecz normalną dziewczyną. To nie znaczyło, że się odkochał. Wręcz przeciwnie; uznał, że skoro tak, to także on ma u niej szansę.

Podczas jednego z błysków kolorofonu zobaczył Jana – stał za Magdą, wpatrzony w jej szyję i falujące włosy. Na szczęście Maciek w transie nie zauważył, że kolega zdradziecko wykorzystuje balladę, aby zbliżyć się do obiektu pożądania, a przecież lider zespołu wkładał w jej wykonanie całe serce.

Judyta została nagrodzona szczerymi oklaskami. Część uczniów zerkała z ukosa na Magdę, ale ona, bijąc brawo, krzyczała coś do ucha Janka i nawet nie zauważyła skierowanych na nią spojrzeń. Grupa skupiona wokół Agnieszki zastanawiała się, czy Generacja brzmi wystarczająco jak The Cure z płyty *Pornography*. Bogdan na uboczu gapił się w czubki swoich świetnych sportowych adidasów; nikt wtedy nie wiedział, że na amfetaminie z sylwestra rozpoczął długi, pionierski lot w stylu Hermaszewskiego, na proszku do raju. Trwał w stuporze, chemia nie budziła chłopaka do tańca i życia, wręcz przeciwnie, pogłębiała paranoję, że dopadną go panowie z Trójmiasta. Generacja zagrała cover Kryzysu *Fallen fallen is Babylon* oraz własną kompozycję o braku perspektyw i piciu piwa w parku nad rzeką.

Na koniec przyszedł czas na Maanam, *Zdradę*, którą na pamięć znały nie tylko swetry – humaniści – ale też złota młodzież w dżinsowych katanach. Gdzieś po pierwszej zwrotce publiczność w końcu usłyszała, co Maciek właściwie śpiewa. W sali wybuchła euforia. Wszyscy krzyczeli: „Zdrada, zdrada, zdrada. Podstępne zimne oczy gada". Drugą zwrotkę rozgrzany Maciek naprawdę nieźle skandował do mikrofonu, a całe liceum wrzeszczało razem z nim: „Jesteśmy sami, zupełnie sami. Zdradzone żony, mężowie, dzieci. Zdradzone wszystkie ideały, białe jest czarne, czarne jest białe". Radix z trudem naśladował linię basu Kowalewskiego z Maanamu, a Maciek nie dysponował nawet połową siły głosu Kory, lecz mimo to wszyscy czuli, że Generacja śpiewa właśnie o nich. Przy „Nie wiem już nawet, kto kogo zdradza, czy zdradzam ja, czy ktoś mnie zdradza" szczecińskie liceum ogólnokształcące przeżyło ekstazę, oczyszczało się zarówno z PRL-u, jak i z pogoni za Zachodem i Magdą. Szał wyrwał z melancholii nawet Bodzia, krzyczał razem z innymi, też czuł się zdradzony, też się bał, że zdradza. Wspólne ryczenie „Zdrada!" zapamiętało całe pokolenie.

Po grupowym uniesieniu muzycy Generacji nie wiedzieli co dalej. Przewidzieli wprawdzie bis, a publiczność właśnie się go domagała, ale odpoczywając chwilę za sceną, poczuli, że sytuacja wymaga zmiany planu. Nie było sensu grać utworu o piwie; choć miał być hitem zespołu, zabrzmiałby słabo po Maanamie.

– Trzeba zagrać jeszcze raz *Judytę* – zdecydował Maciek – ale wyjdę sam, ok? Nie obraźcie się. *Sorry* – rzucił, jedną nogą już z powrotem na scenie.

A tam zobaczył, że Magda, dla której specjalnie, tym razem patrząc jej prosto w oczy, chciał zaśpiewać, stoi razem z Jankiem. Co gorsza, handlarz, co prawda kolega basisty i pierwszy fan zespołu, ale jednak ordynarny przemytnik z rodziny wiadomo jakiej, obejmował muzę Maćka ręką w pasie. Tak podobno wspominał Maciek, ale relacja pochodzi z drugiej ręki, więc mogła zostać wyolbrzymiona. W każdym razie co do tego zgodni są wszyscy uczniowie z tego rocznika,

Judyta w wersji solo zabrzmiała jeszcze bardziej melancholijnie niż za pierwszym razem, rozdzierające zawodzenie Maćka pasowało do miłosnej ballady. Cierpiący i samotny na scenie, taki chłopak z gitarą byłby świetną parą, uznało wiele dziewcząt, choć był chuderlakiem, a dżinsowa kamizelka odsłaniała jego patykowate ręce z widocznymi śladami drabinki sznytów. Wycieńczone emocjonalnie szałem *Zdrady* co poniektóre uczennice chlipały ze wzruszenia. Pod koniec songu Maciek pomimo transu, w jaki popadł, dostrzegł, że także Magdzie błyszczą oczy. Przy ostatnim, mocnym akordzie pękła zużyta struna podróbki fendera. Magda odwróciła się od sceny i wybiegła z sali, co oprócz frontmana Generacji zauważyło pół szkoły.

Do kina na film

No co ty, to było zupełnie inaczej!

Co on ci napisał?!

Powtarzasz po nim, że niby informator, że źródło zaufane? Po pierwsze, to ja im zaproponowałem, żeby założyli zespół. Pamiętam doskonale, staliśmy we trójkę i jaraliśmy MOJE marlboro, było zimno, bo okno w kiblu otworzyliśmy na oścież. Maciek drżał z zimna i zaciągał się, aż furczało. Rzeczywiście pitolili o tej Brygadzie Kryzys, ale to JA rzuciłem: „Może założycie własną kapelę?". Denerwowało mnie już to ich gadanie, chciałem, żeby wreszcie coś, do cholery, zrobili. Oni byli kompletnie pozbawieni inicjatywy, typowi Polacy. Zresztą Maciek jest pochodzenia, nie mówię tego, wiesz, antysemicko, stwierdzam fakt, żydowskiego. Jego stary czy dziadek, nie pamiętam, grał big beat w tym słynnym żydowskim zespole Następcy Tronów, co o nich w encyklopediach piszą.

Tak, chyba tylko jego rodzina została w Szczecinie po Marcu sześćdziesiątego ósmego.

Dlatego gitarzysta Generacji miał taką „rewolucyjną" urodę i ten nos, wiadomo. Nie mam nic przeciwko, po prostu oni dwaj to była nasza typowa miejska inteligencja, co to dyskutuje godzinami, ale palcem nie kiwnie. Taki mieli problem. Oni mocni w gębie, od roboty byłem ja. Więc wziąłem ich za fraki, wszystko zorganizowałem.

A co do Magdy, to nie zaprzeczam, nawet więcej, oni nie mieli pojęcia, że przyszedłem z nią na ten koncert. Przedtem byliśmy w kawiarni, spacerem do budy, normalnie za rączkę. No prawie, ja chciałem ją trzymać, ona jakoś nie bardzo, choć opowiadała właśnie o fotostory w najnowszym „Bravo", o dziewczynie, która sypia z dwoma chłopakami naraz albo odwrotnie. Mówiła głośno o seksie, aż ludzie odwracali się na ulicy, więc uznałem, że już jestem w domu, już witam się z gąską. Taki wtedy byłem, potem mi się zmieniło. Wtedy się mówiło... Nieważne. Nagle uciekła, wiesz? Dobrze, że nie dała mi w gębę przy ludziach.

Że to ze wzruszenia, jak skończył śpiewać?

No co ty!

Akurat wtedy wsadziłem jej rękę pod ubranie.

W każdym razie wściekłem się na Magdę, a Maciek na mnie, że obejmowałem JĄ przy JEGO piosence. Basista Radix też wkurwiony, bo wykorzystałem ICH zespół do podrywu. Zapomniał, że to JA zaprowadziłem ich do dyrektora na początku. Potem to JA namówiłem wszystkich na koncert! Powiedzmy sobie szczerze, beze mnie Generacja by nie zaistniała, ale ONI szybko o tym zapomnieli. Po latach, jak Maciek jeszcze żył, w wywiadach dla jakichś zinów ani słowem o mnie nie wspomnieli!

Tak to jest.

Radzio wściekał się dodatkowo, że Maciek stał się gwiazdą szkoły. Frontman niby wygrał to rozdanie, jednak koszty poniósł wysokie, a przyszłość rysowała się niepewna. Koncert był mega, naprawdę megasukcesem naszej Generacji, za to rozpad zagroził kapeli i zarazem spółce handlowej. Przyszła wiosna, a my nie odzywaliśmy się do siebie. Ptaszki i zieleń, ale było źle.

Teraz widzę, jak dużo negatywnej energii wisiało w powietrzu. Te emocje musiały wrócić i się zemścić. Tak już jest, reinkarnacja to zaledwie część kosmicznego układu. Krążą ludzie i śmieci, ale też energia. Dobra i zła. Zrobisz złą rzecz – wraca jak bumerang. Mam na myśli też wydarzenia, minusowe prądy, fale takie, co unoszą się przez wszechświat.

No dobra, masz rację, takie gadanie nie przyszłoby mi wtedy do głowy.

Matki Radzia i Maćka kazały im uczyć się do matury. Moja miała to w dupie, piła jeszcze więcej. Przynajmniej przestała szukać nowego partnera i z tym miałem spokój, a powiedzmy sobie szczerze, to było najgorsze. Sajgon w domu, ale tylko alkoholowy, łatwiejszy do opanowania niż jej, pożal się Boże, amory. Za to nie miałem z kim jeździć na handel, mogłem wziąć kogoś innego do współpracy, ale innym nie ufałem, wiesz?

Była sztama niby, biznesowa, jeszcze z Berlina, mówił ci Radi? Gówniarzeria, ale normalnie krwią przypieczętowaliśmy i nawaliliśmy się jak meserszmity ostatniej nocy w NRD, wtedy, jak się poznaliśmy.

Że bez krwi?

Ja nie mogę, on nic nie pamięta!

Nie na Alexanderplatz, tylko w nocy, na wsi. Krew jak w filmach, człowieku.

Anyway, pamiętam, robiła się wtedy znów polityczna atmosfera, wszyscy dowiedzieli się o tym całym Przemyku, no, że go zatłukli. I nagle mój stary zaczął ludziom przeszkadzać. Innym odwrotnie, uważali, że taki ojciec załatwi dojścia, ale nie chciałem załatwiać spraw w taki sposób, nie chciałem ludzi, którym chodziło wyłącznie o mojego starego. Chciałem sam, wszystko osiągnąłem sam, bez jego pomocy. Wtedy próbowałem trochę się uczyć. W miejskiej bibliotece, ze stopniami miałem słabo, a na studia za komuny ciężko, nie to co dziś, że każdego przyjmą. To nie było hop-siup, a wojsko już czekało. Z drugiej strony nie chciałem, żeby mi stary załatwiał odroczkę. Więc chodziłem czytać podręczniki w bibliotece, gdzie pracowała mama Radzia. Patrzyła zdziwiona, ale nic innego nie miałem do roboty.

Mówiłem grzecznie dzień dobry, a ona mi jakieś książki podsuwała. Zrozumiałem wtedy, co mój kumpel przeżywa w domu. To ciągłe, jakby od niechcenia, „a może to cię zainteresuje?", i daje mi jakieś francuskie pierdy sprzed stu lat. Albo *Cesarza*, niby nowsze, ty pewnie znasz, bo to jakiś polski gryzipiórek. Nawet spoko, mówię jej: „Fajna powieść", a ona na to, że to przecież „reportaż, wielki reportażysta". Coś jej się musiało pochrzanić, choć była bibliotekarką, zresztą jakie to ma znaczenie, ludzie chcą wciągającej opowieści, a czy to się wydarzyło naprawdę, czy nie, co to kogo obchodzi.

Ty może uważasz, że to różnica? Masz z tym problem?

Macie jakieś tam zasady i kodeksy honorowe dziennikarstwa, że wolno albo nie wolno?

Mnie, jako czytelnika, to nie interesuje.

Dziwny to był okres, jakby zawieszenia. Magdę przywoził do szkoły ojciec, a po lekcjach odbierał jak towar szczególnej troski, paczkę *fragile*. Na przerwach prawie nie wychodziła z klasy, do toalety na fajkę szła otoczona kordonem koleżanek. Zachowywały się jak ochrona strzegąca jej przed nami, dybiącymi na cnotę. Stopniowo się wykruszały, ale parę tkwiło wiernie u jej boku, na przykład Grażyna. Chodziliśmy grzecznie do szkoły, nic się nie działo, ta głupia gazetka przestała wychodzić, Generacja nie grała, zastój był. W moich interesach i tak zwanym życiu licealnym. Ten koncert wszystkich psychicznie wykończył.

W kwietniu czy z początkiem maja złapałem nową wiosenną energię, obudziłem się i podjąłem jeszcze jedną próbę. Taki jestem, chcę dopiąć swego. Zawsze byłem cierpliwy i w końcu zdybałem Magdę pod szkołą. Zaprosiłem do kina, weszła wtedy na ekrany *Szkatułka z Hongkongu*. A może to był *Vabank II*? W każdym razie film kostiumowy, styl retro, wtedy takie robili, fajne kino, jak na Zachodzie, a nie te Kieślowskie takie jakieś. Była miła, jak zwykle, kulturalna dziewczyna z dobrego domu, ą i ę, uśmiechnęła się. Powiedziała, że ok, ale chce wziąć koleżankę, na przykład Grażynę. Wiadomo, że nie Agnieszkę, która by jej oczy wydrapała z zazdrości.

Fotostory z przyzwoitką. Mina mi zrzedła, ale co miałem zrobić? Potem, kiedy odjechała z papą, nie mieli wcale jakiejś superfury, tylko ładę, zastanawiałem się, czy ja z kolei mam wziąć Bodzia, Maćka albo Radzia. Ten ostatni to jednak mój najlepszy przyjaciel. Nie mogłem wszystkich zaprosić, stworzylibyśmy jakiś szwadron śmierci. A miał być miły wieczór.

Poszliśmy we czwórkę, dziwna akcja, właściwie już wiadomo, że dla mnie porażka, ale wtedy lepsze to niż nic. Traciłem nadzieję, musiałem się zgodzić na takie warunki. Radzio w kompletnym szoku, kiedy przyszedłem do niego i zaprosiłem na wspólną „randkę" z Magdą. Wiadomo: albo randka, albo kumpelstwo i grupowe wyjście. A nam, obydwu znaczy się, nie chodziło o to, żeby została koleżanką. Ale ja byłem wtedy głupi. Radi nigdy wcześniej nie rozmawiał z nią dłużej niż minutę, więc oczywiście się zgodził. Właściwie zrobiłem mu prezent, trochę z wyrzutów sumienia, że na koncercie Generacji ją obmacywałem. Spłata długu.

Anyway, on, tak samo jak ja, nie miał wyjścia. Wiedział, że tylko u mojego boku ma jakieś szanse, że to ja jestem jego lodołamaczem, przewodnikiem i mistrzem Shaolin, Frankiem Kimono. Przyznaję, że nie byłem zimnym draniem, bo dostawałem świra przez tę laskę. I właśnie dlatego, że tak mi zależało, wziąłem się w garść. Pomyślałem, że trzeba na spokojnie. Na luzie. Wcześniej się spieszyłem, balanga, koncert, a skumałem, że trzeba powoli. Skoro Magda płacze przy balladzie, to musi się oswoić, a nie jak na MOP-ie – piwo, dyska i łóżko. Złapałem taką fazę, że naprawdę czułem do niej miłość, więc zamieniłem się w miłego misia i poszliśmy we czwórkę grzecznie do kina.

A właściwie na film, to jednak była *Szkatułka z Hongkongu*, później wspominaliśmy to z Radziem w Indiach. Podobało się nam, taka niby amerykańska produkcja, ale polska. Zespół filmowy Zodiak, teraz sobie przypominam, na początku z ekranu przenosiłem wzrok na Magdę, zastanawiałem się, spod jakiego jest znaku. Nic o niej tak naprawdę nie wiedziałem, siedziała z brzegu, obok niej Grażyna, jej mama pracowała w Pewexie, a tata na stoczni, więc był w domu, w przeciwieństwie do naszych starych. Może dlatego Grażyna sprawiała wrażenie zupełnie normalnej? Porządna i lubiana koleżanka jako przyzwoitka, potem ja, Radzio na drugim końcu. Wkurzała mnie sytuacja, ale zagryzałem zęby. Napisy końcowe i Magda westchnęła:

– Chciałabym wyjechać, właśnie tam, do Hongkongu, Singapuru czy Makao. Bardzo daleko. Zostać na zawsze.

Wiadomo, każdy by chciał, ale ona powiedziała to na głos. I podkreśliła, że na zawsze. Nam to raczej wtedy nie przychodziło do głowy, że coś może być na zawsze. Nigdy już nie wrócić... Radzio, jak to usłyszał, ocknął się i próbował zacząić:

– Wiesz, mój stary pływa właśnie po morzach południowych, z Dalmorem. Na „Ziemi Szczecińskiej" w młodości opłynął świat dookoła.

Magda, choć jej stary był dyrektorem w Polskiej Żegludze Morskiej, chyba nie skumała o co chodzi, więc Radzio dodał:

– Taki masowiec, wielki statek. Też marzę o dalekich podróżach... Wanuatu, Nowa Kaledonia, Wyspy Salomona... – recytował jak na klasówce z geografii.

Gdyby nie ja, toby z domu nie wyszedł. Ale dobra, nie ma co... Jak na niego to długa wypowiedź i odważna próba nawiązania kontaktu. Magda się uśmiechnęła, pamiętam ten moment, a on pewnie wspomina do dziś, bo co ma wspominać? Nagle zaczęła mówić o koncercie Generacji sprzed miesiąca, pytać, kiedy znów zagrają.

– Szukamy nowego perkusisty, ten nie trzyma rytmu. Słyszysz to, prawda? *Judytę* grał dwa razy za szybko i przy refrenie zupełnie się zgubił.

Tak jakby on potrafił trzymać na basie jakąkolwiek linię... Nie powiedziałem tego głośno, dałem spokój, przynajmniej normalna konwersacja się toczyła i nie zjadało mnie ciśnienie.

Gadając o podróżach i muzie, doszliśmy do kawiarni. Okazało się, że Magda jest słabo rozeznana w polskim rocku, w sumie nic dziwnego, mieszkała w Szczecinie dopiero od paru miesięcy. Przecież ona po przyjeździe mówiła po polsku z mocnym akcentem, wyjechała z miasta jako dziewczynka i nagle wróciła na stare śmieci, które jej się z niczym nie kojarzyły.

– Lubię Lombard i tę płytę *Śmierć dyskotece*. A ty?

– No, wiesz, Ostrowska nie umywa się do Jackowskiej. Nie ten poziom, nie ten głos, w ogóle, wiesz, aparycja, image?

Radzio wszedł w rolę rockmana, basista po jednym koncercie zespołu Maćka tak naprawdę plus mój wkład, a nie jego. Ok, oddech, nie ma co gadać. Plótł w stylu:

– Lombard to taki rock oficjalny, rządowy, a Maanam to prawdziwa nowa fala. *Nocny patrol* to trzeci album studyjny, wyszedł też w Niemczech i krajach Beneluxu.

Chyba sam nie wiedział, co to znaczy i gdzie leży Benelux, nikt nie wiedział, ale tak nawijali dziennikarze muzyczni. Grażyna się wtrąciła, też jak pani z radia, zaczepiała, bo nasza uwaga koncentrowała się na koleżance.

– Przecież Maanam grał w warszawskiej Kongresowej trzy razy jednego dnia i w ogóle z pięćset razy zagrał przed stanem wojennym. To czemu mają być alternatywni, a Lombard nie? Skoro zdjęli im z radia *Przeżyj to sam*, a co ocenzurowali Korze?

– *Śmierci dyskotece* sprzedało się czterysta tysięcy, więc też nie underground – odparował Radzio. Skąd on znał te liczby? Aha, i dodał: – Skoro jedna wokalistka z Lombardu założyła Banda i Wanda, to podejrzane...

Nagle przestał atakować Lombard, bo przecież to był ulubiony zespół Magdy, więc jemu też musiał się podobać choć trochę. O tej Brygadzie Kryzys nawet się nie zająknął. Siedziałem cicho, bo wtedy moje klimaty to było Kombi, a nie Republika, ewentualnie Kapitan Nemo, a nie rockerzy jak Jackowski z Korą, Lipiński czy ta wydzierająca się *Szklana pogoda*. Gadaliśmy, jakbyśmy grali w filmie o młodzieży, jakimś *To tylko rock* albo *Miłość z listy przebojów*, i jedliśmy durne serniki. Magda z Grażyną sączyły słodkie wino, my dla kurażu i szpanu wzięliśmy bułgarskie brandy, jak przystało na wczesne młode wilki. Najwcześniejsze.

W sumie spędziliśmy więc normalny wieczór nastolatków, oddałem go walkowerem Radziowi, żeby się chłopak nacieszył, bo gryzło mnie sumienie. Ale cały czas planowałem kontratak. Uznałem, że to wycofka na zaplanowane pozycje, nie rejterada, tylko przegrupowanie. Odprowadziliśmy najpierw Magdę na to poniemieckie, wtedy dyrektorskie osiedle willi i właściwie żegnając się z nami, oznajmiła:

– Tak w ogóle, to ja wyjeżdżam po maturze, mój tata dostał nowy kontrakt.

Zmroziło nas.

– Ale przed wyjazdem zrobię urodziny i tam się wyszalejemy jeszcze lepiej niż na koncercie Generacji. – Od jej uśmiechu zmiękły nam nogi. – Aha, poza tym chciałam przeprosić jeszcze raz, że nie byłam wtedy na sylwestrze u ciebie, Janek, naprawdę się pochorowałam. Nadrobimy to na mojej imprezie, ok?

Na osłodę dała nam po buziaku, takim normalnym, cmoknięciu w policzek. Od razu poczuliśmy się wybrańcami, dostaliśmy prawdopodobnie więcej niż którykolwiek z chłopaków. Bo te plotki, że u Maxima w Gdyni ktoś ją widział i sypał zielonymi mahoniowy gość, były z palca wyssane. Nie pisała do „Bravo", tylko je czytała, z wypiekami na twarzy, tak jak my. Wiem, że wieczorami siedziała grzecznie w domu i się uczyła.

Skąd wiem?

Bo często tam stałem i gapiłem się zza krzaków w jej okna... Tak było, taka prawda. No.

Magda dała nam szacha i mata w jednym ruchu. Zaraz zniknie, ale trudno się wściekać, gdy tak słodko przeprasza. Taka prawda, Magda nie była żadnym wampem, *femme fatale* czy jak to mówią.

Oczywiście obydwaj w tym momencie, pod jej domem, zakochaliśmy się jeszcze raz albo mocniej, dlatego że ta nasza importowana gwiazda, dziewczyna z odzysku, była taka w sumie... niewinna. Myślę, że to najlepsze słowo. Ale właśnie dlatego potem stało się to, co się stało. Bo nie mogliśmy się obrazić na córkę dyrektora K., wkurwić się i trzasnąć drzwiami, zająć się czymś innym. Gdyby nie wymyśliła tej imprezy, może byśmy zrezygnowali? I byłoby inaczej? Wszystko? Powinniśmy wtedy odpuścić i zostać jej kumplami, ale to nie mieściło się w głowie.

Grażyna stała obok, patrzyła na tę scenę. Rozumiała, ale nic nie mówiła, choć kiedy ją z kolei odprowadzaliśmy do domu, zrobiło się jakoś tak... melancholijnie. Smutno, że zło się przesądziło. No nie wiem.

Otworzyłem drzwi mieszkania, matka siedziała w fotelu, w sukience i żakiecie, płaszczu, umalowana, ze świeżo zrobioną fryzurą, i płakała. Tusz spływał jej z oczu, żałość totalna. Znów była randka, jeszcze raz próbowała ułożyć sobie życie na nowo i jak zawsze nie wyszło. Mnie też nie wyszło, więc napiliśmy się razem wódki, przez co rozkleiła się jeszcze bardziej i pół życia mi opowiedziała, wolałbym tego wszystkiego nie wiedzieć, ale trudno. Na chwilę zawiązała się między nami nić porozumienia, ale następnego dnia czar prysł, bo zadzwonił stary i się dogadali, ale tylko w jednej sprawie, że absolutnie muszę iść na studia. Wiadomo, że musiałem, bo wojsko, i nawet chciałem, ale się wkurzyłem. Obydwoje przeciwko mnie, może ona uznała, że zejdzie się z nim, tworząc wspólny front, normalnie jedności narodowej, w kwestii edukacji? Nie wiem, ale nie zarabiałem, nie jeździłem na saksy, uczyłem się jak idiota do matury. Czekaliśmy na egzaminy i imprezę Magdy jak na nagrodę za dobre zachowanie. Zaczarowała nas na chwilę, zamieniła w słodkie haribo, ale magia nie mogła się długo utrzymać. Oj, nie.

Pamiętam, że nawet Bodzia wtedy trochę postawiłem do pionu, na jakiś czas rzucił proszek. Już wiedziałem, że jest wpierdolony po uszy,

Radzio oczywiście nic nie kumał. Na moją matkę nie miałem wpływu, od odejścia ojca staczała się coraz bardziej, to chociaż Bodka mogłem uratować. Tak właśnic było.

Mówię prawdę!

Impreza sezonu

Gorące powietrze mieszało się z zimnymi podmuchami, ostatnim śladem burzy, która przeszła właśnie nad miastem, chłodem deszczu przewidzianego przez meteorologów. Synoptycy oraz pogodynka Telewizji Polskiej, objaśniająca mapy zawirowań klimatycznych, wydawali się skonfundowani wyjątkowo gorącym, a zarazem sztormowym majem. Próbowali wytłumaczyć powody anomalii i zgłębić przyczyny zapanowania nad Polską nowej aury – słowiańskiego tropiku spod znaku księcia Świętobora czy Warcisława.

Nic dziwnego, że wszyscy zapamiętali pogodę panującą wtedy w Szczecinie oraz urodziny Magdy, a zarazem imprezę z okazji zakończenia egzaminów maturalnych. Miejscówką dokonano rewolucji w życiu młodego pokolenia miasta, ponieważ osiemnastka odbywała się w dyrektorskiej willi pana K. Oczywiście urządzano wcześniej różne domówki, potańcówki, libacje pod nieobecność rodziców, popijawy na działkach i nad rzeką. Sprzątano po baletach w popłochu, kiedy starzy mieli wrócić z kina bądź wyjazdu na wczasy. Nigdy wcześniej jednak taki tłum z jednego rocznika nie znalazł się w oazie nomenklaturowego luksusu. Całkowicie legalnie, za oficjalną zgodą pana K., który zapowiedział, że o świcie wróci nocnym pociągiem z delegacji do Warszawy. Właśnie finalizował kolejny wyjazd za granicę.

Dom robił wrażenie, ale nie oszałamiał, Magda bowiem, czy to ze skromności, czy ze względów bezpieczeństwa, wyniosła co mniejsze przedmioty do piwnicy, a tę zamknęła na klucz. Pomagała jej w tym Grażyna. Twierdziła potem, że kiedy weszła do willi (pierwszy raz, choć była uważana za najlepszą przyjaciółkę organizatorki), wnętrze i tak sprawiało wrażenie pustawego. Jakby od początku roku spędzanego w Szczecinie panna K. i jej tata mieli poczucie, że długo tu nie zabawią, więc nie warto zapełniać domu zbędnymi bibelotami.

Jan przyszedł wcześniej od innych gości. Dostąpił zaszczytu wypożyczenia swoich słynnych kolorofonów oraz szykowania stanowiska didżejskiego z adapterem i magnetofonem; miał je obsługiwać na zmianę z Radosławem. Zlecono mu też małe zadanie: znieść do piwnicy stos czasopism, w tym „Playboya", z sypialni ojca Magdy. W niej doznał olśnienia. Zrozumiał, że jest to pokój samotnego mężczyzny, podobny do sypialni jego rodzicielki. Podniósł leżące obok łóżka zdjęcie. Za zbitym szkłem zobaczył zdjęcie matki swojej miłości; podobieństwo było uderzające, a czarny pasek biegnący dołem po skosie potwierdzał, że Magda jest półsierotą. Jan aż walnął się w czoło, jakby grał w *Niewolnicy Isaurze*. Ależ był tępy! Dlaczego nigdy wcześniej nie zastanowił się, że dziewczynę odbiera ze szkoły wyłącznie ojciec, a matka nigdy się nie pojawia, nawet w dniu wywiadówek?

Po siódmej zaczęli napływać falami goście. Z zaciekawieniem rozglądali się po wnętrzu. Choć ciężkie szafy i stoły gdańskie, parę skór i poroży na ścianach, kominek, zastawiony barek na kółkach i czerwone pufy jak z hotelu robiły wrażenie, nic poza tym nie wskazywało, że pan K. jest potentatem PŻM i spędza w mieście tylko rok, pomiędzy pracą na placówkach za granicą.

Gospodyni sprosiła niebezpiecznie dużo osób. Pisząc matury, wiedzieli, że przyjdą wszyscy uczestnicy feralnego sylwestra u Jana, a także wielu z tych, którzy stawili się na koncercie zespołu Generacja, łącznie z brygadą punków, częściowo spoza liceum. Magda pozwoliła Bodziowi przyprowadzić jego prawdziwych kumpli, więc w willi stawiła się grupka początkujących cinkciarzy, złodziei samochodów, typów z półświatka. Obok nich Maciek ze swoim towarzystwem, poetami w swetrach, początkującymi opozycjonistami, pryszczatymi artystami, przyszłymi animatorami różnych mutacji Pomarańczowej Alternatywy. Radek i jemu podobna młodzież ze wszystkich klas czwartych tworzyła złoty środek: ludzi wahających się między ambicją zdawania na studia a potrzebą zarobienia na wieżę stereo. Przez dwupiętrową willę przetoczyło się tej nocy chyba ze sto osób.

Na miejscu zebrał się cały przekrój generacji, poszczególne grupki trzymały się jednak oddzielnie. Koleżkowie Bogdana zachowywali się wobec Magdy nad wyraz szarmancko, dostała bukiet róż i została ucałowana w dłoń. Potem Bodzio zaproponował po kresce. Janek wyraził chęć, Maciek i Radek się mitygowali, ale kolega ze szkoły naciskał, jego obstawa zaś robiła takie miny, że odmowa zostałaby uznana za obrazę. W ramach dobrych stosunków z tworzącą się lokalną mafią oraz ze względu na dobro imprezy musieli się zgodzić.

Pierwsze lody klasowo-społeczne zostały przełamane w łazience pana K., budzącej ogólny podziw. Nawet wyniesienie do piwnicy niemieckiej wody kolońskiej pana domu i francuskich kosmetyków jego córki nie zmniejszyło wrażenia przepychu. Nie było tu złotych haczyków na ręczniki ani białych szlafroków frotté, ale wystarczyły lśniące kafelki ułożone w biało-czerwono-czarną mozaikę, by poczuli się jak w amerykańskim filmie. W kamienicy u Bodzia do kibla wciąż chodziło się na klatkę schodową, u Radka wanna była wyszczerbiona i szara, u Janka ze ścian łuszczyła się farba – wprawdzie wodoodporna, kupiona przez ojca za granicą, lecz pod koniec lat siedemdziesiątych, kiedy dostał mieszkanie na osiedlu Słonecznym. Pierwsza rozmowa pomiędzy chłopcami z liceum a kumplami Bodzia (Lewy robił przewały z walutami, Młody zawód alfonsa łączył z miłością do zagranicznych samochodów) dotyczyła więc wystroju łazienek. Połączyło ich wciąganie amfy, dużo lepszej jakości niż w sylwestra, oraz odkrycie, że wszyscy tak samo chcą poprawić swój los. Walenie w drzwi przerwało ich marzenia o własnych wypasionych chatach, a Radek i Jan przypomnieli sobie, że są przecież didżejami i zarządzają parkietem. Jan grał pierwszy i rozkręcał tańce. Na zakończenie pierwszego setu przygotował *Kalkutę nocą*, bynajmniej nie najświeższy hit zespołu 2 plus 1. Po tej piosence miał zmienić go kolega. Obydwaj zdawali sobie sprawę, że naprzemienne stanie przy konsoli wyklucza konkurencję o taniec z Magdą, będą za to zza gramofonu przyglądać się sobie wzajemnie na parkiecie. Radek pomimo amfy wciąż nie zdobył się na poproszenie obiektu westchnień do tańca, Jan natomiast włączył 2 plus 1 i momentalnie znalazł się obok dziewczyny. Zastosował metodę „a teraz odbijany" i wyciągnął ją z łap redaktora szkolnej gazetki, który podrygiwał z nią wcześniej do *Kryzysowej narzeczonej*. Młody dziennikarz z nerwów się pocił i zaczynał brzydko pachnieć, a w ramach podrywu usiłował wciągnąć Magdę w dyskusję, jak tekst o tym, co nam „nawarzono" i „naznaczono", przeszedł cenzurę. Z ulgą przyjęła wyzwolenie w osobie Janka. Nawet nie próbował tańczyć blisko niej. Pozwolił, żeby zrozumiała, o czym jest kolejna piosenka.

„Ciężkie czekanie na właściwy cynk, A potem luźny spacer w stronę wind, Leniwie w stronę wind". Magda uśmiechnęła się po pierwszym refrenie, zrozumiała, że utwór wybrano specjalnie dla niej. „Kalkuta nocą, Kalkuta nocą, Nowy wspaniały trzeci świat, Wspaniały trzeci świat, Ooooo". Kolejnych linijek nie odbierała jako aluzji do swojego zachowania, choć Jan podśpiewywał: „Tu podłość tak się ma do cnoty, jak jeden do pięciuset złotych, trzeba się liczyć z tym". Uważał, że tekst ma drugie dno, pasujące do ich relacji. Zatopiona w tańcu, rozbawiona dziewczyna nie odczytywała żadnych aluzji. Kiedy utwór się skończył i Radek puścił najnowszy hit New Order *Blue Monday*, Jan zaproponował jej, żeby się czegoś razem napili.

Zgodnie z planem znalazł się z ukochaną sam na sam na balkonie, z butelką prawdziwego ballantine'sa, coca-colą i paczką marlborasów. Nabył ten zestaw atrakcji w Pewexie za dolary zaoszczędzone na handlu.

– Magda...

– Tak? – Po jednym haüście whisky odważnie spojrzała prosto na niego.

Jan nigdy wcześniej nie spotkał dziewczyny, która by miała takie oczy, w piosence Generacji opisane jako „studnia nieskończoności".

Odgarnęła falujące włosy z czoła, duży różowy klips poruszył się przy uchu, czarna bluzka skosem przechodziła nad piersiami, nie mógł oderwać wzroku od jej nagiego ramienia.

– Przepraszam, jeśli byłem wcześniej zbyt... szybki, bezpośredni?

– Luz. – Patrzyła twardo.

– Byłem taki, bo wiesz... zwariowałem przez ciebie. Ogólnie to cię kocham.

Ostatnie słowa wypowiedział, stojąc tuż przy niej. Nie napierał, ale poczuł ją milimetry od swojej klatki piersiowej. Nie próbował jej pocałować, mimo to odwróciła głowę na bok, w stronę drzwi prowadzących do wnętrza domu.

– A szczególnie to oni też są zakochani. A któryś z was spytał mnie o zdanie? Czy ja jestem jakaś służąca od miłości? Co to ma być? Wiecie, kim jestem? Znacie mnie w ogóle?

Odsunęła się od Janka, ale wyciągnęła do niego rękę. Przez chwilę nie wiedział, co ma znaczyć ten gest. Poruszyła palcami. Zrozumiał i podał jej kolejnego papierosa.

– Przecież próbowałem rozmawiać. Chociaż, ok, za mało. Ale teraz wyjeżdżasz, jak mam cię poznać? – Rozłożył bezradnie ręce, dosyć dramatycznie, ale był przecież osiemnastolatkiem i wierzył w swoje uczucia i słowa. – Dopiero dziś zrozumiałem, że jestem głupi. Nie wiedziałem, że twoja mama nie żyje. Dawno zmarła?

– Ostatniego lata. Na raka. Ojciec załatwił sobie przeniesienie z Afryki na Zachód, żeby miała lepszych lekarzy. Dawał łapówki... Wolę nie wiedzieć, co musiał zrobić, ale to nic nie dało.

– Przykro mi...

– Skoro wreszcie pytasz, a nie tylko chcesz mnie poderwać... Skoro chcesz naprawdę mnie poznać... Tak? Powiem ci, dlaczego taka jestem. Nie przez matkę, nie dlatego, że zostałam tylko z ojcem. Tam, gdzie byliśmy, miałam chłopaka. Tuż przed naszym wyjazdem. Nie chciałam wracać do Polski, a musiałam. Piszemy do siebie listy.

– Od roku?

– Tak. Nie wierzysz?

– Ciężko uwierzyć. Zapomina się.

– Ja nie zapominam. I nie zapomnę też ojcu, że musiałam wrócić do Szczecina. Nigdy tu nie wrócę, nawet... rolls royce'cm.

Roześmiała się sztucznie. Jemu nie było do śmiechu.

– *Sorry*, Janek, jesteś fajnym chłopakiem. Wiem. To nie twoja wina.

– Jakoś mi to nie pomaga. Pożegnajmy się chociaż. Jeden całus?

Uznał, że musi wybłagać cokolwiek, haczyk, na który za godzinę, może dwie, zanim skończy się impreza, wyciągnie więcej. Chciał ją pocałować tak, żeby później, po większej dawce alkoholu, zapragnęła powtórki.

– Dzieciak z ciebie! – skomentowała, ale uśmiechnęła się i położyła mu palec na ustach. – A co na to powie twój kumpel?

– Radzio?!

– Co zrobią Radek, Maciek i Bodzio, jeśli pocałuję właśnie ciebie? Zabiją cię za to!

Znów się zaśmiała, tym razem naturalnie. Jan miał już dosyć tych jej uśmiechów. Starał się mówić beznamiętnie.

– Trudno, wkraczamy w czasy wolnej konkurencji.

– Oj, żebyście wy wiedzieli, jak naprawdę wygląda ta wolna konkurencja. Ja już widziałam na Zachodzie. Nic nie wiecie. Naiwni jesteście.

– A ty taka doświadczona? – Jan zaczynał być zły, bo żebrał o tego całusa, zupełnie nie w swoim stylu.

– Swoje przeżyłam. A to widziałeś? Wiedziałeś o tym?!

Nagle wzburzona Magda podciągnęła rękaw bluzki. Zobaczył szyty tuż poniżej łokcia. Nie znał się na samookaleczeniach, to nie była jego bajka, ale rozumiał, że były głębokie, choć na pewno nie zagroziły życiu. Magda wydała mu się podobna do jego matki, ale odegnał tę myśl i spytał poważnie:

– Przez tego chłopaka?

– Janek, wywieszaliście języki, a ja całą jesień i zimę płakałam. Nic nie widzieliście, bo nie chcieliście nic zobaczyć. Przyjechałam z Westu, mam długie nogi i tak dalej, pachnę chanelem, a nie zielonym jabłuszkiem, więc dostaliście świra. – W Magdzie też wzbierała złość.

– Dziwisz się? Popatrz dookoła. Komuna, syf, malaria. Nie udawaj niewiniątka, sama mówisz, że wiesz, jak... na nas działasz.

– Wiem, i co z tego? To znaczy, że mam się, kurde, z wami wszystkimi bzykać? Czy ja tu nie mam nic do powiedzenia?! A wam się należy? Bo żyliście w komunie?

– Dobra, dobra, wyluzuj, nic się nikomu nie należy. To akurat wiem, że muszę wszystko sam wywalczyć, nikt mi nic nie da. Wiem. Tylko że ja cię kocham! – Spojrzał bardziej błagalnie, niżby chciał. Nie widział swojej miny, ale na pewno wypadł żałośnie.

– A, tu żeście się zabunkrowali! – Na balkon wpadła Grażyna. – Madzia, musisz zejść na dół.

– Rzygają już na kanapę? Tak szybko?

– Nie, tylko te panczury, co ich zaprosiłaś, chcą się bić z kolegami Bodzia. Albo odwrotnie. A w sumie, skoro jest tu Janek... – Spojrzała wyzywająco na smętnego Romea. – Może byś coś zrobił? To wszystko twoi kumple.

– Jasne, już idę – powiedział z rezygnacją.

Grażyna ruszyła z powrotem, Magda za nią, ale spojrzała jeszcze na Janka i posłała mu delikatnego buziaka w powietrzu. Chcąc nie chcąc, poszedł za dziewczynami na dół.

Wpadł w tłum w ostatniej chwili. Lewy stał już bez marynarki z dużymi klapami, ściągnął też kolorowy szeroki krawat w stylu bitników z lat pięćdziesiątych. Kończył podwijać rękawy kolorowej koszuli. W jego oczach tlił się obłęd, zdążył jeszcze raz odwiedzić łazienkę z Bodziem. Ten nawet nie usiłował uspokajać kumpla, sam miał nieźle w czubie, krzyczał o pedałach, satanistach, Niemcach i folksdojczach. Naprzeciwko wywijał pięściami Morda – jeden z punków, którzy weszli przez okno na koncert Generacji. Później został przywódcą mieszanej załogi, uczniów technikum i licealistów. Wszyscy chcieli, tak jak on, pojechać do Jarocina, godzinami słuchali Dezertera i Defektu Mózgu.

Przedstawiciele obydwu subkultur byli równie nawaleni, choć Morda sprawiał wrażenie, że wąchał raczej klej niż amfetaminę.

– Hola, hola! – Jan stanął między nimi. – Są urodziny Magdy. Oto i ona. Będziemy śpiewać sto lat, a nie się bić! Wszyscy razem!

Zaintonował urodzinową piosenkę. Goście z liceum podchwycili słowa, kolejno dołączyli punki, półświatek, swetry, poeci i pozostali. Potem Magda z Grażyną zapowiedziały tort, a Jan wziął Bodzia z jego ekipą na ten sam balkon, z którego przed chwilą przyszedł. Poświęcił pozostawionego tam ballantine'sa, żeby zająć czymś chłopaków. Uradowani whisky chwilowo zapomnieli o chęci do bijatyki z „brudasami", jak mówili o punkach.

W podzięce za alkohol uraczyli Janka kolejnymi kreskami amfy. Wrócił na dół dopiero na resztki tortu, ostro nagrany wódą i dragami, wkurwiony, że nie zdobył Magdy, a stracił whisky, i musi zacząć drugą paczkę fajek. W dodatku znów przyszła jego kolej na didżejowanie.

Esbecja

Janek grał, a ja ruszyłem na poszukiwania Magdy. Znalazłem ją w kuchni, sprzątały z Grażyną po torcie. Zaproponowałem, że pomogę, nikt inny nie wpadł na taki pomysł, po formalnościach urodzinowych ludzie się bawili, zapominając o jubilatce. Razem ogarnialiśmy talerzyki i widelczyki. Stałem obok niej przy zlewie, nos i skórę miała zaróżowione od alkoholu, tańca, ciepłej wody z kranu, krzątania się. Żartowały z Grażyną, paplały o tym, kto przyszedł, czy będą jeszcze się bić czy już nie, humory im dopisywały. Umyliśmy, wytarliśmy i odstawiliśmy na półkę prawie wszystkie talerzyki, zanim zebrałem się w sobie i odezwałem:

– Jesteś zadowolona z imprezy? – Nic lepszego nie przyszło mi do głowy.

– Jasne!

– Mam dla ciebie prezent urodzinowy – przyznałem się w końcu, szykowałem podarunek już od wielu dni. – Mogę ci dać? Zaraz przyniosę!

Niespodziankę zostawiłem w kurtce. Długo nie mogłem jej znaleźć w stosie ubrań. Kiedy wróciłem do kuchni z prezentem, dziewczyn już tam nie było. Przy stoliku Morda z punkowcami palili zioło.

– Radi, dawaj, zajarasz z nami!

– Zaraz przyjdę, muszę tylko...

– Weź, nie pitol, mamy świetny stuff z lasu, natura, bracie.

Morda już wstał i podszedł do mnie z fifką i zapałkami. Wetknął mi lufkę do ust, nie zdążyłem zaprotestować, przypalił, musiałem się zaciągnąć, zaskwierczało w szkiełku, poczułem straszny buch wpadający do płuc, zakaszlałem. Kaszlałem i nie mogłem przestać, a Morda się śmiał.

– Dajcie mu coś do przepłukania gardła, na popitkę!

Jeden z jego koleżków, z którymi założył potem zespół, podał mi szklankę wody z kranu. Wypiłem i poczułem się trochę lepiej.

– To teraz drugi buch, tak na spokojnie, tamten zmarnowałeś. Jedziesz, przytrzymaj dym w płucach – instruował.

– Nie, już wystarczy, naprawdę dzięki – oponowałem, ale po amfetaminie na początku imprezy, doprawionej piwem, które popijałem, puszczając płyty, zabrakło mi silnej woli.

Właściwie chciałem się nawalić, choć przed chwilą w ręku trzymałem prezent dla Magdy. Musiałem odłożyć na parapet przygotowaną, zapakowaną książkę, kiedy podano mi wodę. Patrzyłem na podarek urodzinowy, ale Morda nie ustępował, z fifką w ręku. Przestałem protestować, wziąłem jeszcze jednego macha, na spokojnie się zaciągnąłem i wstrzymałem oddech. Stałem tak chwilę, a Morda był uszczęśliwiony.

– Tak, dobrze, widzisz, Radix, *Fallen fallen is Babylon.* Teraz zaczniesz prawidłowo myśleć, zrozumiesz, bracie, jak trzeba żyć.

– Jak? – Wypuściłem dym.

– Sprawiedliwie. – Gadał tonem kaznodziei. W tamtym czasie punkowcy fascynowali się rastafarianizmem, nie wiem, jak oni to robili, ale załoga ze Szczecina już wiedziała, że Brylewski i inni grają reggae w Warszawie. – Zrozumiesz, że to wszystko jest złuda, Babilon chce cię zniewolić, od Wschodu i Zachodu nadciąga, a ty musisz wolnym być!

– Radzio, twoja kolej, gdzie ty się podziewasz?! – Janek zajrzał do kuchni.

– Jak to? – zdziwiłem się, że minęło już tyle czasu, przecież nie zdążyłem dać Magdzie książki w prezencie.

Zachowałem tyle przytomności umysłu, że zgarnąłem szybko pakunek z parapetu.

– Gram już prawie godzinę, dawaj, teraz ty, zaraz skończy się utwór! Janek zniknął, poszedłem do sprzętu grającego, a Magda była na parkiecie, ten drań chciał z nią tańczyć. Ja musiałem przygrywać im do zabawy, ale widziałem, że nasza ukochana nie zwraca na niego uwagi, dobrze się bawi, wariuje na parkiecie, przecież obiecywała, że to będzie balanga, na której wszyscy się wyszalejemy. „Tańcz, głupia, tańcz, swoim życiem się baw, wprost na spotkanie ognia leć" – sam nie wiem, dlaczego to puściłem? Grałem same szybkie kawałki, żadnych wolnych, żeby Janek nie mógł się do niej przystawiać. W sumie dobrze się bawiłem, wychodziłem zza sprzętu i też tańczyłem, klaskałem, mówili mi potem, że byłem jak profesjonalny didżej, zagrzewałem ludzi do zabawy. Impreza rozkręciła się na całego, chyba większość ludzi złapała już dobrą fazę alkoholowo-narkotyczną, wyszła z zakamarków i się gibała.

Ktoś przyniósł mi piwo, a potem, akurat wyszukiwałem kolejną płytę, podszedł do mnie Bodzio.

– Weź na wzmocnienie, musisz mieć siłę! – Trzymał torebkę z resztką amfy. – Włóż palec i wyliż ze środka. Bardziej przyda się tobie niż temu ubekowi.

Nie protestowałem. Od rytmu, muzyki, tańca i zabawy szumiało mi ostro w głowie, wylizałem dokładnie torebkę, sporo tam jeszcze zostało. W przebłysku świadomości zamiast bawić się dalej, zapytałem:

– Jakiemu ubekowi?

– No, Jankowi!

– Nie rozumiem?

Naprawdę się zdziwiłem. Stałem tuż obok Bodzia, słabo go słyszałem, muzyka grała, nie byłem pewien, czy dobrze rozumiem, on pochylił się do mnie i krzyczał mi do ucha:

– To ty nie wiesz? Przecież jego ojciec jest ubekiem!

– Co?

– SB, Służba Bezpieczeństwa? Halo? Poważny funkcjonariusz, matka też pracuje w urzędzie, sekretarka, chyba że ją wywalili. Janek od ojca ma różne cynki, informacje, znajomości. Przecież ten blok na Słonecznym jest cały milicyjny. Oj, Radix...

Szok. Nie szło nawet o Janka starego, ale o to, że najlepszy przyjaciel nic mi nie powiedział. Bodzio dla podkreślenia wagi swoich informacji pokiwał głową, a potem odszedł. Pograłem jeszcze chwilę, ale już bez wcześniejszego zapału, pomachałem do Janka, żeby przyszedł. Bez słowa pokazałem mu, żeby grał dalej. Jeszcze nie wiedziałem, co o nim myślę, ale nie chciało mi się z nim gadać. Muszę przyznać, że poczułem wręcz agresję. Wziąłem prezent, papier już się wytarł i pobrudził od przenoszenia, ktoś zachlapał go piwem. Podszedłem do Magdy, nowy kop amfy i wkurzenie na Janka dodały mi odwagi.

– Pójdziemy się przewietrzyć? Zapalić?

– Ok! – Była zdyszana od tańca, na czarnej bluzce osiadły mokre plamki.

Razem wyszliśmy z salonu do ogrodu.

– Fajnie grałeś, dzięki.

– Nie ma za co. Mam dla ciebie ten prezent urodzinowy.

– A, kochany jesteś. Widzę, że na ciebie to można liczyć.

Odpakowała książkę. Wybrałem tomik poezji Rimbauda, ale najważniejsza była dedykacja. Przeczytała i cmoknęła mnie w policzek, spojrzała poważnie.

– Radek, bardzo mi miło. Tylko wiesz... Nie obraź się, godzinę temu Janek też mi powiedział, że mnie kocha. Wszyscy mi wyznajecie miłość, ale ja kocham kogoś innego. *Sorry*, nie będzie *love story*.

Opowiedziała mi swoją historię, ale ja właściwie nie słuchałem, nie chciałem jej słuchać.

– Właśnie się dowiedziałem, że mój najlepszy kumpel mnie okłamał – wypaliłem.

Musiałem to z siebie wyrzucić, podzielić się z kimś informacją, ale może podświadomie zamierzałem też zdyskredytować rywala w jej oczach? Nie wiem. Przede wszystkim nie chciałem myśleć o tym, że ona kocha jakiegoś chłopaka gdzieś daleko stąd, w jakimś Rio czy innym San Marino. Powiedziałem jej, czego właśnie dowiedziałem się o Janku.

– Rodziców się nie wybiera, prawda? – Wzruszyła ramionami.

Zabolało.

Magda zrozumiała, że to dla mnie ważna sprawa, i kontynuowała:

– Ja mam ojca z PŻM, też z nomenklatury, każdy ma jakiegoś. Może ci nie powiedział, bo się wstydzi?

– Nie sądzę, żeby potrafił się wstydzić, to do niego niepodobne.

Kurde, zakumplowaliśmy się na MOP-ie, myślałem, że olewa opozycję, bo jest kapitalistą, biznesmenem. A okazuje się, że punkt widzenia zależy od punktu siedzenia. Jak masz rodziców w ubecji, to inaczej patrzysz na pewne sprawy, prawda?

– E tam, gadanie. Wszyscy tak samo chcą się stąd wyrwać. Ja chcę wyjechać! Wy-je-chać! Mój chłopak nigdy nie mówił o swoim kraju, po prostu żył. Mnie też nie obchodzi ta Polska i spory, kto jest czyim synem. Ubecja, esbecja, srecja. Jakie to ma znaczenie? Chcę być wolna, rozumiesz? – Magda prawie krzyczała.

– Wszyscy chcą być wolni, Morda też. – Przypomniało mi się gadanie punkowo-rastamańskie.

Staliśmy sami w ogrodzie, zapaliliśmy kolejnego fajka. Zapomniałem, że przed chwilą wyznałem jej na piśmie miłość, gadaliśmy jak przyjaciele, jak dorośli. Uznałem, że naprawdę zdałem właśnie egzamin dojrzałości.

– Tutaj nie da się być wolnym. Jak nie polityka, to kasa albo kościół, albo starzy. Wiesz, że jestem niechrzczona? W dzieciństwie nasłuchałam się z tego powodu: nomenklatura, władza, obce elity, takie pieprzenie. Nawet jak nie będzie komuny, znajdzie się coś innego, żebyś nie był wolny. Ja stąd spadam i nie wracam, przepraszam cię, Radek... Nie zostanę z wami.

Zwiesiła głowę i objęła rękami ramiona, robiło się chłodno, wzeszedł księżyc.

– Rozumiem.

Naprawdę czułem, że rozumiem. Na jej miejscu też bym uciekł, gdzie pieprz rośnie. Sam przecież chciałem uciec. Byłem dumny, że prowadzimy taką poważną konwersację, ale Magda była piękna, a ja przyćpany, przypomniałem sobie, że przez nią wariuję od paru miesięcy, że bardzo mi się podoba, że z tą Niemrą na MOP-ie to nic było tak do końca, jestem sfrustrowany, bo wiem, czym może być seks, codziennie się onanizuję, myśląc o Magdzie, jak nie teraz, to już nigdy, muszę to zrobić, mam osiemnaście lat i sperma rzuca mi się na mózg.

Przysunąłem się i zacząłem ją całować. Nie broniła się, ale czułem, że jest zimna, nie reaguje, tylko biernie się poddaje. Złapałem ją za ramiona, wydawało mi się, że jestem namiętnym kochankiem, jak w książkach, zsunąłem ręce niżej, trzymałem ją za pupę, czułem jej drobne piersi na swoich żebrach, całowałem, wgryzałem się w jej usta, wsadzałem język. Ona była jak kłoda, poczułem, że jeśli przestanę ją trzymać, to upadnie. Odsunąłem się. Powiedziała:

– Nie chcę.

Nie uśmiechała się, nie była też zła, po prostu nieobecna, daleka. Wytarła usta i dodała:

– Chodźmy się bawić. – Już ruszyła w stronę domu, ale jeszcze odwróciła się w moją stronę i rzuciła z uśmiechem: – Przyjedź kiedyś do Indii!

Powlokłem się za nią. W środku Morda znów częstował trawą, koledzy Bodzia pojechali na miasto i wrócili z nową torebką amfy. Ktoś wybrał się na melinę i przyniósł parę flaszek wódki. Ktoś inny zastąpił nas przy płytach i taśmach. Szczecin ostro się bawił, *summer* 1984.

v. Indie–Polska 1987/1988

We're leaving ground.
Will things ever be the same again?
It's the final countdown.

Europe, *The Final Countdown*

Gate open

Postawił bagaż na płycie lotniska falującej od słońca i silników samolotowych, pachnącej nagrzaną ropą. Luźna żółta koszula w białe palmy przykleiła się do ciała, strumyczki potu spływały wzdłuż pleców i wzorzystych liści, mokre plamy kwitły i rozlewały się coraz szerzej. Pocił się ze strachu przed DRI. Agencja wywiadu skarbowego wymierzała karę w zależności od wartości towaru niezgłoszonego do oclenia. Gdyby został złapany z czterema wideoodtwarzaczami Akai, straciłby sprzęt o czarnorynkowej wartości czterech tysięcy dolarów, ale zostałby puszczony wolno.

Oprócz czterech magnetowidów miał przy sobie jednak cztery kilogramy czystego złota podzielonego zgodnie ze starożytnym indyjskim systemem wagowym na dziesięciotolowe zaokrąglone sztabki, po sto dwadzieścia gramów każda. Zatrzymany przez agentów DRI trafiłby prosto do śmierdzącego więzienia. Przesunął dłonią po twarzy i mokrym karku, mocno chwycił duże czarne torby marki Eminent. Zaciążyły mu w dłoniach. Za lot z elektroniką zarabiał dwieście dolarów, teraz szef obiecał zapłacić tysiąc.

Tysiąc dolarów. Palmy.

Jego matka potrzebowała przynajmniej roku, żeby zarobić równowartość dwustu dolarów, a tysiąca nawet nie potrafiła sobie wyobrazić. Przeliczał krople potu na banknoty, jedno zero było warte więcej niż wilgotne ubranie i odór ciała. Z każdą kroplą potu, która spływała spomiędzy łopatek, wzdłuż krzyża, na wysokość pasa, wyobrażał sobie kolejne papierki studolarowe. Kropla – amerykański banknot z podobizną Franklina. Parę kroków. Znów kropla i banknot w myślach.

Tysiąc dolców. Palmy i plaża.

Coraz bliżej do pawilonu lotniska z klimatyzacją.

Próbując się uspokoić i powstrzymać rozpływanie się mokrych plam, liczył w myślach: w ojczyźnie na czarnym, wolnym rynku dolar kosztował od lat tyle samo, ile pół litra wódki, obecnie około tysiąca trzystu złotych. Alkohol był nieoficjalnym przelicznikiem, regulującym ekonomię sprawniej niż zarządzanie marksistowskich planistów. Pracując zgodnie z ich wizją gospodarki, musiałby czekać pół życia na małe, samodzielne mieszkanie, odkładając uciułane złotówki na książeczkę oszczędnościową. M3, wbrew ideałom równości, było dostępne także za gotówkę, bez kolejki, kosztowało jednak co najmniej pięć tysięcy dolarów. Za dwadzieścia tysięcy mógłby kupić działkę budowlaną od starego badylarza, właściciela szklarni. Chciał mieć własny dom, nowy segment na przedmieściach, albo wyremontować starą poniemiecką willę, taką, w jakiej mieszkał dyrektor K.

Marzył o Magdzie oraz salonie z kominkiem, paroma sypialniami na piętrze i przede wszystkim łazience, którą zapamiętał z osiemnastych urodzin dziewczyny. Czerwono-czarno-biała glazura, może nawet ułożyłby kafelki na wzór flagi narodowej? Dom, jego wykończenie i umeblowanie to dziesięć tysięcy dolarów. I co dalej? Czy tyle wystarczy, żeby zdobyć Magdę? Śnił o przywiezieniu stu tysięcy dolców – cegły, w slangu przemytników. Za jej drugą połowę, pięćdziesiąt tysięcy baksów, mógłby nie martwić się o nic do końca życia, to pewniejsze niż lokata w banku.

Czy zainwestuje kasę, aby pieniądz rodził pieniądz? Założy *joint venture*, których rozwój wspierały nawet władze, sekretarze partii, wojewodowie, dyrektorzy zrzeszeń, sami już niewierzący w zużyte hasła socjalistycznej równości? Zainwestuje we frytkownicę, kupi przyczepę kempingową i zamieni ją w lokal gastronomiczny? „Jeśli nie będziesz studiował, skończysz w budzie z zapiekankami!" – straszyła matka, ale co innego mógłby robić w Polsce? Mała gastronomia pachniała wprawdzie starym olejem, ale pieniądz już nie śmierdzi.

Zresztą, to wszystko potem, może kiedyś, w nieokreślonej przyszłości, na razie podobała mu się nowa praca. Działo się, był ruch, było fajnie i Jan zarabiał coraz większe pieniądze. Harował, aby żyć dostatniej, wzbogacić się tutaj, ponieważ nie mógł w swoim kraju. Początkujący szmugler chciał uważać się za mieszkańca globalnej wioski, którego okoliczności historyczno-polityczne zmusiły do zarobienia pierwszego miliona w nielegalny sposób. Niesprawiedliwość dziejowa uzasadniała jego postępowanie i łamanie obowiązującego prawa. Tym bardziej że przekraczał przepisy daleko od domu, w dzikiej Azji, gdzie prześwietlanie bagażu i pasażerów wciąż rzadko stosowano.

Tysiąc dolców, dziesięć banknotów po sto dolarów. Dużo palm, wielka plaża.

Wchodząc do klimatyzowanej strefy tranzytowej, wreszcie odetchnął głębiej. Różnica temperatur była tak wielka, że zrobiło mu się zimno i kichnął. Poczuł, że mniej się poci, plamy przestały rosnąć i nie człapał już z wysiłkiem w gorącym powietrzu Azji Południowej.

Skończył się właśnie kryzys naftowy z początku lat osiemdziesiątych, nie nastąpiło jeszcze załamanie rynków z powodu inwazji Iraku na Kuwejt i pierwszej wojny w Zatoce Perskiej. Liczba podróżnych na lotniskach świata rosła lawinowo, New Delhi obsługiwało tylu pasażerów, że poczuł spokój. W tłumie zniknie zarówno on, jak i osoba, która przejmie złoto. Lokalnych szmuglerów nazywano wieszakami krajowymi, ponieważ przemytnik jest jak modelka, jego ciało służy tylko do noszenia towaru. Jan był wieszakiem międzynarodowym, uważał się za obywatela planety, choć zwany był też wrzucakiem – wrzucał złoto, przejmowane potem przez innych. Znał już dobrze tajny kod, którym posługiwali się bardziej doświadczeni koledzy: wrzucanie i wybieranie, skrzynki to wideo, trąbki to kamery, Kraków to Bombaj, a Skierniewice to Singapur.

Miał jeszcze czas, wiedział, że Magellan nie pojawi się po towar wcześniej niż za godzinę. Prawdziwe nazwisko kolegi znał wyłącznie ich Boss. Znał też dane Jana, zwanego Cyganem, z powodu ciemnej karnacji i godnego podziwu cwaniactwa. Ksywa mało wyrafinowana, wolałby na przykład Johnny, ale na dobre przezwisko trzeba sobie zasłużyć.

Celnicy od dawna wiedzieli, że Polacy szmuglują elektronikę, i na lotniskach robiło się coraz goręcej. Służby jeszcze nie załapały, że najbardziej ambitni zarobili wystarczająco dużo, by zainwestować w złoto, i dywersyfikują działalność. Boss tłumaczył, że w razie wpadki celnicy na pewno nie będą szukać żółtka u Polaków. Typowa próba wwiezienia, bez zapłacenia cła za VCR-y, uspokoi agentów DRI. Za elektronikę nie idzie się do więzienia. W najgorszym razie odtwarzacze wideo zostaną zarekwirowane, ale zysk ze złota nie tylko wyrówna straty. Zapewni też duży zarobek.

Dziesięć razy sto równa się tysiąc dolarów.

Dziesięć razy tysiąc równa się dziesięć tysięcy dolarów.

Wizja zer na banknotach z Franklinem spowodowała, że postanowił uczcić swój debiut, pierwszy lot ze złotem. Przekonywał samego siebie, że powinien korzystać z życia. Nie szanował wieszaków, którzy zarabiali góry dolców, ale kupowali najtańszą whisky w sklepie bezcłowym i popijali ciepłą w kącie.

Na tranzycie terminalu drugiego wciąż był na celowniku DRI. Tajni agenci obserwowali pasażerów na lotnisku. Pracownicy wywiadu dostawali premię w wysokości dwudziestu procent wartości odkrytego przemytu, więc tak jak on ciężko pracowali. Musiał udawać, że nie jest kolejnym polskim przemytnikiem, lecz Johnem, obywatelem Zachodu, wolnego świata.

Także Radek szedł w stronę nowych barów terminalu numer dwa na lotnisku imienia Indiry Gandhi. Budynek oddano do użytku z półrocznym opóźnieniem, kosztował prawie dwa razy więcej, niż przewidywano. O skandalach łapówkarskich słyszał na mieście, choć nie interesował się codzienną polityką państwa, nie czytał lokalnych gazet. Bardziej go intrygowało, że pomimo korupcji klimatyzacja w nowym terminalu działała bez zarzutu. Bawełniana koszulka z logo zespołu Sisters of Mercy szybko wyschła i wreszcie odkleiła się od ciała.

Miał na sobie także kolorowe szorty i szpanerskie air jordany, najnowszy krzyk mody w Singapurze i Ameryce. Bardzo starał się udawać, że nie jest Polakiem. Jak zamożny zachodni turysta, zmęczony lotem i klimatem, powinien usiąść w barze i napić się whisky. Znalazł miejsce z widokiem na strefę tranzytową i rozparł się w fotelu, próbując czerpać przyjemność z życia wielkiego węzła komunikacyjnego. Lubił atmosferę tymczasowości, znudzonych ludzi włóczących się w oczekiwaniu na lot lub nerwowo szukających swojego *gate*, biegnących na *last call*. Wsłuchiwał się w niezrozumiałe dla niego nazwiska wywoływane przez głośniki, zawsze obawiał się, że usłyszy własne, brzmiące obco w ustach indyjskiej spikerki, ale dla niego rozpoznawalne, znajome.

Przyglądał się kobietom w średnim wieku, ubranym w barwne sari, spod bluzek czoli wylewały im się brzuchy tłuste od ciężkich sosów, ostrych i zawiesistych curry. Uwielbiał młode Hinduski w dżinsach i koszulkach, ale przez szacunek dla tradycji zakładające do zachodnich ciuchów ozdobne, tradycyjne sandały; dłonie zdobiły henną, a na ich czołach widniało bindi. Fascynowały go muzułmanki, zasłonięte od stóp do głów, ale obwieszone torbami z zakupami ze sklepów światowych marek. Fantazjował o ich brązowych ciałach ukrytych pod hidżabami, czarnych włosach czasem wymykających się spod chust, nie mógł oderwać wzroku od ciemnych błyszczących oczu, które obiecywały w jego mniemaniu orientalne rozkosze. Z trudem odwracał spojrzenie, żeby nie zostać przyłapanym na mentalnym cudzołóstwie przez brodatych mężów w białych zawojach.

Nie lubił tylko wąsatych hinduskich mężczyzn w koszulach i sweterkach. Głośno dyskutowali o cenach alkoholu, pili ponad miarę, zachowywali się agresywnie i z wyniosłymi minami palili papierosy. Irytował się, kiedy krzyczeli na obsługę lotniska, próbując udowodnić swoją pozycję i pochodzenie z wysokiej kasty. Wąsacze z góry patrzyli na chłopców zamiatających podłogi, z obrzydzeniem na kobiety myjące toalety. Nie dawali napiwków i pod byle pretekstem wszczynali awanturę, aby poniżyć pracowników i lepiej się poczuć, dobitnie udowodnić miejsce w kastowej hierarchii.

– Yes, sir?

Słysząc uniżone kelnerskie pytanie, uświadomił sobie, że w Polsce stałby właśnie w długiej kolejce po papier toaletowy.

– One Kingfisher, small. And whisky. On the rocks – rzucił niedbale, jakby taki zestaw zamawiał codziennie na śniadanie, obiad i kolację u czarnoskórego lokaja w nieskazitelnie białym wykrochmalonym mundurze i czerwonym turbanie.

– On the rocks...

Kelner powtórzył ostatnie słowa. Nie zapytał, bo nie chciał przyznać się do niewiedzy, ale Radek wyczuł, że facet nie zrozumiał angielskiego wyrażenia. Spojrzał z wyrzutem na ciemnoskórego mężczyznę z obsługi, ale powstrzymał się od pretensji i spokojnie wyjaśnił, jak członek oświeconych elit edukujący niższe warstwy.

– With ice. – Zdążył już nabrać odpowiednich manier.

Czekając na alkohol, delektował się wrażeniem, że znalazł się gdzieś pomiędzy, w strefie niczyjej. Nie był ani tu, ani tam. Uciekł ludowej ojczyźnie i sojuszowi chłopsko-robotniczemu; ograniczeniom, zakazom i nakazom, hasłom o budowaniu socjalizmu; stawiali go od dziesięcioleci, potajemnie kładąc coraz więcej cegiełek kapitalizmu. Nie gonił Zachodu, był przecież na Wschodzie, ale za chwilę miał dostać whisky *on the rocks*, tak zapewne podawano ją w Paryżu, Londynie, może nawet Nowym Jorku. Nie tyrał z Turkami na budowie w Reichu, próbując dogadać się ze szkopskim szefem, nie kradł samochodów w Austrii w ramach reparacji wojennych od nazistów, nie niańczył umierających staruszków milionerów w Szwecji, ponieważ był królem życia.

„Dolary, tylko dolary", jak powiedział przed laty doświadczony cinkciarz z Trójmiasta Jankowi. Kumpel mignął mu za szybą, udawali, że się nie znają, na tranzycie trzeba uważać na agentów DRI. Franklin, Grant i Lincoln byli bogami – zielonymi, środkowoeuropejskimi, prowincjonalnymi awatarami wielorękich potworów z hinduistycznych świątyń.

– *Sir?*

Kelner postawił na stoliku szklankę z whisky oraz oszronione piwo lokalnej produkcji. Ukłonił się i odszedł. Przemytnika najbardziej cieszyło, że w Azji mógł być bogatym gościem z dalekiej, wspaniałej Europy. W Europie na powrót spadał do rangi biednego Polaka, niewykwalifikowanej i taniej siły roboczej. Na Wschodzie obsługa zginała się w pokłonach z powodu koloru jego skóry, zostawiał więc za sobą narodowość, miasto urodzenia, pochodzenie społeczne, wykształcenie. Z żebraka i petenta zamieniał się w białego człowieka, którego słodkim brzemieniem jest niesienie kaganka cywilizacji, techniki, postępu i rozwoju. Jako białas mógł swobodnie tworzyć dalej swoją tożsamość, zostać, kim chce.

Gorzka whisky, odpowiednio rozcieńczona roztapiającym się lodem, idealne proporcje, a do niej łyk zimnego piwa. Właściwa relacja smaku, ceny i procentów, szumu w głowie. Wiedział już, że istnieją nie tylko kapitalizm i komunizm, Zachód i Wschód, nie tylko zimna wojna i żelazna kurtyna, ale także południe i północ, cała wielka planeta Ziemia. Wiele możliwości, setki modeli egzystencji do wyboru i koloru. A gdyby tak przeszedł na islam i wziął za żonę parę z tych dam w hidżabach? A gdyby nauczył się lepiej angielskiego i założył firmę, swój biznes gdzieś w Azji? Poślubił jedną z tych miłych Tajek czy Chinek, skośnookich pań, takich jak Mej, żona szefa? Na lotnisku wsiadali i wysiadali ludzie ze wszystkich stron świata, tak jakby PRL i obóz socjalistyczny już upadły, a może nigdy nie istniały. To mu się podobało, na razie wystarczyło. Już nastało jutro, Radek buduje swoją przyszłość tu i teraz, bierze sprawy w swoje ręce. Piwo, whisky, piwo i whisky jak na zagranicznym filmie, a orzeszki do przegryzania są za darmo.

Spojrzał na swój nowy g-shock, elektroniczny zegarek z Singapuru, wodoodporny do dwustu metrów głębokości, praca wzywała. Zapłacił, zostawił nawet symboliczny napiwek. Luksusowy wypoczynek w barze słono kosztował, ale zainwestował w siebie, w wizerunek Westmana. Wysechł i miał wrażenie, że przestał śmierdzieć, na pewno w głowie lekko mu szumiało. Chwycił mocno torby z elektroniką i złotem, pomaszerował do poczekalni. W długich rzędach foteli spali tam podróżni. Po chwili zjawił się inny Polak pracujący dla Szewca, drobny kotoniarz, który przed powrotem do kraju chciał trochę dorobić, wykonując jeden lot ze złotem.

Radosław nogą przesunął torby w stronę mężczyzny o słowiańskiej urodzie, ten odwzajemnił się swoim bagażem. Po chwili Radek wstał i odszedł z nowymi, choć takimi samymi torbami, wypchanymi bezwartościowym szpejem.

Obwieszczono *gate open* na połączenie do Bombaju i drugi Polak wszedł bez problemu na pokład krajowego samolotu. Na miejscu wyjdzie do miasta niekontrolowany, pasażerów *domestic* nikt nie sprawdzał. Na lotnisku w Bombaju było bezpieczniej niż w Delhi, celnicy bardziej leniwi, bardziej skorumpowani niż w stolicy. Czujni tylko przy połączeniach międzynarodowych, nie interesowali się przelotami krajowymi. Trasa przemytu się wydłużała, ale złoto zwiększało zyski. Wieszak pojedzie na Colabę, do starej angielskiej dzielnicy, wysiądzie przy przedwojennym kinie Regal w stylu art déco. Minie Leopold Cafe, gdzie w tym okresie przesiadywała Carla z zielonymi oczami i inni bohaterowie *Shantaram*, dojdzie przez rondo do sklepu Stasia w Clark House, rozpadającym się budynku w stylu kolonialnego orientalizmu. Staś tak naprawdę miał na imię Sumesz, ale świetnie mówił po polsku. Pokwituje odbiór elektroniki i złota, towary jeszcze tego samego dnia znajdą się na Chor Bazar – Bazarze Złodziei. Kolejna panna młoda będzie godnie reprezentować rodzinę podczas transakcji ślubnej, a inne hinduskie stadka zasiądą przed telewizorem, żeby oglądać *Punishera* z Dolphem Lundgrenem lub *Czarnego Orła* z Jeanem-Claude'em Van Damme'em.

Staś zadzwoni do Singapuru, że operacja przebiegła bez zakłóceń. Radek na lotnisku imienia Indiry Gandhi w New Delhi wypił jeszcze jedno piwo na skołatane nerwy i odleciał z powrotem do Miasta Lwa. Z zarobionego tysiąca dolarów część wydał już na alkohol, zegarek, buty i ciuchy.

Sacred Games

Nie byłem pewien, czy to radosne święto czy stypa, ale w hotelu Metropolis otworzyliśmy dużą butelkę jasia wędrowniczka zakupioną na *duty free*. Nie mieliśmy lepszego pomysłu na obniżenie poziomu wciąż buzującej w nas adrenaliny.

Lataliśmy ze złotem, więc nie spaliśmy już jak kotoniarze w obskurnym Relaxie ani w Vishallu dla ludzi od elektroniki. Nasz znaczący awans dorównywał mojemu stresowi, a tego nie rekompensowała czystość pokoju, wolnego od jaszczurek i karaluchów. W Metropolis mogłem pilotem uruchomić klimatyzację, a z prysznica leciała zimna lub ciepła, nie zaś letnia, ledwo ciurkająca woda. Obsługa nosiła wykrochmalone koszule, w restauracji na tarasie podawano zarówno smaczne curry, jak i europejskie potrawy oraz zimne piwo Kingfisher, choć w dzbanku, dla niepoznaki. Hotel odstawał od standardów singapurskich, mimo to poznawałem lepszą stronę New Delhi.

Bez pukania wszedł Akal Singh, ubrany jak zawsze w czysty turban i wyprasowane przez matkę amerykańskie dżinsy, prezent od nas z Singapuru. Wyglądał elegancko, ale miał poważną minę, ponieważ doskonale wiedział, że Metropolis oznacza przemyt złota. Po przywitaniu nagle odrzucił religijne zasady, napił się whisky, zapalił marlboro i obsztorcował nas jak małe dzieci.

– Wy chyba nie wiecie, w co się wpakowaliście?! Złoto to jest poważna sprawa, nie przelewki.

– Akal, luz, celnicy jeszcze nic nie kumają!

– Nie chodzi o celników, lecz o mafię! To jest teren grubych ryb, gangsterów. Oni się nie patyczkują. Jeśli ktoś wejdzie im w drogę, strzelają.

– Jaka mafia, o czym ty mówisz? – zdenerwował się Janek.

Ja pewnie zbladłem. Nalaliśmy sobie po kolejnej dużej whisky, dosypaliśmy lodu, ponieważ w Metropolis można było zamówić *ice* u obsługi, dostawa do pokoju, gwarantowali, że robią kostki z czystej, przefiltrowanej wody. Siedzieliśmy więc jak bossowie, dzwoniąc szklankami, Akal opowiedział zaś, że w kraju działają dwie główne mafie: muzułmańska i hinduska. Na południu tą pierwszą kieruje syn policjanta Ibrahim Dawood. Wywalczył sobie pozycję w szmuglu heroiny, haszyszu i złota, likwidując członków innych gangów. Król podziemia, śpiewają o nim pieśni i kręcą filmy, potem nawet jeden obejrzeliśmy w kinie. Tak zresztą polubiłem Bollywood i często dla zabicia stresu gapiłem się w ekran.

Mafią hinduską rządził Chota Rajan, czyli Mały Książę. Zaczynał od nielegalnej sprzedaży biletów do kina. Dowiedziałem się, że podział religijny to pozory, tak naprawdę Rajan współpracuje ostatnio z Dawoodem. Rządzą Bombajem, opłacają policjantów, opanowali całe dzielnice, w slumsach czują się jak we własnych królestwach, nikt nie może im zaszkodzić. Pieniądze z narkotyków, wymuszeń i haraczu inwestują w złoto, zarabiają miliardy. Wchodzą w produkcję filmów z Bollywood i pokazują się w klubach z aktorkami. Potem już zawsze zastanawiałem się, czy w filmie, który oglądam, grają kochanki mafiosów. Ten zakazany świat mnie pociągał, ale zarazem przerażał.

– Czekaj, Akal, co to ma wspólnego z Delhi? Chyba za dużo filmów się naoglądałeś. Jesteśmy w stolicy, na północy, a nie w porcie na południu. Rozumiem, że złych premierów zabijacie z karabinów maszynowych, że walczycie o swój Khalistan, ale jaki to ma związek z nami? Co ma Ibrahim Dawood do dwóch czy czterech kilogramów złota, które przewieźliśmy z Singapuru? Gdzie Rzym, a gdzie Krym?

– Jaki Krym?

– Nieważne. Cieszę się, że nas ostrzegasz, i zawsze dzięki tobie więcej rozumiemy z tego waszego burdelu, ale czemu mafia miałaby się nami interesować?

– Nic nie rozumiesz. Mafia się zainteresuje, jeśli polskie grupy zjedzą za duży kawałek tortu. Ale ok, może na razie jest was za mało. Może wy jesteście za mali? – Akal spoglądał to na mnie, to na Janka. – Z punktu widzenia Ibrahima Dawooda i jego kolegów w Delhi rzeczywiście jeszcze raczkujecie. Mam taką nadzieję, bo was lubię.

Teraz nam zrobiło się przykro, że wciąż jesteśmy płotkami, a wyobrażaliśmy sobie, że niezłe z nas rekiny. Zarazem było nam miło, że Akal nas lubi, i poczuliśmy się uspokojeni, że nic nam nie grozi. Mafia subkontynentu lekceważyła nas jako młode wilczki, choć mieliśmy ambicje i czuliśmy się zdobywcami świata.

– Pomyślmy. Szewc pracuje z Sakarem, a nasz delhijski łącznik jest stąd, czyli ma swoje układy, tak? – zastanawiał się Janek.

– Na pewno. On ma plecy w BJP, partii hinduskich faszystów.

– To w Indiach też są faszyści? – Ten kraj ciągle mnie zaskakiwał.

– Radikalni nacjonaliści. Hindu fundamentaliści, jak w islamie. Tacy sami, może nawet gorsi. Uważajcie na Sakara, on się ciągle modli, tacy są podejrzani.

– U nas tak samo. U księży siedzi opozycja, budują wielkie kościoły i jeżdżą mercedesami, dogadują się z władzą, jak mogą. Kiedyś przyjedziesz, to wszystko zobaczysz.

Janek nie mógł wtedy wiedzieć, że po 1989 roku Akal rzeczywiście przyleci do Polski i otworzy sieć hurtowni z indyjskimi towarami. Zrobił karierę, kto wie, czy nie największą z nas wszystkich, ożenił się z Polką, mieszka do dziś w Warszawie, założył i sponsoruje świątynię. Był ze Wschodu, więc może właśnie dlatego potrafił realnie ocenić sytuację.

– Sakar nie może działać w próżni – zastanawiał się głośno Janek. – Ma kontakty polityczne, czyli pewnie ma też inne. To szczwany lis, wyczułem go od razu, gdy nam sprawdzał dokumenty. Ale Szewc spiknął się z Hindusami w Singapurze, od nich miał VCR-y, teraz współpracuje z nimi przy złocie. Czyli to nie jest wyizolowana polska mafia, nasz szef musi mieć układy, tak?

– No tak. Chyba nie jest głupi, nie da się funkcjonować bez kontaktów z prawdziwymi gangsterami i policją. Może nawet nie wiecie, że płaci haracz Ibrahimowi Dawoodowi. – Akal roześmiał się na myśl o wspólnym kręceniu lodów przez białasów i muzułmańską mafię.

– Szewc nie cierpi muzułmanów!

– To może z hinduską mafią współpracuje...

– Możliwe. W sumie ciągle mamy przy sobie na Pahargandżu mnóstwo waluty, kupę kasy i nic... Nikt nas jeszcze nie okradł.

– Właśnie, to aż dziwne. Czyli Sakar musi tutaj płacić haracz gangsterom, inaczej dawno byście dostali po mordzie i stracili pieniądze... – Akal kiwnięciem głowy potwierdził własną analizę sytuacji.

Janek się zamyślił. Nagle spytał:

– Dlaczego Sakar teraz nie daje nam walut do przemycenia na wschód?

– Bo to już za dużo gotówki, żeby ryzykować. Udaje, że wam ufa, ale nie chce się narażać na straty. Gdybyście wpadli, Firma miałaby wielki deficyt. To nie to samo, co kasa na magnetowidy. Tu gra idzie o większą stawkę.

– Jasne. Jak pieniądze są transferowane między krajami? Jak gotówka za złoto dociera do Singapuru?

– Hawala – rzucił Akal i rozparł się wygodniej w fotelu.

W Relaxie nie dało się przecisnąć do kibla, a w Metropolis mieliśmy oprócz łóżek fotel z czerwonym obiciem i mały stolik. Zamieniliśmy się w słuch, a nasz gość zapalił kolejnego papierosa i wytłumaczył, że hawala to nieoficjalna sieć transferu kasy. Prywatne banki, bez biur, zezwoleń, tylko z agentami na całym świecie. Dajesz w Delhi swoją gotówkę, nawet setki tysięcy dolarów, a hawaladar porozumiewa się z innym agentem, na przykład w Bombaju, Madrasie albo i Afryce czy Dubaju. Twój klient czy kolega odbiera pieniądze na hasło bądź znak. Bez podatków, cła, przewalutowania. Agent, u którego wypłacasz gotówkę, przy innej okazji odbierze zainwestowane pieniądze, mogą być w towarze. Poczeka, tak to działa od tysięcy lat. Hawala funkcjonowała, zanim biali opłynęli Afrykę i dostali się do Indii.

Brzmiało to tajemniczo, ale zarazem imponująco. Akal był dumny z osiągnięć jego cywilizacji.

– Uważacie się za twórców bankowości, bo wprowadziliście weksle na okaziciela? My nie potrzebowaliśmy weksli, hawala opiera się na zaufaniu. Nigdy w historii się nie zdarzyło, żeby pieniądze przepadły.

– Pierdolisz, nie wierzę.

– Bo jesteś z Europy, a nie stąd. – Akal podkręcił cieniutkiego wąsa i poprawił turban.

Wyczułem pomiędzy nami jakąś nieprzekraczalną granicę. Zawsze istniała, wiedziałem to już wcześniej, każdy dzień na Pahargandżu mi ją uświadamiał. Nie mogło jej zlikwidować wspólne palenie haszyszu, oglądanie serialu z panią Singh. Akal pochodził stąd, a ja byłem obcy. Janek wypierał tę prawdę. Każdą swoją gadką, ściskaniem dłoni z handlarzem betelu i spożywaniem posiłków z tubylcami usiłował sobie udowodnić, że pomimo różnic jesteśmy tacy sami. Nie byliśmy, Akal właśnie to powiedział.

– Dlaczego pieniądze nie giną? Dlaczego agent hawali nie weźmie dolców i nie ucieknie?

– Bo świat przestałby funkcjonować? Bo gość zostałby wyklęty ze swojej kasty? Bo nie mógłby spojrzeć sąsiadom w oczy? Bo nie dostałby czaju na ulicznym straganie? Wspólnota tak działa.

– Zgoda, u was takie rzeczy się sprawdzają. Dlatego dajesz Polakom na kredyt?

– Chyba tak. Skoro hawala działa u nas, to znaczy, że może też zadziałać w Europie. No, częściowo, w pewnym sensie. Kiedy jesteście tutaj. Jeśli ludzie chcą robić ze sobą interesy, zawsze oddają pieniądze. Bo opłaca się oddać, nie opłaca się nie oddać.

– Ostatnie pytanie. Skąd to wszystko wiesz? Weksle, hawala, transfer, Zachód–Wschód?

– Mój ojciec był hawaladarem. I mądrym człowiekiem. Skończył szkołę, dużo czytał. Uczył mnie. Też zresztą chodzę na kursy ekonomii, żeby lepiej to wszystko rozumieć.

– *India, everything is possible* – zacytowałem powiedzonko, które poznałem na Pahargandżu.

– Wypijmy na cześć twojego papy i chodźmy na górę zjeść – zaproponował Janek. – Tym razem my zapraszamy, choć kucharz nie gotuje pewnie tak dobrze jak twoja szanowna mama. Można za to pić piwo i zapalić przy stole. Masz ze sobą haszysz?

Janek dyskutował z Akalem jak poważny biznesmen, używał wielkich słów, miał słownik ekonomiczny w małym placu, to wszystko była jednak tylko młodzieńcza przygoda. Im więcej jarał dżointów, tym więcej gadał, snuł plany, gubił się w wielkich marzeniach o interesach, nie uwzględniał ryzyka. Już wtedy zaczęliśmy działać na różnych częstotliwościach, rozmijaliśmy się coraz bardziej. On był przekonany, że trafił do raju, że świetnie pasuje do świata azjatyckich przewałów; ja wiedziałem, że się nie nadaję, ale nie miałem innego pomysłu na życie, poza tym w hotelach i samolotach jest przyjemnie.

Szewc mówił, że najlepszymi przewalaczami nie są inteligenci, lecz prości ludzie bez wyobraźni. Z drugiej strony fantazja, odwaga i inteligencja były potrzebne, żeby w ogóle znaleźć się w Azji. Janek miał wszystkie te cechy, nieposkromioną energię, temperament korsarza, i przyglądał się wszystkiemu z ciekawością. Ja ciągle marzyłem na jawie, ale czułem się odpowiedzialny za przewożony towar, mój towar, moje złoto powierzone mojej opiece przez Firmę. Obydwaj lubowaliśmy się w tych krótkich podróżach, wygodnych samolotowych fotelach, i jakoś zestroiliśmy się z wiecznym, pozornym spokojem wschodniego nieba i morza w dole. Dlatego bagatelizowaliśmy przestrogi Akala.

Poza tym od kiedy zaczęliśmy przemycać złoto, mogłem sobie pozwolić na różne luksusy. Janek zostawał na Pahargandżu, a ja jechałem rikszą do Nirula na obiad z pizzą, „hamburgerami" i lodami. W restauracji jadłem po europejsku i obserwowałem piękne młode Hinduski w adidasach i dżinsach. Czasami udawało mi się wyciągnąć partnera z zaklętego bazarowego kręgu, razem zjadaliśmy w Hyatt Regency kolację, szwedzki stół za dziesięć dolarów, z alkoholem. Dużo, jak na polskie warunki, ale skoro zarabiałem po tysiąc zielonych, uznałem, że mi się należy. Przy wejściu mężczyzna w liberii otwierał drzwi, salutował i mówił: „Good evening, sir". Przychodzili tam jeść zamożni Hindusi, zachodni biznesmeni, ludzie z ambasad. Miałem wrażenie, że mignęła mi ta para, elegancki polski dyplomata i piękna blondynka, która przyleciała tym samym samolotem co my za pierwszym razem. Mogłem przyglądać się bogatemu Delhi i przyznaję, że mi się podobało. Jankowi mniej, w Hyatcie siedział nadąsany, że musiał zamienić klapki na buty, a kwieciste szorty w kwiaty na długie dżinsy. Zainwestowaliśmy w ciuchy, ponieważ nawet biali musieli tutaj szanować *dress code*. Lubiłem ubrać się trochę lepiej niż do pracy, trzymać fason i dobrze zjeść. Janek wolał spalić dżointa z jakimś pomywaczem czy handlarzem ze streetu, zadowalał się samosami i ryżem oraz whisky w hotelowym pokoju.

Metropolis, Hyatt, Nirula, fast food Whimpy – te małe luksusy spowodowały, że przyzwyczajałem się do trybu pracy szmuglera złota. Starałem się sumiennie wypełniać obowiązki i doskonaliłem fach. Młodość pozwala bagatelizować zagrożenia, skupiać się wyłącznie na teraźniejszości. To wszystko była przecież tylko młodzieńcza przygoda. Żyłem chwilą, nie zastanawiałem się, co będzie dalej, ale optymistycznie zakładałem wyłącznie korzystne scenariusze.

Powrót

Po pierwsze, bzdury wypisuje Radzioszek, ja wtedy jeszcze prawie nie paliłem. Powiem ci, że już mnie to wkurza, ale nie chce mi się z nim gadać. Musisz być pośrednikiem.

Palenie?

Sporadycznie czaras z Akalem na jego tarasie, ze dwa razy na Main Bazaar, nic poza tym. Wieszaki głównie piły, dużo i często. Marihuana była w Indiach wszędzie dostępna, ale Polacy ogólnie podchodzili do niej z nieufnością. Teraz może w tych książkach, wspomnieniach, napiszą o inicjacji i śmiechawce, ale pamiętają właśnie dlatego, że wieszaki ciągle piły, a paliły bardzo rzadko.

Po drugie, w Singapurze za narkotyki groziła kara śmierci, więc to normalne, że u Szewca nikt nie palił dżointów, wszyscy tylko chlali na maksa flaszki z *duty free*. No tak, potem ja się wyłamałem z naszego narodowego sznytu, ale to dopiero za drugim razem, jak wróciliśmy na Wschód. Dużo później. W sensie najpierw wróciliśmy do Polski, bo wakacje się skończyły, a dopiero potem znów do Azji. A gubił się we wszystkim Radzio, nie ja. Przecież Boss to się z niego normalnie nabijał. Gdyby nie ja, w ogóle nie chcieliby pracować z takim... basistą.

Jego towar i odpowiedzialność? Że była jakaś idea, która to usprawiedliwiała? Odkupienie nawet?

Bullshit, kasa to nie idea. Ok, wtedy pieniądze uważaliśmy za wytłumaczenie, teraz już nie.

Ty też się gubisz, jak to było po kolei?

Jakoś tak, że Radzio pod koniec sierpnia osiemdziesiątego siódmego mówił o urlopie w kraju i pobycie z rodziną, studiach, uniwersytecie i tak dalej. Przetrzymałem go do końca września, bo po chuja mieliśmy wracać? Do czego? Wiedziałem, że to bez sensu, ale był tak upierdliwy, że wyrobiliśmy sobie nowe paszporty. Facet w ambasadzie patrzył na nas podejrzliwie, kiedy opowiadaliśmy, że ktoś nam ukradł dokumenty, ale wydał nowe.

Jakiś konsul, koleś od papierów.

Nie, nie poznaliśmy nikogo innego w ambasadzie.

Pamiętam, że wisiały tam te wszystkie brednie o PZPR, propaganda na całego, już mi się robiło niedobrze, że wracam do komuny. Czekaliśmy długo w hallu, klimat jak w każdym biurze. I niby lecieliśmy do PRL-u wrócić na studia?

Bez sensu, nie?

W Szczecinie się okazało, że Radzio się z ojcem rozminął. Jego stary był w porcie, kiedy my śmigaliśmy po Pahargandżu, a teraz znów wypłynął. Może to i lepiej, bo ten marynarz potrafił mieć ciężką rękę. Albo inaczej: pan kapitan dobrze wiedział, co należy sprzedać i kupić na długich trasach. Może właśnie zaakceptowałby biznes syna? Nie wiem, nieważne. Radzio nakupił prezentów dla całej rodziny, przywiózł nowy telewizor, wideo, wieżę, wszystko, co dało się zapakować w Singapurze. Twierdził, że cieszy się ze spotkania z matką i siostrą, przez parę dni siedzieli i gadali o Indiach, ale potem zaczął nerwowo kręcić się po domu i nie mógł znaleźć sobie miejsca. A moja stara była w opłakanym stanie, więc spotkałem się z ojcem i namówiłem go, żeby znów załatwił jej sanatorium. Miał wyrzuty sumienia, tak jak ja, i udało się znaleźć miejsce. Wyjechała na parę tygodni, miałem problem z głowy.

Z miasta wymiotło wszystkich znajomych. Maciek gnił w Berlinie Zachodnim, parę koleżanek ze szkoły wybyło na saksy do Reichu czy Szwecji. Spotkałem tylko Bodzia, pracował już na grubo dla mafii, żołnierz do zadań brutalnych, znów ostro wciągał, parę razy razem zabalowaliśmy. No tak, wciągaliśmy amfę, aż się kurzyło. Powiedział, że Lewy z Młodym gdzieś w Reichu z Nikosiem działają, bo ten otworzył sklep z elektroniką w Hamburgu, Skotex Electronics. Trochę jak nasz Szczecinex, co? Jakoś lubowaliśmy się w tych iksach. Oj, pobawiliśmy się z Bodziem, chyba ostatni raz wtedy go widziałem.

Ale generalnie Szczecin nawet na początku roku akademickiego wyglądał na wyludniony, wszyscy uciekli szukać pracy i lepszego życia. Przynajmniej nie my jedni goniliśmy za kasą i szczęściem, ale choć panowała złota polska jesień, w mieście było melancholijnie. Widzieliśmy kontrast – odzwyczailiśmy się od tego syfu, braku piwa w sklepie i wiecznych kolejek. Jedzenie, jeśli w ogóle było, bo kryzys się pogłębiał, to bez smaku. Polubiliśmy zapachy, przyprawy, aromaty, curry, kardamon i co tam jeszcze rosło w Azji. Schabowy? Marzenie robola, mdły, szary i niesmaczny. Pojechaliśmy z Bodkiem do Maxima w Gdyni, ale nawet tamtejsze żarcie mi nie posmakowało, za to wódka ok, dziewczyny też. To jedyna zaleta, w Indiach nikt nie czytał „Bravo".

Poza tym psy na ulicach. Milicja. W Indiach policja waliła pałami po łbie bez ostrzeżenia, ale nie białych, tylko swoich. Tam byliśmy panami, w ojczyźnie – nikim. W Singapurze też biały był lepszy od kolorowego, takie mieli na Wschodzie obyczaje ogólnie kolonialne. Przyzwyczailiśmy się, że jesteśmy wolni, pijemy whisky, królujemy na Pahargandżu, jesteśmy wielkimi biznesmenami z Europy, a wydajemy grosze. W Singapurze zaciskamy pasa, bo tam ceny zachodnie, ale wylegujemy się na leżakach nad basenem w Riverwalk u Szewca. W Szczecinie w banku rosły dolarowe oszczędności i byliśmy ubrani lepiej niż tłum na ulicy. Nic więcej, jak by to powiedzieć... Traciliśmy już związek z krajem, tak było.

Trudno nie tracić, skoro syf coraz gorszy, nie?

Z Bodziem chodziłem po dyskotekach, za moje dolce mogłem zaszaleć, on też miał kasę, w końcu mafia. Wybawiłem się, bzykałem jakieś mewki, ale rano w domu znów nie wiedziałem, co ze sobą zrobić. Dolar szedł w górę, dobijał już do tysiąca trzystu, kryzys trwał w najlepsze, więc co? Jakieś referendum było w listopadzie, oczywiście nie poszliśmy, bo na chuj. *Sorry*, że tak mówię, ale w sumie o to chodzi. Na chuj była nam ta cała Polska? Co? Miałem tak jak Magda, mogłem zostać na zawsze gdzie indziej, byle nie w ojczyźnie. Radek tego nie rozumiał.

Niby znów studiowaliśmy, ja w Poznaniu, ale zupełnie bez przekonania, bo co to za ekonomia z uczelni, skoro pracowałem na wschodzących rynkach Wschodu? Azjatyckie tygrysy, przewalutowania, kursy i giełdy. Wierciliśmy się niespokojnie, podminowani. Ktoś podpowiedział mi biznes z dżinsami, tymi, co do Moskwy wieźliśmy. Może to Grażyna zachęcała, bo znała temat tekstylny? Ja też znałem, ale jakoś przeszły mi marzenia o nowym domu mody polskiej. Szczecińskie przedsiębiorstwo Odra szyło naprawdę niezłe modele, i co z tego, skoro nie nadążali za najnowszą modą i nie robili dekatyzów. W Warszawie ich spodnie były na wagę złota, nie do kupienia, ale u nas, w sklepie firmowym, szczególnie jeśli pracowała w nim znajoma ze szkoły, można było dostać hurtem nawet dziesięć par.

Skupiliśmy więc chyba z pięćdziesiąt na mieście i zawieźliśmy pod Poznań do kolegi, który zainwestował w technologię spierania i wybielania dżinsu. Nieźle to wychodziło, naprawdę, światowy poziom. Zawieźliśmy wszystko do NRD i nasz stary kupiec, Thomas, aż podskoczył z radości. Cała operacja bardzo się opłacała, bo w sklepach sprzedawano spodnie Odry po cenach urzędowych, czyli tanio. Działał ten sam mechanizm co z biletami lotniczymi, i w sumie bardziej kalkulowało się kupić polskie dżinsy niż przywozić z Turcji. Zarobiłem, większość wpłaciłem do banku, resztę znów przehulałem z Bodziem w parę dni. W ogóle to z nim spędzałem czas wolny, z Radziem byliśmy chyba zmęczeni sobą, razem tylko za biznesem się kręciliśmy.

Ten koleś spod Poznania proponował wejść w biznes na Turzynie, naszej wersji bazaru Różyckiego czy Skry, obroty tam zwiększały się z roku na rok, baby sprzedawały nasz cotton z Indii. Za dwa tysiące dolców mogliśmy kupić budę, stać nas było już na pół alejki, ale nie miałem do tego przekonania. Miałbym robić za straganiarza na rynku Turzyn jak jakaś handlara? Lepszą opcję widziałem w kupieniu i wydzierżawieniu komuś, ale tego trzeba było pilnować, ściągać kasę, uważać na oszustów. Latając Singapur–Delhi, zarabiało się łatwiej, miałem wrażenie, że tam są pieniądze, a nie w Polsce. Polska mi obrzydła. Powiedzmy sobie szczerze, chciałem wracać jak najszybciej do Azji, a Radzio, jak to on, nie był pewien, czego chce. Więc się męczyliśmy, dżinsy i tym podobne to dla zabicia czasu. Straszna była ta zima.

Polecieliśmy z powrotem na Wschód jakoś po zakończeniu pierwszego semestru na uczelniach. Niby dziekanki, urlopy, dłużej nie mogliśmy wytrzymać w kraju. Zimą to jeszcze święta, przymus, że z rodziną, matka Radka zaprosiła mnie z moją starą, miło z jej strony. Chyba wiedziała, że gdybym miał spędzić Wigilię u siebie, tobym jej synka od razu wyciągnął do Indii. Ona była naprawdę fajna, ta jego matka.

Znów na rozruch mieliśmy drobnicę, jak na początku – samolot wypchany po brzegi różnymi dobrami, żadnego miejsca wolnego, półki się nie domykały, stewardesy LOT-u biegały i próbowały dopchnąć. Same też nie próżnowały, wiozły swoje, więc ten tupolew czy inny złom był normalnie załadowany jak statek kontenerami.

Na Indira Gandhi International od razu wyczułem, że coś nie gra. Loty znad zatoki, Perskiej znaczy się, skrupulatnie sprawdzane, jak te z Singapuru. I normalnie *déjà vu*, w kolejce stała wycieczka Orbisu, z tym samym pilotem co wtedy, facet wciąż latał. Powiem ci, że gdzieś go potem widziałem, niedawno, w internecie, że wielki koleś, sklepy, firmy, te sprawy.

Nie powiem ci dokładnie kto, jak, nazwisko.

Zresztą pewnie lepiej bez nazwisk, co?

Nie z każdego taki luzak jak ze mnie. Mają wiele do stracenia i wstydzą się przeszłości.

W każdym razie mam wrażenie, z tego, co tu do mnie doszło, jakieś odpryski, że wielu z tych, co robili sztosy w Azji, potem wysoko się wspięło. Spytaj Radzia, on będzie lepiej wiedział, siedzi w Polsce po uszy...

W każdym razie robi się gorąco, przesuwamy się bliżej środka kolejki, próbujemy ocenić sytuację. Przed nami jeszcze parę osób, za nami tyle samo. Ustawiam się za młodym chłopakiem w okularach, wygląda na studenta, ma wielki wypchany plecak. Może posłuży za przynętę. Rzeczywiście, celnicy rozbebeszyli mu cały bagaż, szukają i nic nie mogą znaleźć, ale tak się wciągnęli, że nas nie zauważyli. Już mi się wydawało, że przejdziemy, i właściwie w drzwiach słyszę:

– *Excuse me, sir, passport please!*

Nie reaguję, ale Radzio się zatrzymuje jak głupi, zamiast walić do przodu na chama. To nas zgubiło. Celnik łapie mojego koleżkę za rękę, przekracza fizyczną granicę, co wcześniej się nie zdarzało, i ciągnie go z powrotem do hali. Mogłem iść dalej, ale zawracam, w końcu to nasz wspólny biznes. Partnerstwo i sztama, co nie?

Wszystko zatrzymali! Potem się okazało, że nawet nie depozyt, lecz przepadek mienia. Tak już grali ci z DRI, nie patyczkowali się z nami, po prostu nadal nie wiedzieli, że tak naprawdę gra toczy się o żółtko. Rąbnęli nas po tysiąc dolarów w plecy, dla nas poważna suma, wciąż ciułaliśmy nasz majątek. Zrozumiałem, że te pierdy handlowe, cotton cluby i tym podobne, to już nie ma sensu. Tylko złoto miało sens. Boss się nie mylił. Wkurwiłem się strasznie, nagadałem Radkowi, pokłóciliśmy się. Ale przynajmniej byłem z powrotem w Azji i mogłem spokojnie zapalić dżointa na Pahargandżu.

Złota trasa przez Nepal

Wkrótce po powrocie Szczecinexu na wschodnie trasy Boss zmienił metodę przerzutu. Skomplikowana operacja szykowania szmuglu odbywała się w apartamencie Szewca w Riverwalk, wypełnionym pudłami ze sprzętem. Pan Rysio sprawnie zarządzał taśmą produkcyjną, a chłopaki mu pomagali. Nauczył ich delikatnie rozcinać taśmę klejącą na firmowych opakowaniach. Radek wykonywał najłatwiejszą pracę, wyjmował kamerę z pudła i odklejał oryginalny stiker, przesuwał ją do Janka, by nakleił nową etykietkę z przygotowanym wcześniej numerem wpisanym do TBR-a, podawał sprzęt Ryśkowi. Ten wykańczał robotę, zajmował się najtrudniejszą częścią, delikatną, wymagającą wprawy i inżynieryjnych umiejętności.

Pod koniec lat osiemdziesiątych kamery nagrywające obraz na kasety VHS były ciężkie, miały duży akumulator, jeden główny, drugi zapasowy. Pan Rysio rozcinał obudowy tych gigantów i patroszył zawartość. Do środka wkładał sztabki złota, a na końcu bateryjkę; podłączał ją do obwodu elektrycznego kamery. Zamykał z powrotem akumulatory i sklejał tak precyzyjnie, że nie zostawał żaden ślad. Bateryjka zajmowała trochę miejsca, ale niektórzy dociekliwi celnicy życzyli sobie, aby właściciel włączył sprzęt. Dzięki niej kamera przez chwilę działała. Nie wzbudzało podejrzeń, że „używana" aparatura z rozładowanym akumulatorem szybko gasła.

Pan Rysio był solidnym technikiem, robotę traktował poważnie. Radek postawił sobie mistrza za wzór i starał się brać z niego przykład. Każdy wieszak musiał przykładać się do pracy. To właśnie oni osobiście wieźli kamery, zależało im więc, żeby były dobrze przygotowane do ewentualnej kontroli.

– Kiedy was nie było, testowaliśmy plecaki Polsportu, te z metalowymi stelażami – odezwał się nagle Ryszard, zebrało mu się na wspomnienia. – Złoto owijało się kalką z maszyny do pisania, wiecie, taką czarną. W połączeniu z metalem powodowała, że w trakcie prześwietlenia nic nie było widać. Firma Prezesa chyba wciąż stosuje ten patent. My, co tu dużo mówić, jesteśmy bardziej zaawansowani technologicznie! Tylko nikomu ani słowa!

Patent na złoto ukryte w bateriach kamer JVC był tajemnicą Firmy, przynajmniej na początku 1988 roku. Potem wszyscy Polacy zaczęli naśladować tę metodę, w ich środowisku na dłuższą metę nic nie dało się ukryć.

Do pokoju wszedł Szewc. Wracał z codziennej wizyty w Bank of China, gdzie kupował złoto. Dzień pracy zaczynał od gazety „Straits Times", dostarczanej mu pod drzwi apartamentu, twierdził, że w cenie wynajmu. Wówczas czynsz wynosił około dwóch tysięcy dolarów amerykańskich za miesiąc, dziś dwa razy tyle. Boss przeglądał w prasie kursy kruszcu i walut, potem sprawdzał najświeższe notowania na teletekście telewizora i szedł po zakupy do Chińczyków, wzdłuż nabrzeża rzeki Singapur, dziesięć minut spacerem.

Wrócił właśnie ze świeżym żółtkiem, w samą porę, zapakowali już zapas z poprzedniego dnia. Rozejrzał się badawczo po pomieszczeniu, licząc kamery przygotowane do lotu i te czekające na obróbkę.

– Jak wam idzie? – zapytał jak dyrektor czy właściciel odwiedzający swoją fabrykę.

– Będzie gotowe na czas – zapewnił równie poważnie pan Rysio, a chłopcy pokiwali głowami.

– Poleci z wami nowy, John z Australii. Weźcie go pod opiekę – zwrócił się do młodych.

– Westman?

– A myślicie, że Westman to nie chce zarobić? Młody, ale powinien się nadać. Mam nadzieję, że nie narobi obory. Z zachodnim paszportem nie powinni go w ogóle sprawdzać. Himalaiści zaczynają powoli zjeżdżać z gór, będzie więcej rączek do pracy. Oni też muszą się odkuć, nie?

– Jasne. Szefie, podobno w Bombaju można kupić lewe paszporty od Irańczyków? – Jan zachowywał się jak doradca Szewca, szukał nowych rozwiązań i pomysłów na rozwój biznesu. – Po sześćset, maks tysiąc dolarów, kradzione albo uczciwie sprzedane przez hipisów.

– Ja od tych bałwochwalców, czcicieli ognia, nic kupował nie będę! – żachnął się Boss.

Chodziło mu chyba o to, że Persowie z Bombaju są zoroastrianami, wyznają starożytną, przedislamską religię. Z muzułmanami też nie chciał mieć do czynienia, mówił na nich Arabusy, niezależnie od tego, skąd pochodzili. Starał się pracować tylko z Chińczykami i Hindusami. Zdaniem Janka właśnie te nacje były najmniej uczciwe, ale to Szewc rządził Firmą, a nie Szczecinex.

Kamery dostarczali Pata Brothers Trading Pte Ltd z niedalekiej Low Street. Hindusi zarejestrowali firmę i płacili podatki. Polacy do legalnie kupionych u nich kamer pakowali równie legalnie nabyte złoto. Prawo łamali później, nie płacąc cła na granicy Indii. Z punktu widzenia prawodawstwa Singapuru nie popełniali jednak żadnego przestępstwa. Wręcz przeciwnie – nakręcali koniunkturę w mieście, mieli swój mały, ale znaczący wkład w rozwój lokalnego biznesu i ekonomii państwa. Od połowy lat osiemdziesiątych elektronikę od braci Pata kupowała większość grup przewalaczy, a także pojedynczy turyści. Sława dobrych dostawców dotarła nawet do placówek dyplomatycznych, więc w sklepie w centrum można było spotkać pracowników polskiej ambasady z New Delhi.

Bracia Pata interesy zaczęli od tekstyliów w latach siedemdziesiątych, ale dopiero boom wideo dziesięć lat później uczynił z nich potentatów w branży elektronicznej i wielkich biznesmenów. Głowa rodziny i chairman firmy Janak Pata lubił Słowian, choć uważał, że niezdrowo się odżywiają i źle prowadzą. Radka, pilnującego odbioru dziesiątek kamer ze składu, częstował obranymi migdałami. Zdaniem starca zapewniały długowieczność.

– No właśnie, Rysiu, co z naszymi paszportami? – przypomniał sobie Szewc.

Majster już pół roku temu twierdził, że pracuje nad fałszywkami. Jeździł nawet do Bangkoku sprawdzać tamtejsze techniki i technologie, spreparował parę wersji polskich dokumentów, ale ciągle nie był zadowolony z efektów. Teraz zamilkł zawstydzony i skupił się na bateriach, udawał bardzo zajętego, zresztą naprawdę musieli się pospieszyć, wieczorem mieli lot do Indii. Niezręczną ciszę przerwało „bip, bip" z pagera Motoroli, najnowszego wynalazku, zwanego też *satelite tone beeper*. Boss nosił go przy pasku. Pożegnał się i poszedł oddzwonić do kontrahentów w Indiach.

Polacy kojarzyli się służbom celnym ze złotem i elektroniką, a zachodni travelersi – z haszyszem. Urzędnicy nie potrafili sobie wyobrazić, że różni obcokrajowcy mogą ze sobą pracować i wymieniać się przemycanymi towarami. Dlatego Boss był przekonany, że nikt nie będzie szukać złota u Johna z Australii. W najgorszym razie psy celników spróbują wywąchać haszysz, ale nikt nie zajrzy do kamery młodego. Obecność Westmana z solidnym paszportem zabezpieczała całą grupę, Polacy u jego boku stawali się mniej podejrzani, mogli uchodzić za zwykłych turystów z plecakami. Boss coraz częściej zatrudniał ludzi spoza Polski, ziomki stały się zbyt podejrzane dla DRI.

John już w drodze na lotnisko Changi zapowiedział, że to jednorazowa przygoda, chciał tylko dorobić na podróż przez Azję. Polscy przewalacze pracowali na mieszkania, studia i własny biznes startowy, usiłowali zgromadzić „pierwszy milion". Z zazdrością słuchali opowieści młodego Australijczyka o obowiązkowym *gap year*, roku przerwy w nauce; wpisany w CV pomoże w znalezieniu dobrej pracy. Samotna podróż od Australii przez Singapur, Indie, aż do Turcji i może Europy, jeśli wystarczy mu pieniędzy, planowany wolontariat u Matki Teresy w Kalkucie i medytacje w Dharamsali – wszystkie te przygody miały zwiększyć jego wartość na rynku. Jan nie potrafił znaleźć z tym obieżyświatem wspólnego języka, więc szybko przestał zwracać na niego uwagę. Radek zastanawiał się, czy w ogóle będzie mógł komukolwiek w Polsce opowiedzieć o pracy przewalacza w Azji. Jego mama była przekonana, że syn pracuje legalnie; nie miała pojęcia, jak ryzykuje, żeby kupić jej prezenty.

Z kamerami i złotem lecieli też gruby Marek, jego dziewczyna Jola, doświadczona Czarna Maria i Magellan – w sumie siedem osób dla jednej spółdzielni. Na odprawie w kolejnym nowym terminalu Changi nic im nie groziło, więc siedzieli razem i rozmawiali. Marek opowiadał Johnowi przemytnicze legendy, o tym, jak numer ze złotem wykombinowali dzielni himalaiści, kiedy Kukuczce czy innemu lodowemu wojownikowi przyszło lecieć do Indii przez Singapur. Australijczyk wybałuszał oczy ze zdumienia na wieść, że czekolada w Polsce była sprzedawana na kartki, podobnie jak buty, benzyna, alkohol, mięso czy masło. Puste półki w sklepach i kolejki, a w tej biedzie pasjonaci, którzy usiłują wyjechać z Europy Środkowo-Wschodniej w Himalaje, żeby zdobywać ośmiotysięczniki. Pomocnik Bossa znalazł w Johnie wdzięcznego słuchacza, więc przechwalał się, jak zawierał znajomości ze wspinaczami w Afganistanie, jeszcze pod koniec lat siedemdziesiątych.

Tuż przed sowiecką inwazją grupa młodych, bardzo zdolnych studentów orientalistyki dostała stypendium rządowe w Kabulu i pilnie uczyła się perskiego oraz teologii islamskiej. Wynajęli wspólnie skromny dom z ogrodem, o czym dowiedziały się polskie ekspedycje wyruszające w Hindukusz. Zajeżdżały tam więc swoimi jelczami, które przez Rosję dowoziły setki niebieskich beczek z wyposażeniem i kontrabandą. Mniejsza część grupy jechała samochodem, reszta dolatywała samolotem do Kabulu. W ogrodzie Marka przepakowywali sprzęt, szykowali się do dalszych etapów wyprawy. Gospodarz dobrze znał Afganistan, pokazał himalaistom, gdzie i jak sprzedać towary z Polski oraz co warto kupić na miejscu. Przede wszystkim kożuchy. Natychmiast wysyłano je paczkami do rodzin w Polsce, one zaś upłynniały ciuchy na bazarach lub dzięki sieciom bezpośrednich kontaktów. Nawet jeśli socjalistyczne władze znały ten proceder, przymykały oko, ponieważ dzielni zdobywcy gór byli dobrą reklamą PRL-u. Na chicken street w Kabulu szyldy były po polsku, tak jak teraz na Pahargandżu.

– Raz kupiłem dziesięć tysięcy metrów satyny i z kolegami upchaliśmy to w plecaki – snuł wspomnienia Marek. – Przeprawiamy się przez Amu-darię, ale trzeba zapłacić łapówkę dla tamożników. Wiesz, ruskich celników. Jeden kolega zostaje u nich jako zakładnik, my na drugą stronę i sprzedajemy na pniu całą satynę. Wracamy z gotówką, dajemy w łapę, ile trzeba, i następnego dnia z powrotem w Kabulu z zarobkiem. Rozumiesz? To były czasy, dopóki Sowieci nie weszli do Afganistanu. Ale bez nich nie byłoby nas tutaj, zaczęła się wojna domowa, himalaiści musieli przenieść się do Karakorum w Pakistanie i w Himalaje, rynek przesunął się dalej na wschód. Ekspansja!

John rozdziawił usta ze zdumienia.

Na lot do Delhi czekał też Han Solo. Miał własną spółdzielnię, kolegował się z Szewcem i bywał w Riverwalk, ale przewalał dla siebie, podróżował zawsze z jednym, dwoma kumplami. Byli i ludzie od Petera Cheatera, jak zwykle trzymali się z boku. Wynajmowali mieszkania na Connaught Place, a nie na Pahargandżu. Szczecinex nie znał gości z konkurencji, od Prezesa, którzy właśnie też lecieli do Indii. Dla Szewca kursowało regularnie ponad dziesięć osób, drugie tyle dla Piotra z Bydgoszczy, kolejne dziesięć dla Prezesa, wielu dla Muzyka.

Istniały też inne, mniejsze grupy, więc tego roku regularnie przewalało żółtko ponad pięćdziesięciu, może nawet stu Polaków.

Na szlaku pracowali także młodzi Hindusi. Do Singapuru przylatywali w jednych szortach, koszulce i klapkach, a wylatywali z powrotem w adidasach, dżinsach Wranglera, kurtce, z walizką ubrań oraz drobnej elektroniki. Robili szybkie kursy po zakupy. Na wschodzie i zachodzie narody zmęczone socjalistycznymi wyrzeczeniami, marksistowską ascezą, chciały ładnie wyglądać, bawić się, oglądać *Bandę jednej ręki* i słuchać Michaela Jacksona.

Radek znów zajął miejsce przy oknie, żeby podziwiać widoki. Jan obsesyjnie grał w Donkey Konga, a potem spał jak zabity, budził się na chwilę tylko na jedzenie. Radek miał problemy ze snem, słuchał nowych płyt Pet Shop Boys i The Cure, w kółko przewijał kasetę, żeby ponownie zanucić *Just like heaven*. Zapamiętywał kurs: zwrot maszyny nad Singapurem, kierunek – północ. W dole Malezja, cieśnina Malakka, stolica – Kuala Lumpur. Potem dużo wody: Morze Andamańskie, z prawej Phuket, gdzieś dalej Ho Chi Min City w Wietnamie, bliżej Bangkok i Rangun. Archipelag wysp, które geograficznie są częścią Birmy, ale dostały się Indiom w spadku po Brytyjczykach. Andamany i Nikobary, chciał się tam wybrać.

Za archipelagiem Andamanów samolot wlatywał nad Zatokę Bengalską i właściwie widać już było tylko wodę. Między Zatoką Perską a wschodnią Afryką kursowały najpierw arabskie łodzie dau, z czasem pojawiły się wielkie europejskie żaglowce. Przybyli na nich Portugalczycy, potem Holendrzy, aż w końcu do cieśnin dotarli Anglicy i pod dowództwem Rafflesa utworzyli port w Singapurze, na skrzyżowaniu morskich dróg świata. W XIX wieku przypłynęły tu – przeklinane przez starych marynarzy – parowce, takie jak ten, którym Joseph Conrad pływał wokół Borneo.

Wreszcie z zachodu nadleciały samoloty, wraz z nimi stewardesy, bilety, komendy „fasten your seatbelt" z powodu „weather conditions", turbulencje mogą przyprawić o wyrzyganie posiłku, nic gorszego nie powinno cię spotkać. Na szczęście zazwyczaj było cicho i spokojnie, jak w bezwietrzne dni w *Smudze cienia*, a na pokładach samolotów, jak niegdyś na statkach, transportowano oprócz ludzi także towary, zgodnie z wiecznymi prawami popytu i podaży.

Na tranzycie w Indiach każdy z wieszaków musiał siedzieć oddzielnie i udawać, że nie zna pozostałych. Jan dyskretnie obserwował pracę Polaków z konkurencyjnych grup przemycających złoto tym szlakiem, a nie przez Nepal. Niektórzy stosowali starą metodę szmuglu w rurkach plecaków Polsportu, inni oklejali się sztabkami i przechodzili z żółtkiem przyczepionym wokół ud, brzucha, co w azjatyckim upale nie było wcale łatwe. Później na lotnisku zamontowano jednak bramki wykrywające metal, więc spółdzielnia Hana Solo opracowała sposób na buty. Łebscy przewalacze wybadali, że pole elektromagnetyczne punktu kontrolnego działa dopiero na wysokości paru centymetrów. Nie obejmowało podeszew obuwia, więc można było tam lub wprost pod skarpetą ukryć parę sztabek.

Jan znał historie koleżanek i kolegów, którzy próbowali szczęścia na alternatywnych trasach. Lecieli do Dhaki lub przekraczali granicę lądową z Bangladeszem, inni wykorzystywali małe lotniska na południu Indii – w Madrasie, Trichy. Na wszystkich trasach było gorąco, celnicy nie próżnowali, a ceny złota niestety spadały. Szewc nie chciał już płacić tysiaka za kurs, obniżał wynagrodzenie dla swoich wieszaków. Twierdził, że na jednym kilogramie złota zarabia już mniej niż trzy tysiące dolarów, a koszty wypraw wzrastają. Jan się irytował, podejrzewał, że szef ich oszukuje, ale wciąż latał.

Gate open, boarding, wsiedli na pokład samolotu do Katmandu. Radek przy oknie. Jeśli widoku nie zasnuwał dym z wypalanych łąk, to przy odrobinie szczęścia przed oczami pasażerów rósł widok Himalajów, ośnieżone wierzchołki gór wznosiły się coraz wyżej. Pomiędzy nimi Kajlasz, kryształowy szczyt, gdzie Sziwa medytował ze swoją małżonką Parwati. Począwszy od stycznia 1980 roku, Polacy zdobywali zimą Mount Everest. Bez butli z tlenem, bez obciążeń i taniej niż wspinacze z Zachodu, wyprawa Zawady osiągnęła najwyższy punkt na Ziemi.

Radek z podziwem myślał o wszystkich tych szaleńcach. Uważał, że przemytnicy podążyli za himalaistami jako naśladowcy, liliputy drepczące za olbrzymami. Kukuczka, Kurtyka i Wielicki przemycali, żeby opłacić ekspedycje, nie mieli innego wyjścia. Polacy wspinali się na lekko, żeby obniżać koszty, ale i tak wynajmowali dziesiątki porterów, którzy nieśli prowiant do pierwszego i drugiego obozu w górach, wielkie zapasy jedzenia pozwalające przetrwać oczekiwanie na dobrą pogodę. Himalaiści sami projektowali, a często własnoręcznie szyli swoje buty, kurtki i inne elementy wyposażenia. Wyjeżdżając, musieli sporządzić na potrzeby władz wykaz sprzętu, a po powrocie pisać w protokole, że dziesiątki sztuk ekwipunku wpadły w lodową szczelinę albo zabrała je lawina. W rzeczywistości sprzedawali własny sprzęt na bazarach Katmandu, a zarobione w ten sposób pieniądze uzupełniały fundusz ekspedycji lub pozwalały spokojnie przeżyć w Polsce. Do wielkich beczek pakowali suszarki, alkohol, kryształy i aparaty Zenit. Patrząc na Himalaje, Radek zastanawiał się, czy taki przemyt był bardziej usprawiedliwiony niż przewóz złota dla Firmy.

Port lotniczy stolicy Nepalu wyglądał jak dworzec kolejowy w Stargardzie Szczecińskim, może nawet gorzej. Katmandu w 1988 roku było mniejsze niż Szczecin, mieszkało tam niecałe trzysta tysięcy ludzi. Rządził król, o komunistach jeszcze nikt nie słyszał, wielkie trzęsienia polityczne i ziemi jeszcze nie nastąpiły, bomby jeszcze nie wybuchały.

Po mieście jeździło niewiele samochodów. Aż chciało się oddychać krystalicznie czystym powietrzem, chłodnym i klarownym. Katmandu wydawało się bardziej starożytne, tajemnicze i uduchowione niż New Delhi, przewyższało też stolicę Indii pod względem liczby świątyń, dziwnych posągów bóstw i demonów, mnichów, sadhu Sziwy, świętych mężów oraz ich zachodnich naśladowców – hipisów.

Byli w Katmandu już parę razy, ale zawsze w pośpiechu, tranzytem. Radek marzył, żeby zostać tu na dłużej. Jan od razu po wyjściu z lotniska poszedł kupić trochę haszyszu, bardzo chciał już zapalić. Nagle się objawił, wkurzony na kolegę.

– Ej, znowu mam odwalać całą czarną robotę, a ty sobie dumasz? Trzeba rikszę obczaić! Autobus do Sonauli nam ucieknie!

– Już, już. Co ty taki nerwowy? Słuchaj, a może byśmy przenocowali i zobaczyli trochę więcej?

– Znów wycieczek krajoznawczych ci się zachciewa? Jesteśmy Almatur czy co?

– Dobra, wyluzuj...

Janek, wcześniej zawsze praktyczny, zimny i opanowany, ostatnio przejawiał coraz większą skłonność do sprzeczek. Azja wciągała ich i pochłaniała, każdego inaczej, choć wciąż udawali, że są tam tylko dla zarobku. Na trasie przez Nepal mniej ryzykowali, ponieważ łaskawy król pozwalał od razu wykupić zatrzymanego, za równowartość przemycanego towaru. Przewalaczom nie groził więc rok czy dwa lata więzienia.

Wszyscy ludzie Szewca zdążyli zdobyć miejsca w autobusie. Radek zjadł jeszcze szybki masala omlet z papryczką chili i cebulą włożony między dwa podpieczone kawałki chleba tostowego. Uważał to uliczne danie za idealną mieszankę Wschodu i Zachodu. Jan zadowolił się paroma samosami z ostrym ketchupem, wypili też herbatę zaparzoną na mleku, z dodatkiem kardamonu i cukru. Kierowca i jego pomagier po raz kolejny nie mogli zrozumieć, dlaczego białasy nie pozwalają wrzucić swoich bagaży na dach, lecz zagracają przestrzeń przy siedzeniach. Zatrąbiono na odjazd. Ostatni podróżni wskakiwali w biegu, Jan wziął jeszcze macha grubego skręta i już ze stopni zakrzyknął radośnie „Ćalo, ćalo", czyli „Jedźmy, jedźmy", po czym usadowił się obok drivera, żeby uciąć sobie z nim pogawędkę.

Do przejścia granicznego jechali siedem godzin, wąską drogą przez góry i dżunglę. Kierowca był ambitny, poza tym wypalił więcej od Janka, więc łatwo ulegał jego zachętom do szybkiej jazdy i wyprzedzania wielkich, kolorowych ciężarówek. Na wybojach trzęsło, do środka wpadał kurz, okna powinny być zamknięte, ale Radek lubił wyglądać na zewnątrz i czuć dreszczyk emocji.

Po paru godzinach wypadli zza zakrętu i omal nie doszło do zderzenia ze stojącym truckiem. Jan z pomocnikiem kierowcy poszli sprawdzić, co się dzieje. Z góry obsunęło się błoto i skały, jeden pas drogi zamknięto, auta przejeżdżały na zmianę. Droga była zatarasowana już od tak dawna, że obrotny mieszkaniec pobliskiej wsi zdążył rozstawić stoisko z herbatą, a dzieci sprzedawały paczki twardych, przeterminowanych *biscuits*. Nikt nie zawiadywał ruchem, więc co chwila bardziej nerwowy szofer wpychał się pod prąd i blokował wąski przejazd, a wtedy wszyscy trąbili i się wściekali.

Po godzinnym postoju udało im się przejechać. Kierowca pędził jeszcze szybciej, żeby nadgonić stracony czas. Puszczał głośno muzykę, nie dało się spać, więc Radek gapił się przez okno na zieleń wzdłuż pobocza, szarą od pyłu wznieconego przez ciężarówki i samochody osobowe. W latach osiemdziesiątych ruch na Ho4 był dużo mniejszy niż obecnie, ale podróż i tak dawała się we znaki.

Na wysokości Bharatpuru autobus zjechał w doliny. W zapadającym zmierzchu mijali pola ryżowe. Wreszcie koniec trasy w Sonauli, chaos i bałagan przejścia granicznego. Trzeba wysiąść i na piechotę iść z ciężkimi torbami. Na *border crossing* godzinami czekają ciężarówki, tiry, prywatne samochody, riksze i motocykle oraz piesi. Korek i rozgardiasz, w którym nikt by nie zauważył przemycanej bomby atomowej.

Jan pierwszy doszedł do budki dla *Indian Immigrations*. Celnicy pilnowali przede wszystkim swoich zarobków, obowiązywał nawet nieoficjalny cennik łapówkowy. Machali na Europejczyków, których jasne twarze wyróżniały się w zapadającym mroku. Jan bez szemrania zapłacił trzysta rupii bakszyszu. W przeciwną stronę zmierzał w święte Himalaje samotny hipis. Pogranicznicy zawołali go do siebie. Nie chciał zapłacić, zanosiło się na dłuższą kłótnię. Szmuglerzy wykorzystali utarczkę do sprawnego przedostania się na drugą stronę granicy. Tam czekał już kolejny autobus, cztery godziny jazdy do Gorakhpuru. Jan wielokrotnie sugerował Szewcowi, żeby chociaż na tym odcinku, już po przekroczeniu granicy, wynajmować prywatny, wygodny transport dla całej grupy z Firmy, Boss był jednak nieugięty. Twierdził, że nie chodzi o cięcie kosztów, lecz o bezpieczeństwo. Publiczne autobusy, w których Polacy mieszali się z innymi travelersami, hipisami, turystami i miejscowymi, wydawały się mniej podejrzane. DRI mogło się czaić nawet na odcinku między granicą a dworcem kolejowym.

Dopiero w pociągu do Gorakhpuru mogli odpocząć. Czekało ich trzynaście godzin wygodnego snu na kuszetkach w nocnym ekspresie do Delhi. Pierwszy szmugiel przez Nepal przypłacili skrajnym zmęczeniem, więc w pociągu natychmiast zasnęli, ale po paru kursach przyzwyczaili się do zwariowanej jazdy przez góry. W Rajdhani Express nie udawali, że się nie znają, przed snem opróżnili jeszcze wspólnie johnniego walkera, żeby ukoić skołatane nerwy. Jan trochę popijał, ale przede wszystkim palił w oknie kolejnego skręta z haszyszem. Okrężna trasa wymagała więcej czasu, energii i poświęcenia niż luksusowe loty z Singapuru. Zaciskali zęby, bo wciąż się opłacało; siedemset, dziewięćset dolarów to prawie tysiąc.

Rankiem pociąg docierał na New Delhi Railway Station pomiędzy bramą Adżmer a skrajem bazaru Pahargandż. Do dziś miliony Hindusów przemieszczają się tędy przez wielki kraj – subkontynent. Przez stację przejeżdża, kończy na niej bieg lub zaczyna trasę czterysta pociągów dziennie. To serce państwa, główny hub komunikacyjny, pracują tu setki bagażowych, handlarzy, żebraków. Obcokrajowcy gubią się w tym labiryncie, ale Polacy znali dworzec jak własną kieszeń. Rikszami jechali do Sakara i oddawali kamery ze złotem, inkasowali wynagrodzenie, wykłócając się o stawkę. W Metropolis wykończeni padali na dłuższą drzemkę.

Na miasto ruszali w porze lunchu. Delhi się zmieniało. Stawało się coraz bardziej kolorowe, sklepikarze zakładali plastikowe szyldy podświetlone żarówkami, każdy miał własny generator prądu, akurat przerwy w dostawie elektryczności były równie częste jak poprzedniego roku. Przybywało samochodów, pojawiły się małe maruti 800 dla klasy średniej, produkowane na japońskiej licencji suzuki. Przeważały białe modele, ale z daleka rzucały się w oczy ekstrawaganckie czerwone egzemplarze kierowane przez kobiety, co wcześniej rzadko się zdarzało. Zamożniejsi Hindusi chcieli mieć nie tylko magnetowid i kamerę wideo, ale także samochód. Chcieli żyć jak bracia i siostry, kuzyni, którzy wyemigrowali do Anglii, Stanów Zjednoczonych i Kanady. Coraz więcej mężczyzn nosiło się z europejska, zakładali dżinsy i kolorowe koszulki, wyróżniali się pośród tłumu w tradycyjnych białych szatach.

W wąskich, brudnych, ale pełnych życia i energii zaułkach Pahargandżu Jan stwierdził, że Singapur i Delhi są jak jin i jang, przeciwieństwa, które się uzupełniają. Symbole jin i jang oznaczały też podaż i popyt, dwa napędzające się bieguny ekonomii. Na socjalistyczno-orientalnej bazie Jan i Radek mogli trenować kapitalistyczną nadbudowę. Po paru kursach ze złotem poczuli, że są na dobrej drodze i zarabiają grube pieniądze. Nie przyznawali się, że coraz trudniej im ze sobą wytrzymać, ponieważ każda rozmowa kończyła się kłótnią, zazwyczaj o Magdę.

Lazurowa woda

Mrużyłem oczy w słońcu i czułem, jak po klatce piersiowej spływają mi kropelki potu. Wylegiwaliśmy się nad basenem w Riverwalk Apartments, w tym sezonie na trasę wrócili chłopaki z Inter-Poznań. To od nich Janek po raz pierwszy usłyszał o trasie na Singapur. Zajęli najlepsze leżaki w cieniu, pod obrośniętą roślinami pergolą. Byli doświadczonymi przemytnikami, pracowali w Azji od lat, ale nie wierzyłem w legendy, że zaczęli jeszcze przed stanem wojennym. Z dala od nich, na skraju słońca i cienia, na plastikowych krzesłach siedziało towarzystwo z Warsaw Company; chcieli pokazać, że należą do Firmy, ale są co najmniej inni, jeśli nie lepsi od pozostałych. My, Szczecinex, staraliśmy się opalić torsy. Lubiłem wilgotny upał w Mieście Lwa, a kiedy robiło mi się zbyt gorąco, wskakiwałem do chłodnej, błękitnej wody, nurkowałem i płynąłem aż na drugi koniec basenu. Wynurzywszy się na powierzchnię, widziałem przed sobą kopułę City Hall oraz wieżowce rosnące wokół niej, nabierałem powietrza i przez chwilę czułem błogość, chociaż atmosfera na tarasie była napięta.

Inter-Poznań składał się z Greków, potomków komunistów, którzy dostali azyl w Polsce. Ich szef, Mikis, przyleciał do Singapuru z najnowszym numerem „Times of India". Opublikowano w nim krótki artykuł o przemycie złota. Linijka tekstu, na szczęście nie na pierwszej stronie, wprost informowała o obywatelach zaprzyjaźnionej

Polskiej Rzeczpospolitej Ludowej zamieszanych w nielegalny proceder. Wszyscy się wzburzyliśmy. Dlatego zanurkowałem znów, aż na dno basenu, dotykałem dłońmi niebieskich kafelków i nie chciałem myśleć o zagrożeniach. Kiedy przypłynąłem z powrotem, na brzegu siedziała Jola, moczyła nogi w wodzie. Wynurzając się na powierzchnię, omal nie wbiłem się między jej uda.

– *Sorry* – bąknąłem.

Roześmiała się i nachyliła w moją stronę, patrzyłem na jej duży biust opięty granatowym kostiumem kąpielowym.

– Luz.

Wskoczyła do wody tuż obok mnie. Pamiętałem ją z pierwszego wieczoru na Pahargandżu, później się rozmijaliśmy. Podobno zwiedzała Indie i została dziewczyną Marka; dopiero niedawno, w czasie naszego pobytu w Polsce, dołączyła do Firmy.

Warszawiacy – szczupła, wysoka brunetka Katarzyna i dwóch facetów o wyglądzie drwali – byli starsi od nas, ubrani w praktyczne, proste ciuchy, ale z hipisowsko-buddyjskimi dodatkami w postaci naszyjników i bransolet. Ona nie rozstawała się z długim szalem, który w zależności od potrzeb owijała wokół szyi lub rozciągała na głowę, chroniąc się od słońca, tak jak robiły hinduskie kobiety. Miała okulary i krótko ścięte włosy, ukończyła psychologię, a jej towarzysze byli inżynierami. Choć próbowali nie zadzierać nosa, zachowywali się jak inteligencka elita rzucona na przemytniczy szlak przez niesprawiedliwość historii. Zakończyli trekking w Himalajach i jak wielu innych polskich zdobywców gór zjechali poprzedniego wieczoru do Singapuru, żeby trochę zarobić.

– Co myślisz o tym artykule? – zagadnęła mnie Katarzyna.

Miałem wrażenie, że nie interesowała jej moja opinia, ale usiłowała udawać, że wszyscy przewalacze są sobie równi. Streściłem pokrótce rozmowę z Akalem, Katarzyna i jeden ze zwalistych brodaczy wydawali się poruszeni, dopytywali o szczegóły. Podszedł do nas gruby Budda, posłuchał, zdenerwował się.

– Kochani, nie przesadzajmy, pierwsza taka wzmianka w prasie! W polskiej też już pisali!

– To co innego! „Times of India" to nie jest „Trybuna Ludu" ani „Polityka" – obruszył się brodacz.

– Robi się niebezpiecznie! My chyba weźmiemy tylko elektronikę, co? – skwitowała dziewczyna.

Pozostali członkowie Warsaw Company przytaknęli. Grecy przysłuchiwali się rozmowie, szepcząc między sobą. Janek też nadstawił uszu, ale nie wyglądał na przejętego sytuacją. Marek nas uspokajał, otworzył schłodzone piwa, które przyniosła Mej, usiłował zmienić temat, wciągnąć wszystkich w ulubioną dyskusję przemytników o początkach przewałów.

– Moim zdaniem to stewardesy wymyśliły – wtrąciła się Jola. Wyszła z basenu, jej opalona skóra ociekała wodą.

– Nie no, co ty, nasze? Przecież LOT nic lata do Singapuru! Ale pewnie niedługo zacznie, oni tam dobrze wiedzą, które trasy są obłożone. Nie obchodzi ich, z czym podróżujemy. Założę się, że jeszcze parę lat i polskie linie tu dotrą. – Marek szukał sprzeciwu, ale nie znalazł. Starzy bywalcy złotego szlaku podzielali moją opinię o artykule w „Times of India", więc Budda trajkotał dalej: – Kochanie, mnie ojciec przyuczał do zawodu. Przecież poszedłem na studia orientalistyczne, żeby interesy robić. Kiedy was nie było na świecie, a ja byłem mały, Polacy robili czemodan biznes, walizkowy, znaczy się. Za Gomułki jeszcze, wyjazdy tylko zorganizowane, do krajów socjalistycznych. Polska wiertarka do Bułgarii, a stamtąd kożuch. Kawa z Jugosławii i tak dalej. Ktoś mądry wymyślił, że większe zakupy trzeba wysyłać w paczkach, na przykład kilka par kozaczków, żeby urząd skarbowy się nie przyczepił. Kremplina, ortalionowe kurtki, koszule non iron tak wysyłali, wszystko, czego nasza ludowa ojczyzna nie potrafiła swojemu ludowi nastarczyć. Sytuacja zmieniła się za Gierka. Powiedział: „Chcecie jeździć, proszę bardzo", każdy może legalnie kupić i wywieźć sto trzydzieści dolarów. To się brało zielone, a za złotówki kupowało bilety samolotowe. Tak właśnie doleciałem do Kabulu. Najpierw do Berlina, za pięć marek do Zachodniego, dżinsów kupiłem oporowo. Z nimi ruszyłem do Moskwy, wszystko kupili. Te pieniądze zainwestowałem z kolei w różne części samochodowe poszukiwane w Afganistanie, bo tam jeździło dużo ruskich wozów. Sprzedałem, nakupiłem kożuchów i wysłałem do Polski. Stypendium plus biznes? Żyłem tam jak król!

– No tak, dżinsy do Moskwy, stary numer, my też to zrobiliśmy – pochwalił się Janek.

– Na Pahargandżu aresztowano Kumara – odezwał się nagle Mikis z Poznania.

Wszyscy obrócili głowy w stronę Greków pod pergolą.

– Kojarzycie tego kolesia, który latał przez Frankfurt na niemieckiego turystę?

Kiwaliśmy głowami, słyszeliśmy, że zarobił swoją cegłę, ale jego przyjaciółka wpadła w Nepalu, musiał ją wykupić, stracił sporo pieniędzy i postanowił wrócić do pracy.

– Wymieniał pieniądze w Relaxie, kiedy przyszła policja. On się jakoś wywinął, ale zamknęli Kocia. Jest gorąco. Uważam, że powinniśmy dostać od Szewca podwyżkę – zakończył Mikis.

Pokiwaliśmy głowami.

– To weź z nim pogadaj – warknął wkurzony Marek.

Boss właśnie wchodził na taras. Usiłował znów perorować o budowaniu nowego, lepszego świata, o tym, że Polacy wstaną z kolan i będą kiedyś wysyłać rakiety w kosmos, komuchom na pohybel, ale nikt nie dał się nabrać na takie gadki. Strajkowaliśmy i domagaliśmy się podwyżek, a Mikis był naszym Wałęsą.

Szewc uznał, że łatwiej będzie się z nami pertraktowało przy jedzeniu, i zaprosił wszystkich na kolację do najlepszego Hawkers Center, jakie znaliśmy. Usiedliśmy wokół dużego stołu, Marek z Jolą udawali, że nic się nie dzieje, i głośno rozmawiali. Siedziałem obok, czułem mocny zapach paczuli bijący od brązowej skóry dziewczyny.

– Moja mama, niech Bóg ją ma w opiece – przeżegnała się, dopiero teraz dostrzegłem krzyżyk na jej szyi – była stewardesą i poleciała do Azji jeszcze za Cyrankiewicza, a może to był Zawadzki? W każdym razie pracowała na pokładzie samolotu, którym latali partyjniacy. Mówiła mi, że już wtedy ona i ochroniarze chodzili na zakupy, z Indii opłacało się przywieźć szlachetne kamienie.

Siedzący naprzeciwko Bossa Mikis zażądał wprost:

– Skoro wspomnieli o nas w „Times of India", to ryzyko się zwiększa. Stara stawka, równe tysiąc dolarów za lot, inaczej nigdzie się nie ruszymy!

Szewc się wił, liczyli na chusteczce, Janek się w to włączył, więc ja nie musiałem, byłem słaby w rachunkach. Przeliczali tole na kilogramy, dolary singapurskie na amerykańskie i rupie, porównywali kursy złotówek i złota. Mój partner miał przelicznik w głowie, Boss wyciągnął kalkulator z kieszeni marynarki, Mikis miał swój w zegarku, kłócił się zawzięcie.

Katarzyna ostatecznie zdecydowała się odbyć kurs do Indii tylko z elektroniką, więc kwestia stawki za złoto jej nie interesowała. Dopytywała Jolę:

– Czyli to były lata pięćdziesiąte, sześćdziesiąte? Żeby latać z władzą, pewnie trzeba było mieć układy?

– No co ty! Moja mama była wierzącą antykomunistką, tak wyszło! – żachnęła się Jola. – Były zresztą niezłe jaja. Mieli złożyć wieniec na grobie Gandhiego, a okazało się, że to miejsce dla Hindusów jest jak świątynia. Więc premier zdjął buty i podobno miał dziurawe skarpetki!

Roześmialiśmy się, obok Mikis tłumaczył Bossowi, że dolar kosztuje w Polsce już prawie tysiąc czterysta złotych, Janek dorzucił, że bieżąca *exchange rate* to dwa dolary singapurskie za jednego amerykańskiego. Przerzucali się cyframi, słuchaliśmy ich jednym uchem. Nie mogłem skupić się na żadnej z rozmów, rozpraszał mnie biust Joli.

– Pamiętam z dzieciństwa karykaturę w „Szpilkach", słoń a sprawa polska, z Cyrankiewiczem na słoniu, jak indyjskim radżą. To był ubaw, ta wizyta, początek kontaktów między krajami, komuniści w tropikach – zaśmiała się Katarzyna.

Rozmowa na chwilę zamarła, odbieraliśmy zamówienia, stoły zapełniły się jedzeniem.

Mikis, zamiast jeść, perorował, że ceny złota idą w górę. Boss pokazywał mu najnowszy numer singapurskiej gazety „Straits Times" z notowaniami i przekonywał, że jest odwrotnie. Janek co chwila wtrącał się z cenami w Indiach, kłócili się zawzięcie. Przysłuchiwaliśmy się przez chwilę, ale coraz trudniej było podążać za ich obliczeniami, więc zebrałem się na odwagę i zapytałem Jolę:

– Gdzie jeszcze latała twoja mama? Była w Afryce?

– Oczywiście! – Chętnie podjęła wątek, jako partnerce Marka, prawej ręki szefa, nie wypadało jej włączać się w negocjacje. – Pracowała na połączeniach z Kairem, byłam wtedy malutka. Potem, chodziłam już do szkoły, latała też do Stambułu, była w Damaszku i chyba w Tunisie. I, uwaga, pochwalę się! Była w siedemdziesiątym siódmym, kiedy LOT otworzył połączenie z Bangkokiem, przez Dubaj i Bombaj. Widziałam zdjęcia. Czyli ja kontynuuję rodzinną jakby tradycję!

– Mama też przemycała?

Katarzyna chciała chyba dopiec dziewczynie, pytanie zabrzmiało ironicznie, ale Jola poczuła się zachęcona do dalszych zwierzeń.

– Jasne! Do Egiptu brała z koleżankami jabłka, a wracała z pomarańczami, bananami, ananasami. Celnikom mówiły, że są na specjalnej diecie, takie tam. Przywoziły też kolorowe buty i wstawiały je do komisu. Wszystkie razem, działały w grupie, piloci też zresztą przemycali. Wiem, bo tata z kolei był pilotem, taka podniebna rodzina. W Bangkoku zawsze kupowali koszulki, takie eleganckie, z krótkim rękawem i kołnierzykiem, ze znaczkiem krokodyla. Sprzedawali je po drodze w Rosji, zawsze mieli pieniądze, tylko że nigdy nie było ich w domu. Handlowali nawet kwiatami, czym się dało, ci to mieli łeb do interesów... dopóki się nie rozstali. Wiecie, oddzielne rejsy, rzadko się widywali, tata był zazdrosny o innego pilota.

– Już nie latają?

Od razu pożałowałem swojego pytania, ponieważ Jola cicho powiedziała:

– Obydwoje zginęli...

– Przepraszam, przykro mi...

Znów ktoś opowiadał mi o śmierci rodzica, a ja nie wiedziałem, jak się zachować. Na szczęście Katarzyna zmieniła ton, ciepło się zainteresowała:

– Współczuję, naprawdę, bardzo mi przykro. Zaczęłaś latać, żeby mieć się z czego utrzymać?

– Tak. I podoba mi się. Żyję trochę jak rodzice, ciągle w drodze, samoloty, lotniska, hotele. Jest spoko. Nie zamierzam wracać do Polski. A wy?

– Byliśmy w górach, musimy trochę zarobić, a potem lecimy na Bali. Może chcesz się z nami wybrać? – zaproponowała Katarzyna.

– Super! Ale jeszcze nie teraz. Mam trochę długów w Polsce. Ale może za miesiąc, dwa?

– Spróbujmy, choć w tym sezonie już nie będziemy odpoczywać, chcemy z Kasią zbudować dom w Zakopanem – znów wciął się brodacz. Chyba nie miał ochoty dołączać Jolki do swojej grupki.

Katarzyna spojrzała na niego strofująco.

– Ok! Tysiąc w amerykańskich, ale bierzecie więcej złota – usłyszałem.

W trakcie naszej rozmowy Boss dobił targu z Mikisem.

Przy okazji negocjacji wyszło na jaw, że zarówno Sakar, jak i Staś w Bombaju pobierają bardzo wysoką prowizję od każdego kilograma złota, czyli zapewne opłacają się komu trzeba. Wcale mnie to nie uspokoiło, duszkiem wypiłem swoje piwo, zapaliłem, wtedy w jadłodajniach można było jeszcze palić. Od tamtego dnia regularnie kupowałem indyjskie gazety i sprawdzałem, czy coś o nas napisali.

VI. Szczecin–Berlin Zachodni–Warszawa
1984–1987

Ach! Gdzie te dni na topie?
Życie to nie „Billboard",
Znów szaro jak w „Non-Stopie".
Intryg sieć, trochę smutnych zdjęć.

Papa Dance, *Maxi singiel*

Zakończenie imprezy

– Przyjrzyj się sobie! – rzuciła szczecińska Bravo Girl, zanim weszła do środka. Nie chciała, aby to zabrzmiało pogardliwie, ale zasugerowała, że Kowalska nie zadaje się na poważnie z chłopakami bez przyszłości. Jest na to zbyt ambitna, ona chce zdobyć daleki Świat, przez wielkie Ś, a nie peryferie Europy. Nie planuje zmarnować sobie życia ani w bloku, ani w starej kamienicy, u boku szarpidruta lub któregoś z jego szczecińskich kumpli. A może chodziło jej o to, że Radek sporo wypił, wypalił i wciągnął, więc nie był w szczytowej formie? Nie chciał pamiętać jej lekceważącego tonu, choć przy odrobinie dobrej woli można by go uznać za zachętę do działania, brania spraw w swoje ręce, panowania nad przyszłością. A może źle usłyszał, protekcjonalne zdanie rzuciła, już odchodząc, dźwięk mógł się rozpłynąć w hałasach balangi.

– Przyjedź do Indii! – krzyknęła, tym razem wyraźnie, z twarzą zwróconą w stronę zalotnika.

Dwie czy trzy godziny później głośno zapiszczały opony starej zgniłozielonej łady dyrektora Kowalskiego. Zbyt późno zaskoczyły zużyte klocki hamulcowe, a latarnia, jak to bywało za komuny, nie świeciła. Ostrości widzenia kierowcy i pasażerów nie polepszał alkohol buzujący w ich żyłach razem z innymi używkami.

– Co to było? – bełkotał zdumiony Janek. Siedział obok Magdy. Nie patrzył na drogę, ponieważ zmieniał kasetę w samochodowym odtwarzaczu, zerkając przy tym ukradkiem na nogi ukochanej. Nie zauważył nawet, że kiedy gwałtownie zahamowała, uderzył czołem w tablicę rozdzielczą i leje się z niego krew.

Na tylnym siedzeniu ocknął się Radek.

– Co jest?

Zapadł w majaki, budzony amfetaminą, ale usypiany wódką, którą ktoś wcześniej przywiózł z meliny. Gdy napitki znów się skończyły, Magda zarządziła wyprawę aprowizacyjną na miasto. Jej konkurentka Agnieszka twierdziła potem, że solenizantka przeszukała pół domu, żeby to właśnie przyszli członkowie Szczecinexu towarzyszyli jej w podróży. Grażyna się zarzekała, że przyjaciółka całkowicie przypadkiem napatoczyła się akurat na tych dwóch kumpli ze szkoły – tuż po tym, jak Grażynie nie udało się wybić jej z głowy jeżdżenia przed świtem samochodem, w stanie bardzo wskazującym na spożycie. Według trzeciej wersji to pijany Janek namówił Magdę. Apelował do jej gościnności: skoro znów skończył się alkohol, należy ruszyć po niego na miasto, do meliny, którą on zna. Jedynie Radka nikt nie oskarżał o współudział i sprowokowanie pijackiej podróży, jak zwykle był na doczepkę. Na pewno każde z nich zarzekało się, że jest bardziej trzeźwe od pozostałych, i proponowało, że usiądzie za kierownicą. Tylko Grażyna nie miała prawa jazdy, chciała więc zabrać się z nimi z poczucia obowiązku i lojalności, ale zanim doszła do garażu, ktoś porwał ją do tańca.

Gospodyni i dwóch przyjaciół stali we trójkę przy samochodzie, kiwając się w chocholim tańcu i wyraźnie artykułując słowa na dowód, że są w pełni władz umysłowych. Janek wykonał przepisową sójkę--stójkę, Radek oczywiście też, Magda przytrzymywała to jednego, to drugiego i wszyscy troje się zaśmiewali. Obejmując w pasie chwiejących się, ale pełnych zapału adoratorów, zrozumiała, że to jednak ona musi poprowadzić. Asekurowała ich, kiedy otwierali drzwi łady i gramolili się niezdarnie do środka. Janek podawał się za energicznego porucznika Kojaka, Radek został ślamazarnym porucznikiem Colombo, choć potrafił zanucić melodię z czołówki serialu o łysym amerykańskim policjancie. Magda ostro ruszyła z garażu, dobrze, że wcześniej otworzyli jego drzwi, a i brama posesji była odsunięta. W radiomagnetofonie starego Kowalskiego tkwiła kaseta z muzyką klasyczną, zupełnie niepasująca do atmosfery, więc Janek, któremu starczyło przytomności, aby umieścić się z przodu, szukał lepszych nagrań. Szczecin nie był Nowym Jorkiem, a łada buickiem century Kojaka ani peugeotem cabrio Colombo, ale podśpiewywali wspólnie najnowsze hity z listy przebojów Programu Trzeciego i świetnie się bawili. Nawet Radek z tyłu uznał, że jest fajnie, po czym zapatrzył się w światłocienie ulic i popadł w nieprzytomny trans.

– Co jest? – powtórzył pytanie, wychylając się między oparciami do przodu. – O kurwa, jesteś ranny, towarzyszu! – Silił się na ironię, po krótkim odpoczynku przypomniał sobie, że Janek, syn esbeka, już nie jest jego kolegą i partnerem.

– *Shit, shit, shit* – klęła Magda po angielsku, choć „Bravo" czytała po niemiecku. Ręce wciąż trzymała na kierownicy, nogę wciśniętą w hamulec, patrzyła przed siebie w mrok ulicy i bladą poświatę świtu na horyzoncie. Zapięte w ostatnim odruchu trzeźwości pasy utrzymywały ją w pionie.

– Magda, co się stało? – Janek położył dłoń na jej ramieniu, tym nagim. Czarna bluzka szła ukośnie przez piersi, znów wyraźnie je dostrzegał.

– Nie wiem. – Nie poruszyła się. Dopiero po chwili odwróciła w jego stronę głowę. – W coś uderzyłam?

Janek spojrzał przez przednią szybę, aż wychylił się do przodu, ale krew z rany zalewała mu oczy.

– Nic nie widzę!

– Bo krwawisz! – Magda dostrzegła strużkę rozlewającą się coraz szerzej na jego czole.

– Naprawdę? – Janek dotykał twarzy palcami, rozmazywał krew. – E, to nic poważnego. Jedziemy? Zmienić cię?

– *Shit!* W kogoś walnęłam! Nie możemy nigdzie jechać! Kurwa. – Przeszła na polskie przekleństwa i bez ostrzeżenia wcisnęła gwałtownie wsteczny, odwróciła głowę do tyłu.

Jankiem znów zakołysało i ponownie uderzył w deskę rozdzielczą. Radek nie trzymał się nawet zagłówków, więc także stracił panowanie nad ciałem i runął na bok. Żadne z nich nie zdążyło spojrzeć, czy przed samochodem, na drodze, naprawdę ktoś leżał.

– *Shit*, kurwa. Zabiłam go!

Na przodzie łady widniało duże wgniecenie. Magda przestępowała z nogi na nogę i gryzła paznokcie, stali z powrotem w garażu, w słabym świetle jedynej żarówki oglądali blachę samochodu. Zza ścian dochodził huk imprezy, trwała pomimo pustek w barku.

– Jesteś pewna, że tego nie było wcześniej? – Radek próbował na spokojnie ocenić sytuację. – Może twój stary to zrobił? Ta łada już nie taka nówka sztuka, co?

– Nie, nie. Zabiłam człowieka!

– Magda, uspokój się. – Janek był już cały we krwi i także zdenerwowany, ale wiedział, że zanim pójdzie się umyć, musi się wykazać. – Nawet jeśli wcześniej nie było wgniecenia, to skąd wiesz, że uderzyłaś w człowieka?

– Bo wiem, na pewno!

– Kurwa, nic nie widziałaś? Radek, widziałeś coś?

– Nic – zaręczył szybko kolega.

– Ja też nic nie widziałem. Łosie, co nie? Łosie wyłażą czasem, z lasu. Jelenie też. Psy nawet. – Kończyła mu się zoologiczna wiedza, spojrzał na Radka, jakby prosząc o wsparcie.

– Tak, tak, ciągle coś wyłazi. Czytałem w „Głosie", i to niedawno. Dziki i w ogóle – pospieszył kumpel z pomocą, w końcu obydwu im zależało na uspokojeniu Magdy.

Nie mogło przecież stać się nic gorszego niż to, że jej nadal nie poderwali i że tego wieczoru przestali być przyjaciółmi. Żaden wypadek z udziałem ofiar śmiertelnych nie wchodził w grę w tym odcinku *Kojaka* ani *Colombo*.

– No właśnie! Jutro, pojutrze zajrzymy do gazety, na pewno coś będzie o zwierzęciu na drodze.

– Janek, jesteś cały we krwi! Chodź!

Magda nie tyle uwierzyła w ich opowicści, ile skupiła uwagę na mniejszym problemie. Ten przynajmniej potrafiła rozwiązać. Złapała Janka za rękę i pociągnęła do domu, do łazienki.

Ani następnego dnia, ani później lokalne gazety nie napisały o wypadku w pobliżu willi Kowalskiego, radio też milczało. Noc w Szczecinie upłynęła wyjątkowo spokojnie, nikt nie informował o zabitym łosiu czy dziku, ale nie wspominano też o człowieku. Wiedzieli o tym, ponieważ czytali dokładnie prasę przez cały tydzień, który pozostał do wylotu Magdy. Janek nawet dyskretnie zasięgnął języka u ojca i jego kolegów, ale nie prowadzono żadnego śledztwa, nie odnotowano żadnych ofiar, sprawców uciekających z miejsca zbrodni.

Magda nie wierzyła Jankowi ani potakującemu mu Radkowi, była przekonana, że zabiła człowieka. Głośno nic nie mówiła, a jej ojciec, zajęty przygotowaniami do wyjazdu, oddał ładę do garażu PŻM, nie przyglądając się jej, miał ważniejsze sprawy na głowie. Tylko czoło Janka, głęboka szrama, którą trzeba było zszyć, przypominała całej trójce, że coś w ogóle się wydarzyło. Ponieważ uderzył się dwa razy i nie poszedł od razu do lekarza, wdało się zakażenie i pomimo leczenia pozostała blizna.

Obaj tak się do niej przyzwyczaili, że przestali ją dostrzegać, lecz kiedy po latach zaczęli pracować dla Sakara i Szewca, zleceniodawcy obawiali się, że człowiek z tak wyraźnym śladem na czole będzie zwracał uwagę celników. Hindusi uważali, że to święty znak Sziwy, stygmat wybrańców, których chroni potężny, szalony bóg. Aż nastał czas, że nawet Sziwa nie zdołał już ochronić swojego Cygana, Johnny'ego, Janka.

Pewex

Pamiętasz polsporty?

Łza się w oku kręci, choć to był straszny szajs. Model „Mazury" z Torunia, na metalowym stelażu, z małymi kółkami na dole, góra niebieska, dolna komora czerwona. W niej miały lecieć magnetowidy, na rozruch też się brało, choć polskie ceny nie były konkurencyjne. Główny szczeciński Pewex mieścił się w takim wolnostojącym parterowym pawilonie, całym zakratowanym. Sezam, którego trzeba strzec przed rozbójnikami. Szyby brudne jak w innych sklepach, żeby czar nie kłuł w oczy ludożerki taplającej się w błocie. Reklamy Jordache USA czy Wrangler, choć nic nie trzeba reklamować, bo każdy i tak woli dżinsy z Ameryki od tych z Odry. Na szklanych półkach leżą gumy Wrigley's, mleko Humana, mydełka Fa, szynka Krakus w puszkach, krajowa, ale eksportowa, nie dla zwykłych obywateli. Oficjalnie nazywało się to Przedsiębiorstwa Eksportu Wewnętrznego. Słabo?

Stoisko z elektroniką świeci pustkami. Są kasety TDK i BASF, stoją magnetofony Panasonic, ale wideo brak.

– O, cześć, chłopaki!

– Grażyna! Sto lat cię nie widziałem! Ty tu pracujesz? – Uśmiecham się elegancko do kumpeli z liceum.

– Pomagam mamie, wiecie, jest ajentką Pewexu. – Oczywiście, że wiemy, dlatego tu przyszliśmy. – A wy znów razem? Szczecinex Company w komplecie? Gdzie jeździcie? – No tak – bąka Radzio. – NRD, nic specjalnego, Budapeszt jak zawsze, ale byliśmy też w Stambule.

Grażyna chyba nie rusza się z miasta, ma Zachód w Pewexie, a Radek nawija dalej:

– Bosfor, minarety, muzułmanie, zabytki, wielkie, stare bazary, handel na całego, wszystko tam można kupić...

Muszę mu przerwać, żeby podtrzymać relacje społeczne.

– Jak żyjesz w ogóle? Oprócz sklepu? – pytam Grażę.

– Wyszłam za mąż, mam dziecko, pokażę wam zdjęcie.

Już wyciąga z portfela fotkę, choć rodzina, dzieci, to nie nasze klimaty. Oglądamy, cmokamy, gratulujemy, ale widzę, że ona zmęczona i zabiedzona, mąż pracuje na stoczni, tak się wpakowała.

– Po wyjeździe Magdy chciałam, tak normalnie, żyć... Zresztą, po tej całej imprezie...

Zawiesza głos, patrzy pytająco między moimi oczami, ale ja nic, bo niby co? Nic się przecież nie stało! Przeniosła wzrok na Radka, patrzy na niego z wyrzutem, cisza, ciężka, w końcu ona wzdycha i przechodzi do rzeczy:

– To czego potrzebujecie?

– Dwóch odtwarzaczy wideo...

– O, to rozumiem, większy handel, co? Poproszę mamę, ona wam lepiej doradzi. – Idzie na zaplecze.

Mamusia prezentuje się korzystniej od córki, można się pomylić, która jest młodsza, chyba chętnie korzysta z peweksowskich kosmetyków. Ceregiele, komplementy, kiziu-miziu, nie pyta, co u nas słychać, bo siedzi w temacie, wie, co robimy i po co chcemy dwa wideo. Na handel, wiadomo. Tylko Grażyna niezorientowana, bo niańczy bachory, ta to ma zawsze pod górkę. U boku Magdy wytrwała do końca, a potem czar prysł, została na lodzie.

– Mam JVC za czterysta dolarów, mogę wam dać od ręki, choć, jak widzicie, na półce nie stoi. Dla kolegów córki znajdę dwa w magazynie. Jeśli chcecie tańszy, Sanyo za trzysta, to musicie poczekać. – Kierowniczka sklepu ma trwałą ondulację, czerwone paznokcie, bębni nimi po blacie. – Ja bym radziła poczekać, będzie lepsza przebitka...

– Pani to się zna! – chwalę szczerze.

– Trochę już tu pracuję...

– Czyli dużo osób tak dwa magnetowidy kupuje na wyjazd? – pyta Radzio, szpieg gospodarczy z bożej łaski.

Kierowniczka patrzy na niego z politowaniem.

– A kupują, kupują... – Puszcza do mnie oko.

– Gdzie wy się właściwie wybieracie z tym wideo? – Grażyna by pasowała do mojego kumpla.

Słyszy, że do Indii, robi wielkie oczy i ma jedno skojarzenie:

– Tam jest Magda...

Smutek i melancholia, znów milczenie, nie ma co gadać, jest jak jest, każdy swoje wie. Magdzie się wydawało, nic się nie stało.

– Następnym razem weźcie Grażynkę ze sobą! Jeśli sanyo, to wpisuję na listę oczekujących. – Wyciąga zeszyt.

– To może chociaż na początek tej listy? – proponuję. I natychmiast dodaję: – A Grażynę z przyjemnością, zapraszamy. Jak tylko wrócimy...

– Każdy w końcu wraca – komentuje pani kierowniczka.

Ale ja nie chcę wracać.

Kolejny sklep, z polskimi suwenirami, dobrze zaopatrzony na potrzeby niemieckich turystów. Pukamy grzecznie od zaplecza, ze sprzedawczynią zrobiliśmy już parę małych geszeftów. W prezencie wręczamy paczkę żelków i opakowanie kakao z Berlina. Akurat trwa dostawa szkła, jeszcze nierozpakowana czeka w szarych pudłach, możemy wybrać, co chcemy. Duże rżnięte wazony, mniejsze puchary i najmniejsze popielniczki, żeby ładnie upchnąć w polsportach. Kryształy na wierzchu mają udawać prezenty dla cioć i wujków z wielkiego świata. Wszystko drogą legalnego kupna, elegancko płacimy, bierzemy dowód sprzedaży, a szkło prima sort: ciężkie, ale zarazem cienkie, przejrzyste, ładnie załamuje światło, wydaje dźwięki jak dzwonki, żadna podróba.

Znowu sklep, leżą i czekają czerwone, żółte i pomarańczowe suszarki Farel, bo nikt ich już w Polsce nie chce. Po cztery na głowę, ekspedientka pyta po co, a ja, że zagraniczna wycieczka dziewcząt z klubu sportowego. Śmieje się, ale gapi się oczywiście na moje czoło. Jestem przyzwyczajony, luz. Skupujemy dalej, zenity, radzieckie golarki Era-10 i Berdsk-9 oraz Charkiv. Każdy model w czarnym etui, a w środku fioletowa wyściółka, sprzęt chromowany, szczoteczki czyszczące, przewody, naprawdę dobry towar. Dziś można pewnie na jakichś OLX-ach badziewie kupić za grosze, z wyprzedaży majątków, ale wtedy to były poszukiwane towary, trzeba tylko wiedzieć, skąd i dokąd je zawieźć, i znać relacje cenowe. Ile przedmiot jest wart w PRL-u, a ile na Węgrzech czy w Niemczech.

Idę do Pewexu, sam, bo Radzio jeszcze niby studia kończy, ja już zamknąłem w Poznaniu sprawy. Grażyny nie ma, jest mamuśka, robię maślane oczy, zresztą ona naprawdę spoko...

Anyway, miały być początki kapitalizmu, a nie moje prywatne *love story*, więc powiem ci, że wideo nie ma, a bez niego nie wiem, jak się fanty ułożą w polsportach Toruń. Pakowanie wymaga pomyślunku i precyzji, technika jak prom Columbia, nic zbędnego, nic więcej niż potrzeba, żeby plecak równo leżał, ale nie pękł od nadmiaru.

Trochę już mnie to wkurwia i się niecierpliwię, więc dla zabicia czasu jedziemy do NRD. Jest opcja na wycieczkę z Almaturem, do wyboru Weimar, bo Goethe, albo Magdeburg, chyba że Luter albo w ogóle średniowiecze, mówił Radzio, nie wiem. Są i tacy, co wiozą na handel tylko tyle, żeby nie dopłacać do niemieckiego piwa, zjeść taniego wursta.

Tacy jak my wcale nie są większością, raczej elitą. Zresztą, co najgorsze, Radzio nawet chce jechać śladami Goethego, ale wybijam mu to z głowy. Żadna z tras wycicczkowych nie pasuje, możemy więc wykorzystać jedno z NRD-owskich zaproszeń, które preparuje nasz kolega, tamtejszy student medycyny. Ma plik wniosków, a w Budapeszcie, gdzie kwitnie produkcja lewych papierów i innych urzędowych przewałek, zrobił pieczątkę. Pach, pach, stempluje i sprzedaje po sto marek wschodnich, nam daje za darmo, ale wiemy, że to nie są porządne papiery, i nie chcemy ryzykować przed skokiem na Wschód. Pozostaje więc opcja trzecia: mamy z Berlina Zachodniego zaproszenie gotowe do użycia. Robione jak wiele innych, przy dworcu ZOO. Dorwaliśmy ćpuna z dokumentami West Berlin, za dziesięć marek zachodnich powlókł się z nami do punktu xero, odbiliśmy jego dowód, mało nam nie zszedł po drodze, padł na ziemię jak długi, ale dotargaliśmy trupka. Potem na Grunewaldzie w misji wojskowej zapłaciliśmy chyba czterdzieści marek i już. Eleganckie, legalne zaproszenie. Może się przedawnić, więc odzyskujemy nasze paszporty z biura, niedaleko domu Radzia. Patrzą przez palce, dostają co jakiś czas parę złotych. Poza tym to prawda, są kumplami mojego starego, pamiętam ich z dzieciństwa, jak grille robili na działce.

Normalnie, grille, a co. Myślisz, że za komuny ludzie nie umieli mięsa na ogniu robić?

Dziś może trudno ci to zrozumieć, ale Berlin Zachodni był potrzebny tylko po to, żeby mieć tranzyt przez NRD. Na Wschód przez Zachód, w Indiach potem odwrotnie, Zachód przez Wschód. Tranzyt oficjalnie dwie godziny, najkrótszą drogą. Mamy doświadczenie, wiemy, że jeśli nie przekroczymy dwudziestu czterech godzin, to nie będzie awantury, i spokojnie wieziemy Thomasowi resztki bluz sportowych spod Warszawy, a z powrotem oprócz kasy na wydatki trochę małych budzików Ruhla. W futerałach eleganckich jak ruskie golarki, i parę na rękę też, taki wątek mały.

Żartowałem, że jak się te sikory nie zmieszczą do plecaków, to każdy z nas na rękę po pięć założy, jak kacyk Murzynów, król Kali, ale Radziowi żart się nie spodobał. Ględził o innych kulturach, jak to on, co poradzić, takiego mam partnera. Potem zrozumiałem, że miał rację, oj, dobrze zrozumiałem, ale wtedy czasem aż mnie wkurwiał, gdy tak się zamyślał, przymykał oczy od pracy umysłowej. Miał fazę przejściową, przestawał być z niego pieprzony polski inteligent, robił się na nowo człowiek konkretny. Niestety nie na zawsze, ale to już jego karma... Tak bywa.

Jestem jak w transie, sprzedać, kupić, zapakować, jechać, zdobywać świat. Przechodząc z Westu na Friedrichstrasse, zahaczamy o sklep A-Z Electronics i bierzemy tanie kasety magnetofonowe. Na Turzynie po dolarze chodzą, tyle co flaszka. Wybierasz: muzyka czy alkohol? Schodzą na pniu, a jeszcze z Aldiego mamy za grosze – czyli fenigi – gumy Maoam. Oraz „zachodnie" słodycze i browary, wieziemy je do kraju, prosto do punktu skupu, czasy już takie, że państwo polskie skupuje przemyt i człowiek się nie męczy, inkasuje legalnie w Szczecinie złotówki i cały czas z górką wraca, pełną kiermaną.

To był Bomis chyba czy jakoś tak?

Niektórzy koledzy robili jeszcze genialną w swej prostocie akcję ze srebrem. Opłacało się kupić w Zachodnim i sprzedać we Wschodnim. Też legalnie, w punkcie skupu, do tych filmów fotograficznych, ORWO chyba, potrzebowali i kupowali. Dziwne to były zasady podaży i popytu, ale mnie się już nie chciało.

Wkurwiał mnie West Berlin, bo człowiek czuł się tam ciągle upokorzony. Nawet mając trochę pieniędzy, musiał przeliczać, że na przykład dziesięć marek zachodnich, czyli skromny obiad, to bardzo dobre samopoczucie we wschodnim albo królewskie życie w Szczecinie. Więc czułem się tam gorszy, wolałem zaoszczędzić i wydać za kolejną granicą, a im więcej człowiek miał cierpliwości i pokory, tym dłużej trzymał marki i tym lepiej potem wychodził na przeliczniku. Od pokory do upokorzenia jeden krok, tak wtedy miałem, dziś wiadomo, pokora to dla mnie co innego. Pamiętam te syfiaste mieszkania w Zachodnim, gdzie czasem spaliśmy, niby za darmo, jeśli nie było wyjścia, u kolegi Polako-Niemca, z kiblem na podwórku, gorzej niż w Szczecinie nawet, żeby zaoszczędzić – upokorzenie, ale powoli pięliśmy się coraz wyżej.

Na przykład taka sytuacja: „Berlin Zachodni, Polak co drugi chodnik", na rogu dwóch lujów, bezdomnych, brudnych. Siedzą z siatami, torbami z Aldiego, cały dobytek ze sobą targają, śmierdzi alkiem na wiele metrów. Razem ze smrodem dolatuje polszczyzna okraszona kurwami, jedną za drugą. Klną i złorzeczą, bo są niezadowoleni z darów Czerwonego Krzyża czy innego Caritasu niemieckiego. Trzymamy się z daleka, nic nie mówimy, udajemy, że nie znamy polskiego, choć mamy dużego fiata. Odjeżdżamy bez słowa, wstydzimy się ziomków.

Że jak się pogodziliśmy?

Już do tego dochodzę, słuchaj!

Jedziemy do Maćka, niby możemy się przekimać, ale tylko do wczesnego ranka – uprzedził. Stara kamienica, jak te nasze w Szczecinie, nie ma różnicy, w końcu tu Niemcy i u nas Niemcy. Wszystko jest tak samo, dlatego w sumie bez znaczenia, gdzie mieszkasz, nie? On mieszkał w oficynie, po drugiej stronie głębokiego podwórka studni, gdzie nie docierało słońce. Wbijamy się, padają sobie z Radkiem w ramiona, długo się nie widzieli. Piwko, papierosy, niby radość ze spotkania, ale przeszłość wisi i w tutejszym powietrzu. Mizerny Maciek mętnymi oczami gapi się na moje czoło, wreszcie wali prosto z mostu:

– Zabiliście kogoś wtedy?

– No co ty! – zapewniam jego i siebie.

A Radek, zamiast mi pomóc, mruczy:

– Chyba nie... – Widać, że nie jest pewien, bo patrzy w podłogę.

– Ty prowadziłeś? – zwraca się Maciek do mnie.

– Nie!

– Czyli ty, Radix?

– Nie. – Mój biznespartner znów burczy jak brzuchomówca jakiś. Maciek nagle ożywa.

– Magda?! O kurwa! Nic nie mówiliście! To nasza Bravo Girl zabiła człowieka?!

– Nikogo nie zabiła! To był pies, jeśli w ogóle coś tam było. Raczej zwid, zwidziało jej się, gazety sprawdzaliśmy! – Bronię tego, w co staram się wierzyć do dzisiaj.

– Pewnie pies, ale... – Radzio wciąż liczy klepki w podłodze. – A jeśli nie pies? – Podniósł w końcu na mnie wzrok. Pyta jakby.

– Chronicie Magdę, nieźle. Nadal wam nie przeszło? – wtrąca się Maciek, ale my nie z nim rozmawiamy, tylko ze sobą.

– Żaden, kurwa, pies! No co ty! Przecież sprawdzałem nawet w szpitalu. Nikt, kurwa, powtarzam, nie zginął tamtej nocy! Chyba że niemiecki tajny szpieg, którego łodzią podwodną od razu zabrali! – Improwizuję z tego wkurwu, aż moja szrama robi się chyba jeszcze bielsza niż zwykle.

Śmiejemy się, schodzi ze mnie nerw, czoło się wygładza, blizna z powrotem nabiera koloru skóry, aż chcę do łazienki, spojrzeć w lustro, ale nie mogę, bo Maciek jednak drąży.

– Janek, ty to masz ten ubecki dowcip, men!

– Rodziców się nie wybiera – mówi mu Radek i zalega cisza.

W pewnym sensie mi ulżyło. Nigdy nie rozmawialiśmy o tym wprost, udawaliśmy, że nie ma tematu. Radi zerwał ze mną kontakt po imprezie u Magdy. Grali z Generacją, ja wyjechałem do Poznania, oni się rozkręcili, tacy nawet znani się stali, chyba ze dwa lata się nie widzieliśmy. Ogólnie muzyka wystarczała Radziowi, ale potem Maciek spierdolił do Berlina i basista został bez kapeli. Tak to się plotło, że niby Polska się zmieniała, no bo ten Gorbaczow, potem z Reaganem chyba się spotykał. Pamiętam, bo mój stary robił się jakiś nerwowy, pijemy piwo, a on, że po co ta amnestia i takie tam, kombinował, mówił o jakimś Interfragrance i czemu w firmie polonijnej zarabia się więcej niż w resorcie. Czułem, że coś się kończy, ale jakoś nowe nie chciało się zacząć i właśnie chyba jesienią osiemdziesiątego szóstego natknąłem się na Radka na ulicy i znów ruszyliśmy na handelki. Znów było Keleti, Stambuł, NRD w kółko.

A teraz w Berlinie znów jestem mu potrzebny, bo Maciek, jego drugi funfel, przypomniał, że był wypadek. Był, ale nic się nie stało. Oprócz blizny, moja głupota, powinienem był od razu jechać do szpitala.

Nie pojechaliśmy?

Bo się baliśmy, że kogoś zabiliśmy.

Ale nie zabiliśmy, rozumiesz?

W każdym razie u Maćka to szydło z worka wyszło, mleko się rozlało, sprzątnęliśmy i już nie wracaliśmy do tematu. Były inne problemy, chwilę potem gospodarz marudzi z nocowaniem.

– No bo Róża, moja laska, wraca z roboty, z nocnej zmiany.

– Spoko, stary, możemy spać na podłodze – Radi na to optymistycznie, przecież jest u starego kolegi z zespołu.

– Tylko że Róża, *sorry*, nie będzie zadowolona. Przepraszam, chłopaki, ona... będzie zmęczona po staniu za barem do rana...

Słychać, że chodzi o coś innego, atmosfera siada. Udajemy, że wszystko jest ok, zmieniam temat, kurtuazyjnie pytam:

– To co, macie nowy zespół, gracie?

– Białe Wybuchy. Robię też fanzin o takiej nazwie, pokażę.

Przynosi ręcznie robione pisemko, szalone, o kosmicznych eksplozjach, energiach podziemnych czakramów. Oglądam Radixowi przez ramię i mam wrażenie, że to bełkot totalny, ale mój kumpel się zachwyca. Teraz wiem, że te „wybuchy" to był znak tego, co zrozumiałem w Indiach, ale to dopiero potem.

– A ty, Radix, grasz jeszcze?

Maciek pyta, a Radzio z zaskakującą szczerością odpowiada:

– Po twoim wyjeździe przeszła mi ochota. Nawet nie miałem z kim grać. I nie szukałem. Po Generacji odłożyłem bas do szafy. Stoi tam i się kurzy. Zacząłem znów jeździć z Jankiem, jest ok.

– Pogodziliście się?

– Tak.

Gadamy do późna, ale jakoś drętwo. Tak myślę, ale może też fakt, że kumpel znika w toalecie i wychodzi coraz bardziej przygrzany.

W sensie, że zaczął ćpać herę.

Kumasz, co nie?

O świcie budzik. Zanim się zebraliśmy, wpada Róża i z mordą na nas, że Maciek jest teraz prawdziwym artystą, poświęca się sztuce, underground, a my establishment, kapitaliści, i żebyśmy się więcej nie pokazywali. To się nie pokazywaliśmy, ale pomyślałem, że ta ucieczka Maćka przed wojskiem, które go ścigało, bo rzucił uniwerek, żeby skupić się na muzyce, ta emigracja do wolnego miasta, to się dla niego źle skończy. Emigracja to jednak było przechlapane. Ja nie chciałem być emigrantem, takim, co ciągle przelicza marki na złotówki, i w sumie to nie wyjechałem. Każdy niby chciał spierdolić z Polski, ale w Reichu czy gdzieś nie było fajnie. Bynajmniej. Dlatego ja chciałem zarabiać w dolarach, żyć gdzie indziej. Jakby nie być już Polakiem, bo Polska to z nami robiła, że nie byliśmy już ludźmi, tylko Polakami. A ja chciałem być sobą!

Jądro ciemności

Z pewnością to uprzedzenie, ale Szczecin przypominał mi wielki biały grób. Miałem wrażenie, że kiedy chodzimy i załatwiamy sprawy, dookoła panuje martwa cisza. Wszystko się zatrzymało w oczekiwaniu na nasz wyjazd, ale może trwał kolejny strajk. Panowała złowieszcza atmosfera, a my knuliśmy handlowo-podróżniczy spisek. Szliśmy obok kina Kosmos, tego, w którym byliśmy z Magdą i gdzie pierwszy raz dłużej z nią rozmawiałem. Ponad mozaiką nadal wisiał napis „Program Partii programem narodu", choć system chyba już kruszał, a na pewno trzeszczał. Dobrze, że dziś nie widać szkaradnego budynku kina, straszył nas w dzieciństwie, nie cierpiałem Kosmosu, choć byłem tam wiele razy. Nie zachowałem żadnego sentymentu do socjalistycznych sanktuariów.

Dalej galanteria, bynajmniej nie elegancka, tylko praśna i zgrzebna. Sklep Rarytasy, gdzie żadnych przysmaków nie sprzedawano, półki świeciły pustkami. W PRL-u używano dziwnych słów, wyszły z obiegu razem z historią. Dalej zepsuty neon Cepelii, sklep Magda, choć jej od dawna nie było w mieście, oraz szkielet nowego budynku przy straży pożarnej. Okrąglak, Grzybek na rogu obecnej Wyszyńskiego i alei Wyzwolenia, dziś stoi tam nowy biurowiec. Aleja Wyzwolenia? Kogo i od czego? W milczeniu doszliśmy pod numer siedemnasty, Polskie Linie Lotnicze, w latach osiemdziesiątych trzy razy większa przestrzeń niż obecnie. Nie mieli żadnej konkurencji, a teraz część lokalu zajął Only Kebab albo kolejna Żabka. Nie tęsknię za PRL--em, ale wolę słowo „rarytas" niż „only".

Weszliśmy do biura LOT-u, przez żaluzje światło było przyćmione, a za wielkim kontuarem urzędowała Agnieszka. To jednak nie jest duże miasto, wciąż natykam się na znajomych z liceum.

– Co u Magdy? – pyta zaraz po powitaniu i uśmiecha się szelmowsko.

Pomiędzy krwistoczerwonymi wargami widać białe zęby, odgarnia ręką długie czarne włosy. Nie zapomniała, że Janek zwariował dla „dzianej suki z PŻM", jak kiedyś powiedziała wkurzona. Minęło parę lat, ale w mieście umarłych nadal unosiło się wspomnienie maja 1984 roku, ta impreza jakby się nie skończyła, chyba należało o tym porozmawiać, ale nikt nie chciał głośno nic mówić.

– Świetnie wyglądasz, teraz jestem mądrzejszy niż wtedy... Co u ciebie? – Janek zdradzał wspomnienie o Magdzie, żeby zdobyć bilety.

Agnieszka założyła nogę na nogę, zahipnotyzowały nas jej czarne pończochy. Nadal miała świetną figurę, dojrzała, ale nie postarzała się jak Grażyna.

– Jak widzicie, nie jest źle, jestem szefową szczecińskiego oddziału.

Powiodła wzrokiem po biurze LOT-u. Nie nosiła już fryzury *à la* The Cure, prezentowała się elegancko, Jankowi zabłyszczały oczy. Przed Młodzieżowym Obozem Pracy, kiedy chodził do trzeciej klasy, Agnieszka była jego dziewczyną. Mówiło się, że wezmą ślub po maturze, oficjalnie nocowała u niego w domu, ale porzucił ją dla mirażu Magdy.

– Mąż, dzieci, piękna rodzina? – sprawdzał mój przyjaciel.

Fuknęła i machnęła ręką.

– Wolna i niezależna, kobieta pracująca.

Spojrzała na niego oczekująco, więc zaprosił ją na kawę. Nie mogła obiecać, że znajdzie czas, była bardzo zajęta, ale sprawdzając w skoroszytach, czy są bilety do Indii, wstała, żebyśmy mogli podziwiać całą jej zgrabną sylwetkę. Stukała obcasami, wspięła się jak w niemieckim filmie erotycznym, wystawiając pupę. Poprosiła Janka, żeby zdjął papiery z najwyższej półki, stanął obok niej, a ja gapiłem się jak zahipnotyzowany na ten kobiecy *show* słodkiej zemsty. Usiadła z powrotem przy biurku, zabębniła czerwonymi paznokciami w komputer.

– Przykro mi, ale nie mam biletów.

Spojrzała na Janka i żeby jeszcze bardziej mu dopicc, podniosła długopis do ust, włożyła między wargi. Przypomniałem sobie gadki z liceum, że oni dwoje robią to częściej niż autorki listów do „Bravo", przyłapano ich nawet w toalecie. Zdradą musiała ją bardzo zaboleć.

Myślałem, że mój biznespartner wybuchnie z wściekłości, ale próbował jeszcze ją bajerować. Patrzyła na niego wymownie, z granatowo--białym pisakiem LOT-u w ustach, aż zrezygnował. Podziękowaliśmy i wyszliśmy jak niepyszni. Zemściła się za Magdę tak dobitnie, że Janek na ulicy nie wytrzymał, przywalił pięścią w przystanek, usta mu drżały, zarządził szybką wódkę dla kurażu.

– Pieprzony PRL, kurwa, walisz głową w mur i nic nie można załatwić. Jebana komuna! – odezwał się po walnięciu lufy.

Nie odzywałem się, paliłem i myślałem, że urodziny Magdy będą wracać już do końca naszego życia, rzucać cień na rozmowy i wspomnienia, ciągle niewyjaśnione. Janek konsekwentnie udawał, że brak biletów nie miał nic wspólnego z naszą przeszłością.

– Jedziemy do Warszawy! – zarządził.

Wyszliśmy z baru.

Stolica wydawała się nam bardziej odległa niż Budapeszt! Byliśmy królami handlu i życia pomiędzy rodzinnym miastem a Berlinem, macki naszej ośmiornicy chwytały Keleti i Bosfor, ale kontakty Szczecinexu nie sięgały Warszawy. Pozostawała białą plamą na mapie podbojów. Janek zastanawiał się nawet, czy nie zadzwonić do ojca z prośbą o pomoc, ale się nie przemógł. Uznał, że sami damy radę.

W tym szale byliśmy gotowi kupić bilet na samolot do Warszawy. W końcu jednak wskoczyliśmy do wspólnego, „firmowego" fiata 125p i ruszyliśmy na południe, żeby wyjazd się zamortyzował. Tak musiało być, przypominam sobie, że Janek gustował wtedy w słowie „amortyzacja". Przeczytał je w gazecie i powtarzał jak kolorowa papuga. Ciągle gadał o dywersyfikacjach, inwestycjach itp., ale teoria a praktyka to dwie różne sprawy. Ochłonęliśmy i nie bawiliśmy się we *Wniebowziętych*, przekalkulowaliśmy, wybraliśmy auto. Amortyzacja oznaczała, że najpierw zajedziemy do Pruszkowa, rozliczymy w szwalni Piotra ostatni transport bluz sportowych i jeśli będzie miał gotową nową transzę, weźmiemy towar na północ. Na wszelki wypadek, na sprzedaż starym kanałem w NRD albo nawet na szybko w Szczecinie. To oczywiście Janek natychmiast ułożył nowy plan, wersję B lub C. Nie potrafił iść na żywioł, planował posunięcia jak w szachach, w które zresztą nigdy nie grał, ale jak się potem okazało, nie wszystko potrafił przewidzieć. Denerwował się, kiedy sytuacja nie rozwijała się po jego myśli, dlatego z Magdą w liceum był tak zdesperowany.

Jechaliśmy na południowy wschód i obydwaj trajkotaliśmy jak meserszmity. Działaliśmy jak po amfetaminie wciąganej z Bodziem przed laty. Potem proponowano nam speeda do przewożenia, ale się nie zgodziliśmy, zawsze byliśmy uczciwymi eksporterami-importerami. Nawet nie wiem, czy można nas nazwać biznesmenami, jeździliśmy na handel jak pół Polski. Nie byliśmy wyjątkowi, Szczecin przez całą powojenną historię dorabiał sobie obrotem z NRD. Nawet dziś wiele osób jeździ do pracy do Berlina, podróż trwa krócej niż do Poznania, o Warszawie nie mówiąc. Niemcy są nam bliższe niż Mazowsze, zaraził nas duch germański, przeniknął w nasze ciała, przesączył się ze ścian pruskich kamienic, w których zamieszkali nasi ojcowie i dziadkowie. Wszystko w Polsce było byle jakie, niedorobione, niedokończone, więc my, tak po niemiecku, chcieliśmy pobić rekord świata w profesjonalnej pracy. Zaremba zajął Szczecin w 1945 roku w imię idei Wielkiej Polski, pochodził z rodziny endeckiej, takiej jak moja, ale Polacy ze ściany wschodniej czy ze stolicy mieli nas w głębokim poważaniu. Uważali, że mieszkamy na końcu świata, jesteśmy, przepraszam za wyrażenie, jeśli nie odbytem, to na pewno obcym ciałem, dwuznacznymi rubieżami kraju.

Zajechaliśmy do Piotra w Pruszkowie, pod segment, który od frontu wyglądał jak zwykły szeregowiec, obok następny, identyczny, toczka w toczkę. Z salonu drzwi prowadziły do dużej przybudówki ukrytej na zapleczu, a tam siedziały baby i szyły bluzy, jak w fabryce, zgodnie z projektami Piotra. Ubierał się elegancko, a zarazem nowocześnie, tylko że na wierzch zarzucał kitel, jak lekarz. Wygolona głowa i wąs, szczupły, powiedziałbym, że ładny, wręcz kobiecy. W kitlu chodził do szwalni jak profesjonalny fabrykant, a nie badylarz. Poczęstował nas colą, rozliczyliśmy się i załatwiliśmy interesy.

– Słuchaj, taka sprawa, masz jakieś kontakty w Locie? – sprawdzał Janek. Zawsze powtarzał, że kto pyta, nie błądzi, chciał się przygotować na Warszawę.

– Po co wam LOT? Planujecie wakacje czy co? Nie będziecie brać nowych bluz? Szkoda, jesteście dobrymi odbiorcami.

– Jak tylko wrócimy, to z przyjemnością, ale się rozwijamy, lecimy do Indii – pochwalił się Janek.

– No ładnie. Wiecie, gdzie są konfitury. – Piotr puścił do nas oko, miał chyba większą niż my świadomość, jakie interesy można zrobić na Wschodzie. – Wasze szczęście, kuzynka tam pracuje, załatwi się.

– Kochany jesteś! – wypalił mój przyjaciel. – A my stawiamy ci kolację w Victorii, ok?

Nigdy wcześniej nie byliśmy w najbardziej luksusowym hotelu w kraju i trochę się bałem o koszty. Piotr wykonał telefon do córki ciotki czy innej krewnej, a już na dworze usłyszałem zaklęcie „amortyzacja". Janek zawsze miał gotowe wytłumaczenie.

Weszliśmy do głównego biura Polskich Linii Lotniczych w centrum Warszawy. W środku czysto i schludnie, wypucowane jak nigdzie w PRL-u, przedsionek wielkiego świata, hula tam już mondialny wiatr. Większość klientów z zagranicy, słychać niemiecki, to akurat dla nas żadna nowość, ale szwargotano też po angielsku i francusku. Kobiety przed okienkami efektownie ubrane, mężczyźni eleganccy, paru gości ciemnoskórych, odróżnialiśmy tych z Afryki, ale skąd przybyli pozostali? Arabów znaliśmy, ale inni to szejkowie czy radżowie? Jeszcze nie potrafiliśmy zidentyfikować wszystkich nacji świata. W NRD spotykaliśmy czasem dorabiających studentów z Wietnamu, Libii i Ameryki Południowej, ale nie mieliśmy okazji przyzwyczaić się do innych kolorów skóry. Pamiętam, że w Lipsku, gdzie często bywaliśmy, w kawiarniach siedzieli Arabowie i wymieniali waluty. Nigdzie nie pracowali, nie wiem, skąd się brali, nie byli jak Wietnamczycy sprowadzani do fabryk, nawet nie studiowali, zajmowali się wyłącznie cinkciarstwem. Może to też była bratnia pomoc dla terrorystów, czyli palestyńskich bojowników o wolność, członków różnych frontów wyzwolenia. W Victorii w 1981 roku strzelali do Abu Dauda z Czarnego Września, odpowiedzialnego za zamachy w Monachium, i zaraz potem zabrało go Stasi do NRD, więc może istniały takie powiązania.

W hallu LOT-u poczułem nowy rodzaj ekscytacji, coś więcej niż podniecenie związane z zakupami i organizacją wyjazdu. Jarałem się samą podróżą, podobnie jak przed pierwszą wyprawą do Turcji. Chciałem być jak najdalej od domu, od pieprzonej ojczyzny. Liczyło się dla mnie tylko to, że znów ruszam przed siebie, a nie cargo i biznes. Poczułem się chyba jak w podstawówce, kiedy czytałem książki o Tomku Wilmowskim, ale może teraz tak mi się wydaje, ponieważ mam więcej wolnego czasu i wróciłem do książek z młodości.

Kuzynka Piotra siedziała za biureczkiem, wypindrzona wielka dama, zupełnie obca, nie mieliśmy ze sobą nic wspólnego. Trwała ondulacja, firmowa apaszka, uniform, paznokcie aż lśnią, schowałem ręce do kieszeni, pomyślałem, że mam nieobcięte.

– Szanowna pani, my od Piotra.

Janek położył na blacie prezent, opakowanie baduvitu. W Szczecinie tym sprejem obowiązkowo pachniały wszystkie fajne dziewczyny, oprócz oczywiście Magdy, która roztaczała wokół siebie wonie jeszcze bardziej zachodnie, a zarazem południowe i dalekowschodnie, wiadomo, Magda... Paniusia z LOT-u też niebrzydka, ale dumna i wyniosła. Baduvit nie zrobił na niej wrażenia, wyglądała nawet na lekko zażenowaną, szybko schowała łapówkę. A może to ja byłem skrępowany, ponieważ poczułem, że nasze pograniczne atrakcje tutaj są niewiele warte, że to już za wysokie progi na nasze pomorskie nogi? Łatwo się peszyłem, nie to, co Janek.

Przez te dwa czy trzy lata przerwy w naszych relacjach, od matury, grałem z Maćkiem w Generacji, występowałem na scenie, ale nigdy do tego nie przywykłem. Wiedziałem, że odstaję, wiedziałem też, że nie jestem dobrym basistą. Nawet nie byłem pewien, czy chcę nim być! Tak wyszło, grałem, ale pisałem też wiersze, napisałem nawet ze dwa teksty dla zespołu, choć w tej dziedzinie dominował Maciek, był liderem, chciał śpiewać swoje piosenki. Dużo czytałem, nawet wyglądałem inaczej niż on i perkusiści, co chwilę nowi. Oni byli podobni do naszej publiczności, krótko podstrzyżeni, w pociętych, pomalowanych koszulkach, dziwnych płaszczach, krótkich kurtkach. A ja niczym studencik, w sweterku, z długimi kudłami, uśmiechałem się niepewnie, patrząc na punków i innych dziwaków szalejących pod sceną, nie do końca rozumiałem, co oni słyszą w naszej muzyce. Kiedy Maciek uciekł z kraju, okazało się, że Generacja nadawała jednak sens mojemu życiu, że bez zespołu studiuję tylko z powodu wojska, że w ogóle mnie to nie kręci. Akurat wtedy wpadłem na Janka na ulicy i znów zaczęliśmy jeździć, handlować. Tak znaleźliśmy się w Warszawie, gdzie on tłumaczył, jakich biletów potrzebujemy, a ja wciąż byłem nieśmiałym artystą.

Kuzynka Piotra stukała w klawiaturę, mieli już wtedy w Locie proste „mózgi elektronowe". Stałem za kolegą, jak zwykle, obstawa, choć w razie czego to raczej on musiałby mnie bronić, a nie odwrotnie. Urzędniczka miała warszawską minę ludzi przekonanych, że życie w centrum Polski daje im prawo do patrzenia na wszystkich z góry.

– Panowie, trzeba było kupić wycieczkę w Orbisie albo zorganizować grupę studencką z Almaturem, grupowo. Bo indywidualnie to widzę, ciężko będzie... – Pinda wcale nie chciała nam pomóc i prawiła kazania.

Janek się nie przejął, przygładził swoją czarną grzywę i pogłaskał się po wąsiku, który właśnie porządnie mu się sypnął. Założył nogę na nogę, trochę śmieszne robił wrażenie, powiedzmy sobie szczerze, był niższy ode mnie o głowę i bynajmniej nie szczupły. Po skończeniu liceum chyba przytył i wyglądał odrobinkę misiowato, ale to były pozory. Wyzwania go nakręcały.

Teraz patrzył tej pańci prosto w oczy, łapał jej spojrzenie i uśmiechał się jak Alain Delon. Potrafił uruchomić urok osobisty, który powodował, że kobiety, jeśli nie były Agnieszką z liceum, wpatrywały się w niego jak w ekran. Tego mu zazdrościłem, w przeciwieństwie do mnie się nie przejmował, potrafił być nawet bezczelny. Bajerował tę kuzynkę bez pardonu, jak Borewicz dziewczyny w *07 zgłoś się*.

– ...a poza tym, proszę szanownej pani, widzę i jestem pewien, że pani urok dorównuje doświadczeniu zawodowemu. Piotr, z którym pracujemy od dawien dawna i się kolegujemy, mówił, że pani potrafi bilet spod ziemi wykopać i na pewno nie odejdziemy z kwitkiem.

Na kuzynce gadki nie robiły wrażenia, ale postukała w klawisze, pomruczała, westchnęła i dostaliśmy bilety. Może tak naprawdę były dostępne, może nic nie trzeba było kombinować, nie wiem do dziś, ale wyszliśmy z plikami papierów, lśniącymi niebieskimi okładkami z logo Polskich Linii Lotniczych. Sporo w nie zainwestowaliśmy. Miały się zamortyzować, więc machaliśmy nimi, byliśmy już prawie tam, coraz mniej tutaj, a coraz bardziej daleko, w Azji.

„Różo, różo wschodu. Różo, wonna różo" zanuciłem pod nosem, zawsze lubiłem Korę, a myślałem zapewne znów o Magdzie. Janek już dumał o czymś innym i głośno zaśpiewał przebój Kombi: „Victoria Hotel, hotel twoich snów. Dziś twa szansa, możesz złapać ją". Zawsze wolał Kombi, pop, potem nawet italo disco i Sabrinę; ja słuchałem ambitnej muzyki. Nie martwił się, że będziemy musieli zafundować Piotrowi kolację, wręcz się cieszył, że spędzi wypasiony wieczór, a „Neony drogę ci pokażą tam, Gdzie świetlisty gmach". Tak to chyba idzie w tym utworze Kombi, widziałem na YouTubie ich stary koncert, powiedzieli, że hotel zafundował im pobyt, czyli to był taki socjalistyczny *product placement, public relations?*

Ruszyliśmy do ambasady Indii w dobrych nastrojach, choć mi ta baba z LOT-u nie dawała spokoju. Wcześniej wydawało mi się, że potrafię wobec warszawiaków zachować godność i poczucie własnej wartości. Pierwszy raz nad Wisłą poczułem się prowincjonalnym cwaniaczkiem, właśnie stojąc przed tą pindą kuzynką, dla której baduvit to była wiocha. A może onieśmielali mnie tłoczący się dookoła eleganccy ludzie, *tout le monde* kupujący bez zmrużenia oka bilety do nieznanych nam zakątków globu. Zapomniałem o tym dopiero w ambasadzie. Okazało się, że skoro mamy już bilety samolotowe, to możemy odebrać wizy następnego dnia po południu. Nie wiedzieliśmy, że między naszymi krajami panuje tak wielka socjalistyczna przyjaźń, wizy są od ręki i w dodatku za darmo! Wyglądało na to, że łatwiej jest dotrzeć do Indii niż do Paryża czy Londynu, o Stanach nie wspominając.

Na pokój w Victorii przy placu Zwycięstwa nie było nas stać, najtańszy kosztował ponad czterdzieści dolarów. „Nie amortyzuje się" – rzucił główny księgowy Janek i zaproponował Forum, gdzie moglibyśmy spać za dwadzieścia dolców. Nasz skromny, ale wypucowany fiat na szczęście nie był najgorszym samochodem na parkingu. Przebijał dacie i łady oraz fiaciki, ale nie umywał się do mirafiori, a tym bardziej do prawdziwych zachodnich cacek, o jakich zawsze marzył Janek. Stało ich naprawdę sporo, większość na krajowych rejestracjach, wiele z mercedesów i audi zapewne zniknęło wcześniej w Austrii i Dojcz-landzie. Janek komentował wszystkie fury, porównywał, oceniał, liczył w głowie, po czym głośno przedstawiał wyniki rachunków. Myślę, że dzięki niemu na parkingu nie sfrustrowałem się tak jak w biurze LOT-u.

Biliśmy na głowę stare syrenki i wartburgi, z których wysiadali odstawieni faceci, otwierali drzwi przywiezionym damom, szarmanc-cy jak ze starych, czarno-białych filmów, prowadzili towarzyszki do środka jak w niedzielę do kościoła. Potem siedzieli razem w kawiarni, szpan na godzinę i pewnie powrót tym złomem do mieszkania w blo-ku. W Forum można było pooddychać high life'em, dla nas to też była atrakcja, bo jednak przez Berlin Zachodni tylko przemykaliśmy, nigdy nie spaliśmy tam w hotelu, w Budapeszcie czy Stambule też oszczędzaliśmy i liczyliśmy każdy grosz, a teraz mieliśmy zakoszto-wać luksusu. Owszem, w krajowym wydaniu, ale zawsze inaczej niż w Szczecinie. Pierwszy raz miałem spać na łóżku lepszym niż wersal-ka u rodziców. Zapamiętałem ten pierwszy długi wypad do Warszawy jako małe wakacje, urlop na bogato. Należało się nam, wcześniej cały czas zasuwaliśmy, studia i wyjazdy, nauka i handel na zmianę, więc uznaliśmy, że przed tym dużym skokiem w przyszłość odbierzemy nagrody.

Najbardziej zaskoczyło mnie, że słynne Forum jest co prawda wysokie, stałem przez chwilę i liczyłem piętra, wychodziło mi koło trzydziestu (ale może konfabuluję, dowiedziałem się tego potem), ale niższe od Pałacu Kultury i bardzo brzydkie. Mówiono, że to pokraczna szafa i „kupa na baczność", bo rzeczywiście kolor kojarzył się tylko z jednym i właściwie był sraczkowaty, jak cała Polska, którą właśnie zamierzaliśmy opuścić. Nad ulicą wystawały jednak nowoczesne zębi-ska z żelbetu, a w hallu pachniało inaczej nawet niż w Międzyzdrojach. Mój biznespartner od razu wyniuchał madame rochas, choć mu nie dowierzałem. Wyczuwałem też znajomą nutę baduvitu, mocne wonie Polleny, przez chwilę miałem nawet wrażenie, że dochodzi mnie zapach Magdy, co było niemożliwe.

Większość gości rozpierała się w fotelach pokrytych imitacją czarnej skóry, nie nocowali tutaj, przez kilka godzin napawali się luksusem. Recepcjonistki szkolono chyba na Zachodzie, ponieważ nawet wobec nas, młodziaków, zachowywały się miło. Hotel miał parę setek pokoi, może dlatego znalazł się jeden także dla nas. Jechaliśmy windą, ściskając w dłoniach plastikowe breloczki do kluczy z logo FH, i cieszyliśmy się jak dzieci z prezentów od ojca marynarza.

Pokój dostaliśmy niezbyt wysoko, ale za żaluzjami i zasłonami w równie sraczkowatym kolorze co elewacja rozciągał się niezły widok na Warszawę. Jeden telefon stał na szafce nocnej przy łóżku, a drugi był przyczepiony na ścianie w łazience, tuż obok ręcznika z wielkim logo hotelu jak na breloku, i to zrobiło na mnie wrażenie. Zapamiętałem aparat, ponieważ Janek natychmiast zadzwonił do Piotra. Nasz dostawca właśnie wychodził z domu, tak, wybierał się do miasta, oczywiście do Victorii. Mieliśmy czas, żeby się wykąpać, wytrzeć puchatymi ręcznikami i wypachnić baduvitem, nic innego nie zabraliśmy. Ruszyliśmy piechotą, mój kumpel śpiewał „Otoczą cię zewsząd kolory i wonie, Nawet gwiazdy z ekranu, A jedna z nich, naga pod futrem, da ci znak", spodziewał się spotkać dziś zarówno Marylę Rodowicz, jak i Janusza Panasewicza. Ja, żeby wkurzyć Jasia, wciąż nuciłem „Wspaniała, wspaniała gra, Cudowna, cudowna gra, Szara, szara mgła. Pulsuje, tętni, gra", ponieważ to wszystko wydawało mi się fikcją, na którą nie zasłużyłem.

Otrzeźwiła mnie warszawska ulica, dostrzegłem, jak naprawdę wyglądają ludzie, budynki i samochody. Musiało być już po osiemnastej, ale pod domami Centrum wił się niezgorszy ogonek. Janek, jak zwykle ciekaw, na co jest popyt, zapytał starszego pana w bereciku, okularach i kurtce pamiętającej Gierka, a może i Gomułkę, za czym kolejka ta stoi. Usłyszeliśmy, że „po soczki dla dzieci", i pokiwaliśmy głowami ze współczuciem. Większość ludzi była ubrana jak ten pan z kolejki, faceci nosili kapelusze, berety, kaszkiety, bezkształtne czapy ze sztucznego futra. Pod pachami teczki, w rękach neseserki albo wyplatane torby. Długie płaszcze udające skórzane, ortalionowe kurtki. Stare kobiety w dzierganych nakryciach głowy, kłębiły się baby z siatami, polujące na dobra rzucane do sklepów. Młode dziewczyny wydawały się zgarbione, trzymały za rękę dzieciaki, nie uśmiechały się. Na ulicę przedostawały się tylko ochłapy wystawnego stylu epoki, który tak nas omamił w biurze LOT-u i hotelu Forum.

Zapamiętałem ten kontrast. Chyba dopiero zakosztowanie blichtru spowodowało, że dostrzegłem szarość życia w stolicy PRL-u. Tu i ówdzie mignęły nastroszone włosy i dekatyzowana kurtka dżinsowa z szerokimi ramionami, ten sam model sprowadzaliśmy z Turcji, ale to były wyjątki od reguły. Miałem wrażenie, że na ulicach stolicy jest nawet biedniej niż w Szczecinie, samochody stare i brudne, kosze na śmieci porozwalane, dziury w asfalcie, sklepy puste albo zasłonięte kolejkami. Pomiędzy tym bajzlem pierwsze przyczepy kempingowe zamienione na „Posil się!" – budy z zapiekankami. A u wejścia do Victorii tablica „Welcome to Warsaw". Tym bardziej chciałem wyjechać w świat.

Hotel twoich snów

Radek chyba za dużo naoglądał się niemieckich pornosów!

Agnieszka naprawdę chciała nam pomóc, ale po prostu nie miała biletów!

Rozstaliśmy się jeszcze przed Magdą, to nie miało nic do rzeczy...

Natomiast zgodzę się, że spacer przez Wawę załamywał, za to w hotelach, oazach Zachodu, dostawałem oczopląsu. Głupio się przyznać, ale w Victorii poczułem się ogólnie podniecony, seksualnie, byłem w szponach demonów. Teraz się uwolniłem, dlatego mogę spokojnie o tym mówić, podobno to nawet dobrze robi, trochę jak wyznanie grzechów u katolików. Trzeba z siebie wyrzucić przeszłość, żeby oczyścić umysł, dostąpić spokoju.

Ok, wracam do wspomnień.

W stolicy, trzeba im przyznać, w niektórych miejscach było więcej i mocniej niż w Szczecinie, na grubo. Kontrast: syf na ulicy, a w hotelach Zachód pełną gębą, choć powiedzmy sobie szczerze, my prawdziwego Westu nie znaliśmy jednak. Powiem ci: w lobby najpierw się gapię na blondynę w opasce na głowie, ze złotymi kolczykami z Jablonexu zwisającymi aż do ramion. Luźny trencz, bluzka nietoperz, koronkowe rajstopy i szpilki – szał i szoking normalnie. Potem wpada mi w oko brunetka z mocnym tapirem na wszystkie strony, u nas nawet kurwy nie potrafiły tak postawić. Bufy na ramionach jak kulturysta, wielki naszyjnik między cyckami, aż odstawały na boki, chyba się pośliniłem, pod pachą kopertówka, wysokie kozaki. „Polcolor-hit, video dotyk". Nie wiem, czy bardziej mnie podniecał seksapil tych lasek, czy myślenie o tym, ile można zarobić na damskiej modzie. Główkuję, co gdzie można by kupić. Skąd się biorą te błyskotki, klipsy i łańcuszki?

Więc sączymy w barze wódkę z colą i nie mogę się doczekać Piotrka, bo skoro bluzy takie fajne szyje, to może potrafi robić i te poduszki pod żakiety? Zmajstrować takie bluzki, co powodują, że dziewczynom ramiona podnoszą się kanciaste jak mój blok na kwadracie. Dziewczyn w Victorii mnóstwo, a na każdej przelewa się od nadmiaru, jak w pałacu jakimś. Wszystkiego mają za dużo, jak u moich cygańskich koleżków, błyszczą się jak choinki, mienią jak sreberka od niemieckich czekolad, kurczę, świecą, aż oczy bolą. Radzio oczywiście udaje, że nic go nie rusza „ekran i chłód... nagle dotyk mych ust", usiłuje gapić się w szklankę i logo Marlboro na popielniczce. Tylko za każdym razem, jak podnosi papierosa do ust, to strzela oczami na prawo i lewo, czerwieni się coraz bardziej, ten mój kolega aniołek. Oj, obydwaj byliśmy wtedy napaleni, do czerwoności rozgrzani normalnie.

– Jak tam, podróżnicy?

Zagapiony na laski nie zauważyłem nadejścia Piotra. Klepie mnie w ramię tak mocno, że aż się pochylam do samego blatu, choć nie jest z niego osiłek. Odstawiony jak na bal, ta łysa pała i małe okularki, czerwona marynarka z wąskimi trójkątnymi klapami, na jednej z nich jakaś broszka czy parę łańcuszków, szczególik wypadł mi z pamięci, choć mam świetną. Podwinięte rękawy, wystaje biała, mieniąca się podszewka, do tego czarna koszula ze srebrną nicią, czarny wąski krawacik, trochę pedalski. Pierwszy raz widzę go poza szwalnią, tam urzęduje w fartuchu jak jakiś laborant, otoczony materiałami i kobietami, które szyją razem z nim, jedyny facet w pruszkowskiej fabryce mody męskiej, sportowej.

– Piotr, witaj. Dziękujemy za pomoc z biletami, udało się! Zgodnie z umową zapraszamy na kolację.

– Chyba się trochę zabawimy z okazji tej podróży, co, chłopcy? Obejmuje nas jak prawdziwy boss tekstyliów i prowadzi do restauracji. Przestraszyłem się, że wydamy fortunę i to się nie zamortyzuje, ale kiedy weszliśmy do środka, zapomniałem o kosztach.

– To jest Jurksztowicz!

Wydawało mi się, że szepczę do Piotrka i Radzia, ale chyba mówię za głośno, cała sala tak jak ja patrzy na wokalistkę. Facet, który z nią siedzi, chrząka znacząco, a może mi się wydaje, to zresztą prawdziwy artysta, gość jak z żurnala. Do dziś nie wiem, czy to był Krzesimir Dębski, który jej pisał muzykę, czy Jacek Cygan, tekściarz. Wtedy zresztą nie miałem pojęcia, z kim ona pracuje. Dziś wiem, i to musiał być któryś z nich, tak sobie wyobrażam, bo może było zupełnie inaczej. Jurksztowicz elegancka, że normalnie... czerwone szpilki i czerwony szeroki pas, wielkie czarne klipsy ze srebrną obwódką i długim czarnym frędzlem, świecidełko przyczepione na piersi. Ogólnie to nie widziałem, jaką ma na sobie suknię, w telewizji nosiła taką szeroką czarną, warstwami ułożoną, już chciałem spytać Piotra, jak się na to mówi w krawiectwie.

– To się nazywa sceniczny szept, nie ma co. – Radzio nie może się nie wymądrzyć, bo, znam go dobrze, zawstydziła go ta sytuacja, chce się schować pod ziemię, więc usiłuje zagadać sytuację. – Ania jest od nas, ze Szczecina. Występowała w mieście z zespołem Music Market, wiesz, jazz, gospel...

– Wiem, wiem, ale z Bolterem też śpiewała, wszechstronna...

Brzmi to ironicznie, ale zrozumiałem, że Piotr jest obyty w muzyce bardziej niż my.

– Widzicie, wchodzicie do Victorii i od razu artystka pierwsza klasa. Możemy ją zaprosić do stolika, chcecie? – rzuca jak wydawca z Tonpressu, a nie właściciel szwalni podróbek sportowych bluz. Choć trzeba przyznać, ubrany jest na menago, wyższa sfera i tak dalej.

– Nie! – Radzio aż krzyczy jak zdenerwowany nastolatek.

Na szczęście facet Jurksztowicz (nie wiem: Cygan czy Dębski?) właśnie z galanterią odsuwa jej krzesło i wychodzą, dojrzałem, że miała trochę inną suknię niż w telewizji, ale też długą. Prawdziwa dama, jaka szkoda, że nie docenialiśmy jej wtedy w mieście, kiedy grała te jazzy, tak.

– Byłem w dzieciństwie na jej koncercie, na początku, kiedy grała muzykę dawną... Wiesz, skrzypce, te sprawy, Musicus Poloniensis.

Radek usiłuje ukryć zdenerwowanie, więc mądrzy się jak to on, półinteligent, co omal nie trafił do szkoły muzycznej, a potem został basistą. Pewnie musiał chodzić na te nudy z matką, jazz jeszcze zrozumiem, ale klasyczna to już bez przesady, wtedy nie cierpiałem. Dziwiłem się tylko, że on w ogóle nie wspomina o Generacji. Udawał, że nie grał w zespole, alternatywnym, znaczy się.

– Ja jednak wolę Bolter.

Wiem, że to ostro zabrzmiało przy Poloniensis, ale już mnie wkurwia mój kolega i próbuję skierować rozmowę na normalną muzykę. Piotrek wydął wargi, facet ma gust, nie tylko gapi się na cycki wokalistek. Dorzucam natychmiast:

– Zresztą Bajm też mi się podoba. Jak wystąpiła w tych wysokich butach i lamparciej skórze, to były chyba *Piramidy na niby*, to było coś...

– Szkoda, że zapomniała porządnie ogolić się pod pachami – ucina Piotrek.

Robi mi się strasznie głupio, na szczęście on nawija dalej.

– Powiem wam, co mnie kiedyś ruszyło w Sopocie. The Twins z *Love System*, dwóch głównych wokalistów, dwie dziewczyny w chórkach, syntetyczny pop, electro, od którego był jeden krok do disco...

– A to nie są Niemcy? – Coś mi kołacze po głowie, doskonale pamiętam, że usiłowałem się popisać, dorównać Piotrkowi.

– Tak, ale Berlin Zachodni, bez The Twins nie byłoby Modern Talking ani Papa Dance.

Nasz krawiec to nie tylko zapalony hobbysta. Normalnie spec, dziennikarz muzyczny, słucham jak zaczarowany. Przechodzi płynnie do opowieści o kumplu z włoskim obywatelstwem, może razem zrobią biznes, bo wiadomo, tam to moda na sto dwa procent, a nie wykroje z „Burdy". Rozwodzi się o Mediolanie, słychać, że na pewno kuma muzykę i modę, i w ogóle wie, co jest – Radzio potem tak powiedział – *au courant* tego, co na Zachodzie brzmi w trzcinie. W tym momencie udaje mi się wstrzelić z tym, co chodzi mi po głowie.

– Właśnie Piotr, patrzę na te dziewczyny warszawskie i kombinuję...

– ...że trzeba się dziś zabawić? – Rechocze, ale jakoś tak na pokaz.

– To też, z przyjemnością, ale wiesz, myślę o tych pasach szerokich, tych poduszeczkach na ramionach jak ma...

Rozglądam się i ruchem głowy wskazuję dziewczynę, która właśnie weszła. Siedzi sama, w żółtym płaszczu, czerwonej opasce na włosach, ale takiej szerokiej, jakby jeszcze była zima, w tym samym kolorze ma kieckę, majtają się dwa naszyjniki, niewiele podkreślają, bo i tak jest z niej płaska deska, ale zgrabna, wysoka.

– A, Mariola? – Macha do niej ręką, ta się uśmiecha, ale kiedy Piotr zaczyna ją przywoływać ruchem ręki, kręci głową. – Mariola jest modelką w Hofflandzie i w Modzie Polskiej, poważna sprawa, ale znam ją. – Znów się chwali i szpanuje, ale czuję, że naprawdę wszystkich zna, kurde.

– Na razie, wiesz, chodzi mi o modę, wykroje. Umiesz tak uszyć, żeby te rękawy tak kanciasto się podwyższały? Albo wiesz, kto takie pasy szerokie robi? W Szczecinie mamy dużo z Zachodu, nie myśl sobie, ale takich pasów dziewczyny jeszcze nie noszą. Powiedz, skąd to wziąć?

Już otwiera usta, ale kelner zgiął się w pas i Piotrek zarządza boeuf strogonof, tutaj legendarny i musimy spróbować, tak mówi. Sobie dewolaja bierze, oczywiście przystawki, flaszka, już liczę w pamięci, ile to wyniesie. Najgorzej, jeśli impreza się rozwinie, ale przecież chciałem się bawić, więc koszty trzeba ponieść, co nie?

Głośno zapewniam, zupełnie niepotrzebnie, bo przecież już to mówiłem, że my płacimy, rewanżując się za kuzynkę z LOT-u.

– O nie, przecież jesteście moimi najlepszymi klientami, ja zapraszam! – oponuje kulturalnie Piotr.

– Nalegamy – odzywa się Radzio jak jakiś lord, chociaż pewnie jeszcze bardziej się boi, że ten wypad do Warszawy nas zrujnuje, wiadomo.

– Skoro tak, to wy stawiacie kolację, a ja was potem na dół zapraszam, na dancing, dziś będzie panna Dalia z boa występować.

– Ty tu dobrze wszystkich znasz – nawet się zainteresował Radzio, bo walimy pierwsze dwie kolejki pod colę i śledzika, a on zawsze po alkoholu się rozkręca.

– Wiecie, to wcale nie jest duże miasto, a ja projektuję od dawna, szyję też dla paru artystów. Na przykład zrobiłem dla Papa Dance te wdzianka na Opole, trochę ludzi już znam.

– Nie gadaj! Te skafandry ze statku kosmicznego, „Królowa fal, pierwsza z wszystkich dam, jej obraz wciąż przed oczami mam"?

– Tak. – Piotrowi jaśnieje twarz. – Czarno-biały dla Grzesia, to znaczy dla Grzegorza, no wiecie, Wawrzyszaka, tego z czarnymi włosami. Były też niebieski i różowy, te klapy jak ostre trójkąty, guziki, co ja się namordowałem, żeby to uszyć. Teraz chłopaki się pokłóciły, liderem będzie chyba Paweł Stasiak, i sypie się nasza współpraca. Nie ma o czym gadać, może na kolejne lato festiwalowe znów komuś wyszykuję ciuchy.

Gratuluję i naciskam w sprawie bluzek. Piotr obiecuje, że jak będziemy mieli duży zbyt, to może szyć, ale wyłącznie hurt. Nic innego nie wchodzi w grę, małe ilości mu się nie kalkulują, musi uruchomić „linię produkcyjną". Gadał nie jak badylarz, tylko biznesmen. A to różnica, czujesz?

– A z tymi paskami to nawet mnie zaskoczyłeś. Sąsiad robi takie wąskie, złote, co się krzyżują na brzuchu i jeden koniec zwisa. – Piotr aż wstaje z krzesła, żeby pokazać, i gestykuluje jak kreator mody. –

Znam takiego, co też tu na basen przychodzi, do Victorii, Wacek ma na imię, on ma wtryskarkę i robi te klipsy wszystkie, koła, plastiki i, kurde, aż go spytam, skąd te szerokie pasy, bo wszystkie nie mogą być z prawdziwej skóry. Na większą ilość to musi być z plastiku, bo z czego? Ty masz, Janek, oko, powiem ci. No to siup, za modę polską!

Cheri, Cheri Lady

Janek sprawiał wrażenie, że zakochał się w Piotrze, choć nie był gejem, jak to się dziś ładnie mówi, wtedy chyba mówiliśmy ciota, i tyle. Z perspektywy czasu muszę tę rozmowę podsumować krótko i mocno: w restauracji Victorii pitolili trzy po trzy. Rozumiem, że chodzi o muzykę jego młodości, liczą się wspomnienia, widzi i słyszy przez różowe okulary i tak dalej, ale z perspektywy czasu tym bardziej wiem, że Papa Dance to był syf i już. Wtedy też tak uważałem, ja ledwo Lady Pank mogłem zdzierżyć, wtedy zresztą akurat zawieszony po skandalu z Borysewiczem we Wrocławiu. Byłem z undergroundu muzycznego, choć w przeciwieństwie do Maćka nie kumplowałem się z tymi Brylewskimi, Lipińskimi i innymi, nie byłem nigdy do końca ich „załogantem". Jeśli Janek twierdzi, że nie wspomniałem ani słowem o Generacji i muzyce alternatywnej, to zrobiłem tak ze skromności. Po co miałem im mówić o innym świecie, w którym długo żyłem, ale który już odchodził, znikał, sam zapominałem o bujnej przeszłości.

Na pewno nie ma dziś co gadać o pięknym wczesnym disco *à la Polonais*, o stylu ejtisów, czy jak Piotr wtedy się wymądrzał niczym prezenter z Trójki, że syntetyczny nowy romantyzm. To były PRL-owskie podróby, wyrób czekoladopodobny, czyli bida z nędzą, socjalistyczny pop dla mas, przecież właśnie po odwołaniu stanu wojennego to się tak rozkręciło. Władza tworzyła wentyle bezpieczeństwa dla ludożerki, tak samo jak pozwalano na Jarocin, gdzie nawet dostaliśmy się z Generacją, raz wystąpiliśmy, dla mnie tam było za dużo ludzi, ale energia fajna. Oficjalny pop to były igrzyska gorszego sortu, wystarczy obejrzeć dziś występy z Sopotu czy Opola. Przecież ani pierwszy, ani drugi wokalista Papa Dance nie potrafił śpiewać i głos szedł z playbacku. A oni w Victorii podniecali się bez granic, bo Janek już widział siebie jako wielkiego biznesmena, marzył, że po powrocie zainwestuje pieniądze i stworzy dom mody. Przez chwilę miał fantazję, że założy nową Modę Polską, a Piotrek będzie jego Jerzym Antkowiakiem! Wizja z hotelu Victoria, z jego mokrych snów. Skończyło się zupełnie inaczej, muszę przyznać, że zaskoczył nawet mnie, co tu dużo mówić. Wszystkich zaskoczył, nawet siebie.

Moim zdaniem popisywali się obydwaj, puszyli przed sobą, rozkładali pawie ogony i nawzajem się nakręcali. Cały czas popijaliśmy wódkę, a po kolacji zeszliśmy do podziemi, do klubu z wielkimi kanapami, oglądaliśmy striptiz i Piotr poszedł po „koleżanki" dla nas. Wrócił z dwiema, dziwiłem się, że nie z trzema, ale nasz projektant mody bardziej niż dziewczynami wydawał się zainteresowany szansonistą udającym na scenie Shaikin' Stevensa udającego Elvisa. Nie były to modelki z Hofflandu ani nawet początkujące aktoreczki, tylko zwykłe prostytutki z Victorii. Janek od razu przykleił się do jednej, całej na czarno. Czarne legginsy, czarna bluzka, krótkie koronkowe rękawiczki bez palców i tym podobne. Mogłaby być jego matką, trochę to było... perwersyjne? Przypomniało mi się zresztą, już wtedy i do dziś pamiętam, to skojarzenie, jak kiedyś przyszedłem do niego, otworzyła mi jego matka, wcale nie stara, muszę przyznać, była naprawdę atrakcyjną kobietą. Ubrana w czarny cienki szlafrok czy właściwie koszulę nocną. Już drinknięta uśmiechała się do mnie, plotła, że jestem takim ważnym kolegą Janka i takim mądrym, z dobrego domu, że pomogę jej synowi. W czym ja mogłem mu pomóc, skoro to on zawsze ratował mi skórę?

Chodzi mi o to, że ta prostytutka z Victorii, którą sobie wziął, była podobna do jego matki. Dla mnie została druga, w zupełnie innym stylu, na nastolatkę zrobiona i chyba rzeczywiście dużo młodsza od tamtej, mniej więcej w naszym wieku. Krótkie włosy, opaska, czerwona bluzka z trójkątną klapą albo może koszulka w paski. W każdym razie mogła się kojarzyć z Magdą, taką, jaką zapamiętałem, i to mnie zgubiło. Janek trzymał swojej rękę na kolanie i szeptał do ucha, ona się chichrała. A ja chrząkałem, odkaszliwałem i pewnie spytałem dziewczynę, jaki film ostatnio widziała. Chyba nie byłem aż taki głupi, żeby pytać o ulubioną książkę. W każdym razie pół godziny później Janek szepnął mi do ucha, żebym mu dał przynajmniej godzinę, i zmył się ze swoją Cheri, cheri Lady do naszego pokoju w Forum. Zostałem w zasadzie na lodzie z tą młodszą, zrobioną na młodzieżowo przedstawicielką najstarszego zawodu świata, piliśmy wódkę i szampana, poszliśmy potańczyć. Szybko zrozumiała, że nic ze mnie nie będzie, i nagle zostałem sam, bo Piotr w którymś momencie też się pożegnał.

Nie żałowałem, że się zmyła, ponieważ robiło mi się niedobrze od barokowego szaleństwa Victorii: pluszu i pudru, czerwieni kanap i różu na policzkach, sztucznego złota na piersiach, kolczyków mieniących się fałszywym blaskiem i dziewczyn jak bombki ociekające spojrzeniami napalonych facetów. Tak ma wyglądać pogoń za Zachodem? Jak prowincjonalna podróbka, namiastka, mała oaza dla badylarzy, cwaniaków i ubeków, a za drzwiami syf, malaria i podziemna „Solidarność"? Cieszyłem się, że lecimy w drugą stronę, na Wschód, choć wiedziałem, że dla Janka to okrężna droga na Zachód, może nie jedyna dostępna, ale obiecująca. Kolumb chciał do Indii, a odkrył Amerykę, my odwrotnie. Chcieliśmy do Ameryki przez Azję, dookoła świata, ale do celu.

Chcąc nie chcąc, ruszyłem spacerkiem w stronę Forum, żeby dać przyjacielowi czas, w końcu byliśmy partnerami, znów na dobre i na złe, mimo przeszłości. Zapadła noc, młodzież malowała na ścianie hasło z szablonu, „Proletariusze wszystkich krajów bogaćcie się", i tego robola za kołem sterowym, jak na plakacie PZPR. Na mój widok uciekli. Szedłem chyba Mazowiecką i dalej prosto do Alej Jerozolimskich, neony migały w dziwnych rytmach. Śmierdziało, wpadłem w dziurę w chodniku, gdzie indziej wlazłem na ledwo trzymającą się barierkę robót drogowych. Zatrzymałem się przed witryną sklepu rybnego, w jej pustce leżał tylko wielki kolorowy spławik. Zapatrzyłem się w niego, miałem wrażenie, że wystawa faluje, unosi mnie z biegiem rzeki w głąb ciemności.

Byłem pijany i zmęczony, ale nie miałem daleko, nie zgubiłem się i szybko dotarłem do hotelu. Trochę za szybko, otworzyłem drzwi i musiałem zamknąć, Janek jeszcze nie skończył. Czekałem pod drzwiami jak zawstydzony uczniak. W końcu krzyknął do mnie, żebym wchodził, ta pani się ubierała i patrzyła na mnie wyzywająco, zaproponowała, że ze mną też może się zabawić. Janek się śmiał i rzucił, że pani dobrze się zna na literaturze francuskiej i żebym spróbował, ale pokazałem jej drzwi, wyszła obrażona. Naprawdę była w wieku naszych matek. Spojrzałem za okno, neon naprzeciwko pokazywał „H" „TE" i ramkę litery „L". Padłem na łóżko i zasnąłem. Miałem dość Warszawy, diamentowych kolczyków, wideodotyków, wideoszałów. Cieszyłem się, że za parę dni będę w Indiach.

Zenon Reagan

Radek rozklekotanym autobusem dojechał z osiedla Słoneczne do centrum. Zamiast przesiąść się w tramwaj, szedł piechotą. Nadkładał drogi, żeby odsunąć w czasie rozmowę z matką. Nadal nie wiedziała, że syn ma paszport, wizę i bilet lotniczy w kieszeni, że za dwa dni leci do Indii. Kluczył wśród socmodernistycznych bloków i secesyjnych kamienic, przechodził przez bramy, z których odpadały dziewiętnastowieczne stiuki, a ściany zdobiła plątanina instalacji energetycznych. Mijał napisy „Żydy do gazu" i „Wolność dla Adamkiewicza". Uśmiechnął się, milicjanci nie mówili o ruchu Wolność i Pokój inaczej niż „sataniści". Kiedy lokalny działacz studenckiej opozycji Marek Adamkiewicz odmówił służby wojskowej i został skazany na dwa i pół roku więzienia, głodówka w jego sprawie odbyła się w kościele pod Warszawą.

Radek studiował wyłącznie po to, by uniknąć wojska. Kobranocka śpiewała: „Ela, czemu się nie wcielasz, twoich oczu blask niewinny przypomina mi mundur, co z tego, że inny", również Generacja miała swój utwór o zasadniczej służbie wojskowej, ale były basista zespołu nie wierzył już w skuteczność takich działań. Przecież tutaj nic się nie zmieni. *No future.*

Coraz wolniej lazł przez podwórka, wypatroszone trzewia dawnego miasta, śmietnikowo-parkingowo-ogródkowe zaplecze, gdzie toczyło się codzienne, nieoficjalne życie, ukryte za fasadami, które mieniły się warstwami różnych farb, różnych epok. Frontony kamienic wydawały mu się zmęczone udawaniem, pomarszczone ze starości, pokryte guzami, wykwitami, wypustkami. Jeszcze rok wcześniej próbowałby napisać piosenkę o brudnych ulicach, ale Generacja już nie istniała.

Potknął się o wyszczerbiony krawężnik i omal nie wpadł w kałużę zbierającą się w dziurze chodnika. W Szczecinie w 1980 roku nakręcono musical *Alicja*, w którym miasto udawało Paryż. Wiele lat później dawne *Strasse*, obecne ulice, udawały Berlin w *Młodych wilkach*, ale latem 1987 roku Radek oglądał tablice „PRL pierwsze od stuleci państwo polskie jednolite narodowo – w sprawiedliwych i bezpiecznych granicach". Dlatego, chcąc nie chcąc, przy kolejnym papierosie dumał o wolności, sprawiedliwości i bezpieczeństwie. Co wybrać? Od jednolitych narodowo granic wolał wolność w Azji, nawet za cenę kryształów i magnetowidów. Tylko jak wytłumaczyć to matce?

Szedł przez swoje znienawidzone miasto, zbombardowane przez aliantów, potem ostrzelane przez Rosjan, na koniec oddane Polakom, resztki z pańskiego stołu, bo kto inny weźmie strategicznie położone ruiny i zgliszcza? Skręcił w ulicę Unisławy, nie miał pojęcia, kim ona była. Kolejną polską księżniczką, co nie chciała Niemca? Unia i sława, dalej prosty do rozszyfrowania skrót „ZSB" wykuty z metalu na bramie wielkiego, ponurego gmachu. Zespół Szkół Budowlanych – więzienie dla młodzieży, która nie poszła do liceum ogólnokształcącego. Sybir, zsyłka, nauczyciele straszyli Bogdana, że właśnie tam wróci, tam jego miejsce. Potem WDS, bo Polska to kraj skrótowców, usiłowano do nich sprowadzić przydługie nazwy. Wojewódzki Dom Sportu, komu by się chciało to wymówić? Nie przewidział, że po 1989 roku niektóre nazwy jeszcze się wydłużą.

Usłyszał głosy i próbował zniknąć za narożnikiem, wyminąć nieznajomych. Spodziewał się najgorszego, w drugiej połowie lat osiemdziesiątych można było łatwo zarobić w zęby, w dziewięćdziesiątych zresztą też. Ulicami nie rządziła jeszcze spirytusowa mafia, nie strzelała i nie porzucała trupów, ale nowoczesna agresja wisiała już w powietrzu. Nie zdążył uciec, drogę zagrodzili mu nieznajomi, ucieszył się, że nie nosi przy sobie pieniędzy na wyjazd. Trzymali je, tak jak towar, u Janka pod kluczem, w prowizorycznym sejfie domowej roboty ukrytym w szafie. W półmroku nie widział ich twarzy, zorientował się jednak, że to punkowcy z drugiej fali. Umundurowani jak anarchiczne oddziały przyszłości: skóry, glany, duże irokezy, nunczako. Nie rozpoznawał koloru sznurówek, ale po czubach na głowach wnioskował, że to nie skinheadzi à la Stettin. Nie było źle, łyse pały nie słuchały reggae ani punka, tylko od razu dawały w mordę. Z młodymi panczurami można się dogadać, choć pokolenie pierwszej nowej fali to były dla nich stare pierdziele.

– A gdzie obywatel o tej porze? Może trzeba wskazać drogę? Spytać milicjanta, on ci prawdę powie?

Znał ten głos.

– Morda, ty mnie nie strasz tekstem Dezertera, którego kasetę ci kopiowałem własnoręcznie na moim sprzęcie!

– Radixon! Nowa, morowa młodzież! Jedzą gazety kolorowe!

– A to czyje? Nie znam.

– Lejemy? – wtrącił jeden z młodszych załogantów, wywijając nunczako.

– Nie! To kolega! Ale zapomniał o Jarocinie. Zmienił się... „Wszyscy sikają pod siebie w zgodzie. I nic nie wiedzą o swoim smrodzie". To o was chłopaki, o tobie, o Janeczku, Bodziu i kto tam jeszcze z was. „Idą kaleki do dyskoteki". T. Love Alternative.

– Nie pierdol, ja nie chodzę na dyskę. Dobrze wiesz.

– Ale do Jarocina też nie jeździsz... Reaktywujecie Generację?

– Nie ma szans. Maciek nie może tu wrócić, wojsko go ściga.

– Wiem, wiem, *to se ne vrati*. Może dobrze, bo ta wasza *Judyta* to był rzyg, *sorry*... Chociaż parę kawałków, tych późniejszych, mieliście ok. Dorzucisz się na flaszkę?

– Weź się, Morda, w garść. Załóż w końcu swój zespół, zamiast sępić kasę po nocy. Możemy zajarać.

Usiedli pod murkiem. Radek dał każdemu po fajce, nawet młodszym koleżkom Mordy, nastolatkom, którym zamykały się oczy, byli nieźle nawąchani. Tylko ich lider jak zwykle trzymał fason. Gadał, zaciągając się nerwowo, nawet nie zauważył, że dostał marlboro.

– I widzisz, Radix, teraz cię zaskoczę: zespół założony. Właśnie skończyliśmy próbę! Gramy w mojej byłej szkole, w budowlance, takie czasy. Dlatego mam wyschnięte gardło i muszę się napić, jestem wokalistą!

– No to szacunek. A jak się nazywacie?

– Zenon. Albo Zenon Reagan. Nie jestem jeszcze pewien. Gramy speed punka, dużo ostrzej niż wy, bardziej jak Moskwa. Albo Exploited, znasz?

– Nie. Dlaczego Reagan, jak prezydent Ameryki? Wspieracie amerykański reżim?

– Pierdolimy każdy reżim. O to właśnic biega. Dlatego Zenon i Reagan. Mamy taki numer *Pół godziny horroru*, o dzienniku telewizyjnym. Nie kolaborujemy ani z komuchami, ani z kapitalistami jak ty, kochany.

– Widzisz w tym kraju jakichś kapitalistów u władzy? Z kim ja mam kolaborować? Nadal jestem w ruchu oporu, tylko przyjąłem inne metody.

– Nie pierdol. Bogacisz się, kolaborujesz w środku. – Postukał się w głowę, wskazał na serce. – Radix, wspomnisz moje słowa!

– Ej, Morda, w głowie ci się mąci, wskakujesz na zbyt wysoki poziom.

– Wspomnisz moje słowa, tyle ci mówię, bracie. Mówiłem ci to już dawno temu, znów zapomniałeś. To wszystko jest złudą! – Pokazał ręką ciemną noc szczecińską, po czym zmienił temat. – A co z twoim koleżką z wyższych, ubeckich sfer?

– Nie no, znowu przesadzasz, ojciec i syn nie mają ze sobą nic wspólnego! Jasiek to mój kumpel.

– Po pierwsze, zabugol. Po drugie, resortowe dziecko. A ja jestem robotniczy syn, mój stary zapierdalał w stoczni całe życie!

– Ale ty już nie...

– Oczywiście, bo nie jestem taki głupi. W każdym razie gdyby nie to, że Jasiu to twój koleżka, dałbym w mordę. Nomenklatura zawsze zdradza, jak szlachta. Mój dziad był chłop, niewolnik. Dopiero ja jestem wolny człowiek!

– Mącisz. Skoro Jasiek jest zza Buga, to z kresowych chłopów, a nie ze szlachty. Nie wiedziałem, że aż tak interesujesz się historią, ale trochę ci się pierdoli.

– Takie hobby. Myślałeś, że tylko syn bibliotekarki czyta książki? A punki to jabole i nic nie kumają? Oj, ty jesteś jednak „kaleki do dyskoteki". Mentalne kaleki, w głowie inwalidzi. – Morda zanucił pod nosem. – Jakoś tak to napiszę, zrobimy nową wersje T. Love...

– Morda, nie mam siły na te marksistowskie opowieści dziwnej treści. Masz fajki, zostawiam ci paczkę, powiedzmy, że ze względu na klasową solidarność. Muszę lecieć. Trzymaj się!

Czuł, że jeszcze chwila, i Morda nawet jemu da w mordę w imię ducha dziejów. Zmył się, lekko zaniepokojony prądami umysłowymi pośród kumpli. Doszedł szybko do domu, nie miał przy sobie więcej papierosów, musiał wrócić na chatę, gdzie w pokoju ukrył jeszcze jedną paczkę z Pewexu. Oczywiście Mordy nie było stać na zagraniczne fajki, ale czy on ma się winić za to, że zaczął pracować i zarabia? W dodatku ta „praca" polegała na wolności, na jebaniu systemu, robił więc to samo co z Generacją, tylko dostosował metody do nowych czasów.

„Jego" kamienica, mieszkanie komunalne, żadnej własności prywatnej. Każda ściana na wysokości balkonu odmalowana inaczej, niektóre zabudowane, w bramie śmierdzi szczynami, choć matka od lat walczyła z pijakami, ale nie dzwoniła po milicję. To nie uchodziło.

Drewniane schody groziły zawaleniem, matka wysłała już setki pism do nadzoru budowlanego, bez skutku. Nie łudził się, że nie ma jej w domu, było późno. Zebrał się na odwagę i od progu zawołał:

– Cześć, mamo!

Zzuł buty, powiesił kurtkę, tak, na pewno jest, wisi jej prochowiec. Nie ma natomiast spranej dżinsówki siostry, młoda gdzieś się włóczy, chyba że rzuciła kurtkę u siebie w pokoju. Lepiej, żeby jej nie było. Wtrąci swoje trzy grosze i jeszcze trudniej będzie gadać o Azji.

Joga

Pociągnąłem nosem, śmierdziało jej papierosami i stęchlizną sączącą się ze starych ścian kamienicy. Otworzyłem szeroko okna, wszedłem do kuchni, parzyła dla mnie herbatę i szykowała kanapki z serem i ogórkiem. Ostatnio uznała, że zwierząt nie powinno się jeść, a poza tym już nie miała siły stać w kolejkach do mięsnego. Musiałem załatwiać mięsne luksusy, kupować w Pewexie puszkowaną szynkę Krakusa na eksport, żeby nie opaść z sił. Byłem wściekły, kiedy to, co wstawiłem do lodówki, oddawała bezpańskim psom i kotom, a nas terroryzowała wegetarianizmem. Jedząc przy stole w salonie zgrabne kanapki z serem, zacząłem jednak odczuwać wyrzuty sumienia, że nie dbam o matkę i siostrę. Ostatnio zupełnie nie miałem czasu na życie rodzinne. Zdławiłem wątpliwości kolejnym kęsem i jak gdyby nigdy nic powiedziałem, że wyjeżdżam na dłużej z Polski.

Tak jak się obawiałem, usiadła ciężko na wersalce i złapała się za serce. Byłem przygotowany. Już przekręcając klucz w zamku, wiedziałem, że zostanę cicho, ale wymownie zastraszony migotaniem przedsionków, arytmią czy wręcz zawałem. Musiałem zachować spokój, nie wolno mi źle traktować matki, wkurzyć się i trzasnąć drzwiami, zamknąć u siebie. Pozostało mi przetrwać emocjonalną szopkę, przyjąć na klatę rozpacz, a przede wszystkim nie mogłem dać się ponieść emocjom. Chciałem być twardy jak Rambo, patrzeć pustymi maślanymi oczami jak Sylvester Stallone i honorowo jak Zawisza zadbać o słabiutkie zdrowie mamusi. Wzdychała i jęczała, więc poszedłem do kuchni i zaparzyłem jej ziółek, które osobiście zbierała na łąkach. Twierdziła, że najlepsze rosną na zapuszczonych ewangelickich cmentarzach.

Tego triku nauczyłem się jeszcze przed maturą, z aktorską wirtuozerią umiałem zagrać troskliwego syna. Po latach bezowocnych awantur, może nawet głośniejszych niż te, które inscenizowała z ojcem, znalazłem na nią sposób. Dbając o matkę, parząc ziółka, wynosząc śmieci, a nawet płacąc czynsz, kiedy spóźniały się pieniądze od ojca, wytrącałem jej broń z ręki, pozbawiałem możliwości wygłaszania kazań i wyrzucania z siebie niekończącej się litanii wyrzutów. Ona z kolei uznała, że zamiast krzyczeć, lepiej ustawić się na pozycji nieszczęśliwej ofiary synowskich wybryków, ale skoro od razu się nią zaopiekowałem, musiała podejść do sprawy delikatnie, nie mogła zgłaszać przesadnych pretensji. Ciężko być matką katem prawiącym morały, kiedy syn od razu dobrowolnie i potulnie ustawia się w roli okrutnika i słodkiego oprawcy.

Wypiła parę łyków naparu i zapaliła papierosa. Zdrowy tryb życia nie wiązał się z rzuceniem nałogu.

– Radzioszku, dokąd ty jedziesz, synku?

– Do Azji

– A dokładniej? – Już się irytowała.

– Do Indii.

Ja też robiłem się zły. Nie miałem pojęcia, że matka chodzi do domu kultury na pionierskie lekcje jogi i zaczytuje się tam ezoteryczną literaturą z Biblioteki Polsko-Indyjskiej, wydawaną poza cenzurą przez Wandę Dynowską w Bombaju. Nie wiedziałem też, że nie kupuje mięsa, ponieważ naczytała się o wędrówce dusz. Niewiele wiedziałem o własnej matce, więc zaskoczyła mnie jej reakcja. Aż podskoczyła z radości.

– To świetnie! Co planujesz zwiedzić? Kadżuraho? A Dharamsalę? Tam dalajlama uczy, musisz tam pojechać. To punkt obowiązkowy. Przynieś kartkę, rozpiszemy dokładnie, co masz obejrzeć. No już, jest tyle ważnych miejsc. Szczepiłeś się? To konieczne. Musisz pamiętać, że do świątyń nie wchodzi się w butach...

Rozgadała się, już planowała moją przyszłość w Indiach. Zamiast się ucieszyć, że nie protestuje, coraz bardziej się wkurzałem.

– ...Towarzystwo Przyjaźni przygotowało taki druk, maszynopis właściwie, o podróżach na inne planety podczas medytacji, dobrze się czyta, jeszcze go nie mam, ale zdobędę dla ciebie... Albo pożyczę ci magazyn „Weda", studenci z Wrocławia to wydają, czytałam tam, jak to było... Już wiem, *Duchowe strategie dla żelaznego wieku*! Radzioszku, będziesz oczywiście ćwiczył jogę?

– Wątpię. – Chyba się skrzywiłem. – Nie wiem, czy będziemy mieli czas.

– Czas, czym jest czas? Pamiętasz, jak Proust pisał...

Nie dałem jej dokończyć, chciałem jednak podkreślić swój punkt widzenia.

– Mamo, proszę cię. Na pewno coś obejrzymy, ale musimy na to zarobić!

– Synku, pamiętam, jak byłeś taki mały i szliśmy z tatą...

– Nie upupiaj, błagam...

– Daj mi dokończyć! Zapytałeś wtedy, dlaczego czas tak wolno mija. Właśnie wolno, a nie szybko! Pamiętasz? Chciałeś wiedzieć, czym staje się przeszłość, kiedy już mija. Taki byłeś mały filozof.

– Pamiętam, że tata się zdenerwował, co ja wygaduję.

– No tak, tata może nie jest specjalistą od filozofii, ale... ty nie bądź takim materialistą, bardzo cię proszę. Zresztą on też nie jest! Wolnego ducha masz i po mnie, i po nim. Czekaj, to pisemko „Weda", chyba gdzieś mam w domu...

Już wstawała, ale ja wypaliłem:

– Szkoda, że jego wolny duch jest zawsze gdzie indziej niż my.

Skoro nie mogłem czepiać się jej, zaatakowałem nieobecnego ojca. Jego trawler pływał chyba gdzieś u wybrzeży Argentyny, Falklandy, te sprawy.

– Oj tam, nie krytykuj ojca!

Usiadła z powrotem. Paradoks polegał na tym, że jej w gruncie rzeczy pasowała jego nieobecność. Kiedy ostatnio wrócił na miesiąc do domu, ciągle się kłócili. Chciała, żeby pogadał ze mną na poważnie o moim „materializmie" i „tajemniczych interesach". Rodzinna dyskusja, w obecności ojca, który nie miał ochoty brać w niej udziału i właściwie był dumny z obrotności syna, zakończyła się impasem. Teraz broniła męża.

– A kto ci wieżę przywiózł?

No tak, sprzęt grający sprzed lat, nagroda za dobre stopnie w drugiej klasie liceum, jedna z pierwszych w okolicy. W klasie podobną miała tylko Grażyna, ale z Kasprzaka, POLSKI model, który nie umywał się do mojego JAPOŃSKIEGO, nie miał szans przy podwójnym kaseciaku, dzięki któremu kopiowałem nagrania dla wszystkich, nawet za darmo, w ramach przysług koleżeńskich i sąsiedzkich. Dlatego mogłem przegrywać Dezertera i inne dla Mordy, Depeszy dla Grażyny, a nawet The Cure dla Agnieszki. Miałem najlepszy sprzęt w liceum, dopóki nie przyjechała Magda.

Ta wieża jeszcze bardziej mnie zdenerwowała. Chyba wszedłem do domu nabuzowany emocjami, może to gadki punkowców o zdradzie ideałów mnie wkurzyły? Byłem spięty, przygotowany na awanturę, zaprogramowany na konflikt. Nagła i niespodziewana akceptacja matki dla wyjazdu do Indii podziałała na mnie tak samo, jak jej niedoszły sprzeciw. Chciałem afery, więc ją rozkręcałem.

– Może jeszcze przypomnisz wranglera z misiem, którego kupił mi sto lat temu? Kurtkę to ja mogę sam sobie kupić, jak moją ramoneskę...

– Wranglera przywiózł ci z Kanady. Jaką ramoneskę? – Matka nie znała tego określenia.

– No tę skórzaną kurtkę, lśniącą. Sam sobie kupiłem, w Budapeszcie. Teraz mam trzecią, ze Stambułu.

– A, tę ohydną, dekatyz to nazywacie? No, waszej mody to ja już zupełnie nie rozumiem...

– To jest nasza moda! Piramidy, dżinsy, marmurki. Mam też samochód i nie muszę nic brać od ojca.

– No, Radziu, ale mieszkasz u nas?

– Właśnie, a chcę mieszkać sam. Dlatego muszę zarobić. W Indiach.

– W Indiach zarobić? Dziwny pomysł. NRD wam nie wystarcza? Przecież ciągle gdzieś kursujecie.

– Do NRD? Proszę cię, to też obóz!

Mówiłem coraz głośniej, inscenizowałem dramatyczną scenę rodzinną. Jeżeli któreś z nas nie wycofa się o pół kroku, nie zamilknie i nie odetchnie głęboko, to za chwilę zaczniemy krzyczeć. Wiedziałem to, ale szedłem na zwarcie, choć przecież wystarczyło mniej gadać o biznesie, skupić się na jodze i sprawa załatwiona.

– Źle mi w tym kraju, tutaj, jest... Sama zresztą wiesz... Wszyscy wiedzą, tylko boją się powiedzieć...

– Kto się boi? Czego się boi? Kochany, ty nie wiesz, jak było kiedyś! Same ruiny, sami uprzątaliśmy nabrzeża, a Niemcy wciąż siedzieli w centrum, podpalali domy, po nocy strach było wyjść, łuny pożarów...

– Mamo, wiem, nawijałaś o tym w przemówieniu na rocznicę wyzwolenia, kiedy dostałaś order. Ja wiem, ty wiesz, wszyscy wiedzą, że komuna nigdy się nie skończy!

– Ale co to za komuna!? Za Stalina to była komuna! Chciał oddać Niemcom miasto. A teraz jest nowoczesny socjalizm, synku, z ludzką twarzą, trzeba to docenić. To jednak twój kraj, twoje miasto.

– Nie gadaj jak Zaremba!

Parę dni wcześniej oglądaliśmy program telewizyjny, w którym pierwszy powojenny włodarz miasta nawijał o Gryfitach. Zagryfione miasto: stocznia Gryf, odznaka honorowa Gryfa, wszędzie straszą potwory. Albo ten Barnim czy Bogusław X, co miał żonę z Jagiellonów? Do tego restauracja piastowska? Ideologiczna pasza dla mas, zamiast kościoła. Te zresztą też pełne. Narodowy katolicyzm grodu gryfa. Twierdzili, że ci kupcy, Loitzowie, byli Polakami, bo dostali azyl od naszego króla, któremu pożyczali pieniądze. No bez przesady. Miasto mitów. *No future*, bo wszyscy myślą o historii, krytycznie albo na kolanach, ale ciągle o tym, co było, nic o tym, co będzie. W całym tym kraju zarówno komuniści, jak i opozycja ciągle mówili o przeszłości, szczególnie w Stettinie każdy się w niej specjalizował. A ja chciałem mieć jakąś przyszłość przed sobą, nie tylko mur za sobą.

– Zaremby to ty się nie czepiaj. Dziadek pracował z nim w Poznaniu przed wojną, działali w Polskim Związku Zachodnim.

– Faszystowskim!

– Jakim faszystowskim?! Miesza ci się! Narodowa Demokracja, a to zupełnie co innego. Po prostu wierzyli, że „Byliśmy, będziemy". Teraz jesteśmy, na Ziemiach Odzyskanych. Chcieli je odzyskać jeszcze przed wojną. Czy ty, Radzio, wiesz, ile kilometrów wybrzeża miała Polska w trzydziestym dziewiątym?

– Wiem, wiem. Ale w Szczecinie nie ma morza! A Dmowski był antysemitą, narodowcy gadają jak dziś komuna. Ostatni Żyd w tym mieście musiał uciec do Berlina.

– Jaki Żyd? – zdziwiła się matka.

Nie rozumiała, że mówię o Maćku.

– Kłócicie się o historię?

Żadne z nas nie zauważyło, że moja starsza siostra weszła do mieszkania. W dodatku miała rację, znowu dyskutowaliśmy o przeszłości, od której tak bardzo chciałem się wyzwolić. Zośka zazwyczaj po cichu wkradała się do domu rodzinnego, przemykała do własnego pokoiku, wyjmowała bibułę, ukrywała ją w szafie i dopiero wtedy wkraczała do kuchni lub siadała przed telewizorem jak gdyby nigdy nic.

– Słyszałaś, twój braciszek pojutrze leci do Indii!

– Aha... – Siostry to w ogóle nie zainteresowało.

– Mamo, duszę się tutaj! Chcę powietrza! Powietrza! – Chyba cytowałem zespół Moskwa. „Wszędzie śmierć, mdłe rozmowy. I nikt nie chce podnieść głowy", ale czy właśnie nie uciekałem? – Tutaj już nie dochodzi żaden świeży powiew!

– Powinieneś podnieść głowę i coś zrobić tutaj.

Zośka czytała w moich myślach, może zresztą słuchała Moskwy, miałem z nią słaby kontakt. Kiedy graliśmy z Generacją, przychodziła na koncerty, ale moje obecne wyjazdy handlowe chyba ją brzydziły.

– Przed niczym nie uciekam.

– Nie powiedziałam, że uciekasz.

– Wszystko jedno. Jeśli chcesz zmienić świat, zacznij od siebie. A kiedy ty odpowiedzialnie dorzuciłaś się do czynszu albo przyniosłaś jedzenie?

– Nie bądź taki przyziemny. Ten kraj to coś więcej niż Szczecin i szynka!

– Co więcej? „Solidarność" masz na myśli?

– Oni są niedzisiejsi – prychnęła z pogardą. – Wstąp do nas, do Wolności i Pokoju. Komunę obali WiP, a nie dziady z KOR-u.

– Nie ma już Akademickiego Ruchu Oporu ani Niezależnego Zrzeszenia Studentów? – ironizowałem i wyraźnie sylabizowałem nazwy organizacji, które w stanie wojennym praktycznie przestały istnieć.

– My jesteśmy pacyfistami. Objectorami. Znasz takie słowo? Wytłumaczę ci! Chcesz iść do wojska?

– Oczywiście, że nie. Zośka, nie jestem debilem. Wiem, co to WiP!

– No właśnie, rewolucja zaczyna się od odmowy wojska. To ludzi interesuje, a nie związki zawodowe. WiP i „Wolę być".

– A to co znowu? Kółko abstynentów czy różańcowe?

– Ruch ekologiczno-pokojowy. Podobny do Wolności, ale bardziej legalny, zaczął się od pisma „Na przełaj". Mnie wojsko nie grozi, więc skupiam się właśnie na ekologii. Myślę, że niedługo i oni, i my pokażemy, na co nas stać. W Żarnowcu.

– Tak, tak, elektrownia jądrowa. Nie tłumacz, wiem, o co chodzi.

– Ale czy wiesz, że atom zagraża naszej planecie!? Nie tylko PRL-owi? Tobie i mnie? Przekonasz się! Trzeba to zablokować, zanim będzie za późno.

– Gadasz jak kaznodzieja, może zapisz się do krysznowców?

– Jezus Maria. – Matka załamała ręce.

Ćwiczyć jogę w domu kultury i rozwijać swój potencjał duchowy to jednak coś innego niż łazić i śpiewać „Hare Kryszna" albo przykuwać się łańcuchami w proteście przeciwko elektrowni atomowej. Za to można było dostać pałą w łeb.

Zamilkłem. Nie byłem już pewien, o co właściwie się kłócimy: o siostrę, o mnie, o wyjazd czy o cel wyjazdu do Indii. Matka przypuściła atak na nas obydwoje:

– Wy mnie wykończycie!

– Mamo, spokojnie. Ja nic nie robię, ja się tylko interesuję, no wiesz, sympatyzuję – wycofywała się Zosia.

– Ale tobie, synku, po co te interesy?!

– Nie jadę w interesach, lecę poznawać świat, tylko muszę na to zarobić!

Trochę skłamałem, a trochę nie, miałem już wtedy naprawdę dosyć Szczecina, dosyć Polski. Niech to wszystko pochłonie atomowe piekło. Janek koncentrował się na biznesie, ja bez Szczecinexu nie mógłbym nawet do Międzyzdrojów jechać, a co dopiero do Stambułu i dalej.

Zapadło milczenie. Przyniosłem papierosy i zapaliłem, chyba pierwszy raz przy matce. Bez komentarza wzięła ode mnie jednego i paliliśmy razem. Sztama, zawieszenie broni, porozumienie ponad podziałami, nawet Zośka nie machała ręką, żeby odgonić dym. Papieros może mnie nie uspokoił, ale chwila przerwy w dyskusji dobrze mi zrobiła. Poczułem się zmęczony, chciałem mieć to za sobą, a nie kłócić się o bzdury.

– Mamo, wszystko będzie dobrze! Przecież nas znasz, nic głupiego nie zrobimy. Zosia zostanie z tobą, a ja niedługo wrócę. Obiecuję, że pozwiedzam zabytki i poćwiczę jogę.

– Dobrze, ale co będzie z edukacją? – zapytała dramatycznie, ale poczułem, że to już ostatni kontratak.

– Przecież już zaraz wakacje. Zaliczyłem sesję. – Właściwie nie kłamałem, może troszeczkę: parę zaliczeń z tego roku wisiało na włosku, ale byłem pewien, że załatwię wpisy do indeksu. – Trzy miesiące wakacji! Dlaczego mam nie wyjechać?

Nagle się przemogłem, usiadłem obok i nawet pogłaskałem ją po ramieniu, dotknąłem, czego już od lat nie zrobiłem.

– Tylko żebyście do „Solidarności" nie szli! – dorzuciła jeszcze matka, ale łagodnie.

Widać było, że dała się udobruchać.

Argonauci

Tak to Radzio opisał?

Uśmiałem się, jak mi to przesłałeś.

No, ja nie wiem, mnie tam nie było, ale opowiadał coś zupełnie innego. Twierdził, że rozpętała się dzika awantura, taka maksymalna, aż talerze latały. Zawsze w to wierzyłem, jego matka miała charakter. Ale była fajna, naprawdę. Może chodzi o to, że w porównaniu z moją? *Anyway*. Nie wiedziałem wtedy, że ona ćwiczy jogę, nie miałem nawet pojęcia, że takie zajęcia odbywają się w Szczecinie. Obiecał, że poćwiczy jogę? No ładnie. Wtedy te kwestie mnie w ogóle, nic a nic, nie interesowały. Jeśli czytała o reinkarnacji, to na pewno nie miała nic przeciwko wyjazdowi, nie? A Radzio mówił, że musiał stoczyć wielką bitwę, że tyle go to kosztowało, że poświęcenie. On zawsze przesadzał, nie ma co się przejmować.

Ale z drugiej strony miała temperament, więc lubiła postawić na swoim. Pamiętam, że on o Gombrowiczu, a ona, że Miłosz, w tym stylu akcje. „Nie zakładaj tej kurtki", „Ale to moja ulubiona", „Źle w niej wyglądasz, w tamtej ci bardziej do twarzy", czaisz, o co chodzi? Zwracałem na to uwagę, bo moja stara nawet nie zauważała, jak wychodziłem z domu. Poza tym, powiedzmy sobie szczerze, moja to była prosta kobieta. Urodziła się pod Kielcami, gdzie psy dupami szczekają.

Uciekła z domu na Ziemie Odzyskane, dlatego ja dziadków nigdy nie poznałem, nie było kontaktu. Wyparli się jej, wyrzekli, wydziedziczyli. Tylko z czego? Ona mówiła, że chyba z ćwiartki tej jednej krowy, która dostała się jej siostrze, braciom. Chyba ich dużo było.

No dobra, ogólnie było tak: moja stara przyjechała do Szczecina, poznała ojca, no, milicjanta po prostu. Ona młoda, ładna, bez rodziny. On też sam, jego rodzice podobno zginęli pod koniec wojny, na Kresach znaczy się. Szukał szczęścia na zachodzie. No więc u mnie, jak się rozstali, to już w ogóle nie było rodziny. A u Radzia była. Ojciec pływał, ale matka miała różne ciotki, w Poznaniu, wielkopolskie klimaty, wiesz, mieszczańskie takie. Ciągle tam jeździli, obiadki, imieninki, rocznice. Pani starsza zarabiała grosze, ale dzięki jego ojcu powodziło się im nie najgorzej. Ona organizowała książki, bilety na koncerty muzyki poważnej, wyjścia do muzeum, miała obsesję na punkcie kultury. Nawet mnie kiedyś zabrała, „szerzenie oświaty". Niezła wariatka, cała okolica tak mówiła, a ja ją w zasadzie lubiłem. Tylko miała pretensje, że demoralizuję synka. On miał być artystą, a ja go na geszefty. Chyba dlatego mnie zapraszała do domu, na obiady nawet, żeby mnie wychować, ucywilizować, urobić. Myślała, że jak mnie zmieni, to nie będzie złego wpływu na Radzia.

Taka była.

Opisał ci, jak było z wyjazdem? Nie? To ja ci powiem, bo to w sumie niezłe jaja. Jeśli będziesz chciał, to wykorzystasz.

Bo jednak w osiemdziesiątym siódmym mieć paszport w ręku, z wizą, i bilet to była poważna sprawa. Nie to, co dziś. Normalnie nirwana. „Czy to jest sen, czy jawa?" – zanuciłem, jak wyszliśmy z ambasady. A basista, co wył w chórkach Generacji, nagle pełnym głosem: „Wspaniała, wspaniała gra. Cudowna, cudowna gra. Szara, szara mgła. Pulsuje, tętni, gra". Roześmialiśmy się obydwaj i chyba, niestety, to był ostatni moment takiej naszej wspólnoty. Że razem czujemy to samo i się zgadzamy, po całości. Na ulicy w blasku słońca, jak w jakimś musicalu, normalnie tańczyliśmy z radości. Nasz hymn, ulubiony numer, że nie ma kłótni, to było *Die Grenze* Maanamu. Kora śpiewała: „Granice – mury, zasieki, zapory. Granice – stalowe rzeki, stalowe góry", a one właśnie się przed nami otworzyły. Nie myśleliśmy o wideo, o cenach. Tylko radość, że spierdalamy z Polski, gdzie „Ludzie bez twarzy, ludzie bez serc".

To była chwila i zaraz się pokłóciliśmy, czy dalej idzie: „Podrywa słowa z ust szaleńca. Patrzę i płaczę, a Arab krzyczy" czy „człowiek krzyczy". Nirwana minęła, ale pozostała duma, że nie byliśmy już zwykłymi chłopaczkami od geszefcików; ruszaliśmy w świat po wielką kasę. Przynajmniej ja, Radzio nawijał o złotym runie i przygodach. Ok, niech mu będzie. Wracając z paszportami, gadaliśmy o tym, jak wiele osób wyjechało z osiedla, z klasy, z miasta, od czasu wprowadzenia stanu wojennego.

– Pani Musenkamp – on zaczął wyliczankę – z mojej kamienicy, Niemra.

– Ode mnie Piskorski, kolega taty z pracy.

– Czyli ubek. Janek, wyluzuj, bądźmy szczerzy.

Ja jeszcze wciąż nie mówiłem tak wprost, ale Radzio, za to mu chwała, chciał nas obydwu przyzwyczaić do faktów.

– No tak, ale już nie ubek. Esbek powinno się mówić, nie? Zwiał przy robocie w Berlinie, teraz podobno jest w samym Bonn, w stolicy.

– Ode mnie jeszcze jeden sąsiad. Inżynier Łyczywek. Dostawał paczki z RFN, nawiązał korespondencję z jakąś rodziną tam i wyjechał. Mówił, że na urlop, ale już nie wrócił. Nawet się nie pożegnał, może naprawdę nie planował emigracji, tylko chciał się rozejrzeć? I dziewczynę przez to straciłem.

– To ty miałeś kiedyś dziewczynę?

Pozwalałem sobie na żarciki z Radzia, ale był przyzwyczajony. Mam nadzieję.

– Tak, jeszcze przed MOP-em. Chodziłem z córką tego inżyniera, wyprowadzaliśmy do parku jej spaniela i się całowaliśmy. Ona też nie wiedziała, że wyjeżdża na zawsze, dała mi buziaka i powiedziała, że widzimy się po świętach. Czy mogła mnie oszukiwać?

– Wiadomo, to zła kobieta była.

– Przesadzasz, Janek. Kobiety nie są takie, jak ci się wydaje.

– Mnie się nie wydaje, ja to wiem, osobiście je poznałem.

– Dobra, dobra. – Radziowi chyba z tego uniesienia zebrało się na zwierzenia. – Jak pierwszy raz poprosiłem ją o chodzenie, to powiedziała, że ma za dużo lekcji do odrabiania. Serio. Potem dopiąłem swojego. Może wiedziała, że nie wróci, tylko ojciec zakazał jej mówić?

– Taa. Wszyscy uciekają. Moja matka też chciała wyjechać, ojciec by jej nawet załatwił paszport, ale ja nie chciałem. Teraz żałuję. A twoi nie chcieli?

– Cały wieczór się spierali, ale matka nie wyobrażała sobie książek w innym języku niż polski, a ojciec, wiesz, ma dobrą pracę. Ja i siostra chcieliśmy wyjechać, ale nas nikt nie pytał o zdanie, podsłuchiwaliśmy przez ścianę, jak rodzice na siebie krzyczą. Zresztą zawsze się kłócili.

– No masz. Ale w chuj ludzi zwiewa. Mama Grażyny też wyjechała chyba na rok, nie? Do Stanów? W sumie dziwne, że tam nie została. Oj, ona jest fajna.

Pamiętam, że znów się rozmarzyłem, bo ciągle ją bajerowałem z powodu wideo i już uwierzyłem, że chciałbym ją poderwać, choć to matka kumpeli i tak dalej.

W każdym razie ludzie znikali na zawsze albo wyjeżdżali na rok i wracali z dolarami. Kupowali mieszkania, samochody, znów przepadali w Reichu, Stanach, Kanadzie, wiele koleżanek i kolegów mieszkało przez większą część roku samych, bo rodzice byli „na robotach", jak dziadkowie, ale już z własnej woli i za dobre pieniądze. Wszyscy wiedzieliśmy już, że tylko na Zachodzie, tylko kombinując, można sobie ustawić jakąś przyszłość. A ja chciałem jeszcze więcej, świata chciałem, całego dla siebie, że nie myślisz już, gdzie jesteś, po prostu jakby jesteś, nie?

Z powrotem w Szczecinie. Mama Grażyny rozkładała bezradnie ręce, kazała uzbroić się w cierpliwość. Baltona i Pewex czekały na dostawę. Łatwo powiedzieć, zdenerwowani oglądaliśmy po raz kolejny *Rambo – pierwszą krew* na playerze Otake, który kupiłem ze dwa lata wcześniej. Nudziliśmy się, a zegar tykał, coraz mniej czasu do wylotu. Padaka i obora, na kolanach błagałem panią królową pewexową, plan awaryjny, żeby może do Berlina Zachodniego i tam jakiś kupić, nerwy, masakra.

Dostawę zapowiedzieli, ale tir gdzieś utknął, dotarł świtem w dzień wylotu! Zajeżdżamy samochodem na tył Pewexu, prosto do bagażnika wrzucamy playery i na pełnej pycie do Warszawy na Okęcie. Zapierdalałem jak kierowca rajdowy. Milicja, mandacik i przepadek prawka, więc w łapę, puścili. W ostatniej chwili zajechaliśmy, biegliśmy z plecakami do samolotu, już nas przez głośniki wzywali, a to przecież trwało, bilet, paszport, celnicy.

Radzio pisał o tych młodych himalaistach? No co ty! Stewardesy nas w ostatniej chwili wprowadziły na pokład. *Last passengers.* Dlatego mieliśmy polsporty na podręcznym, a z tymi harcerzami górskimi gadaliśmy, ale już w trakcie lotu. Taki szczegół, nieważne, ale nie wierz Radzioszkowi, on ma słabą pamięć i za mocną wyobraźnię. Zawsze przegina, u niego to normalnie „taksówkę trzeba wzywać", choć nic się nie dzieje i można spokojnie sprawę załatwić. A on natychmiast wpada w histerię i krzyczy, i myśli, że wszyscy są przeciwko niemu. Wierzy w spiski i matactwa, ukryte układy. Bez przesady.

VII. Singapur–Indie 1988/1989

Gonić Zachód!
Mówią mi.
Gonić Zachód!
Choćby i z pogardą.
[...]
Tylko jak tu wygrać z Niki Laudą?

Anna Jurksztowicz, *Video dotyk*

Sabrina i Jola

Dolar cały czas drożał, a Polacy strajkowali, szczególnie u nas w mieście starali się obalić komunę. Co parę miesięcy robiliśmy z Jankiem dużą pętlę, przez Berlin i dom. Podczas jednej z nich złożyłem na uczelni podanie o kolejny urlop dziekański. W czerwcu dolar kosztował tysiąc czterysta złotych, a w sierpniu „Solidarność" zabarykadowała się w porcie. Taksówką jechaliśmy do Pekao wpłacić kolejną partię waluty i z okien poloneza widzieliśmy, jak ZOMO rozbija strajk tramwajarzy. Baliśmy się o wypłacalność krajowego banku, ale muzyczny festiwal w Sopocie odbywał się jak co roku, więc uznaliśmy, że nic się nie zmienia. Janek pojechał tam z Bogdanem, wtedy widzieli się ostatni raz. Całą pętelkę i bilety dostosował do terminu występu Sandry, Kim Wilde i Sabriny.

W Singapurze nikt nie słyszał o italo disco, ale w Polsce już od poprzedniego lata wszyscy chłopcy podśpiewywali „Boys, boys, boys, I'm looking for a good time". Bilety na koncert u koników osiągały horrendalne ceny, ale dla przemytnika i jego kumpla z mafii pieniądze nie były problemem. Koncerty prowadzili Kydryńscy oraz Loska, w jury zasiadał Czesław Niemen. Na scenie operatorzy telewizji państwowej robili zbliżenia na biust Sabriny Salerno, zapewne śliniąc się i mając nadzieję, że sutek wyskoczy jej na wierzch.

Skandalu się nie doczekali. Najlepsze były kadry od tyłu, kręciła pupą w dżinsowych superkrótkich szortach, na które opadał czarny pas ze srebrnymi zdobieniami. Ten obraz, kowbojki, białą kurtkę i porwaną koszulkę z napisem „Chico" oraz biust zapamiętało całe pokolenie. Nawet ja, choć razem z matką zgodnie i głośno narzekaliśmy, że to kicz i bezguście. Mamę najbardziej gorszyło połączenie seksapilu z krzyżykiem dyndającym między piersiami, w końcu oburzona wyszła na zajęcia jogi, a ja oglądałem dalej. Dzięki temu zobaczyłem, jak Janek z Bodziem wręczają mokrej Włoszce dmuchaną plastikową zabawkę, krawiec Piotr załatwił im miejsce VIP-owskie z boku sceny. Jasiek nie mógł się nie pochwalić, że spał potem z blondynką, która wręczyła Sabrinie kwiaty przed utworem *All of me* i cmoknęła gwiazdę w policzek. Żałował tylko, że nie dostał buziaka, jak ci chłopcy w białych koszulach wyznaczeni do wręczania jej gerber w błyszczącym celofanie.

Słyszałem, że śpiewa z playbacku i w ogóle nie ma głosu, jak inne idolki mojego przyjaciela, Danuta Lato i Samantha Fox, ich plakaty z „Żołnierza Wolności" i „Bravo" miał w pokoju, ale nie mogłem oderwać się od ekranu. Akompaniujący Sabrinie keyboardzista był trochę podobny do mojego biznespartnera, w tle reklamowały się LOT, Pewex, Baltona i papierosy Kent. Członkowie orkiestry na drugim planie, czekający na swoją kolej, wpatrywali się, skonfundowani jak ja, w długie brązowe nogi Sabriny, świecił się napis „Srebrny jubileusz" Sopotu. Kiedy w końcu ściągnęła kurtkę, do utworu *Guys and dolls*, mężczyźni na widowni machali marynarkami w zbiorowym seksualnym szaleństwie. Janek próbował odkupić jej koszulkę, zdobył ją jakiś wąsacz spod widowni, mojemu kumplowi się nie udało. Kurtkę założyła z powrotem, ale jej biust w czarnym staniku doprowadzał operatorów TVP do białej gorączki i co chwila gubili ostrość. Sabrina była jak Agnieszka, wiedziała, co robi, kiedy tylko kamerze udawało się skupić na jej największych atutach, ruszała dalej przez scenę, miotała się po niej z wielką energią, realizator obrazu nie nadążał. W finale zaśpiewała na bis swój największy przebój i cała opera leśna wyła „I'm looking for a good time", jako nowy hymn Polski.

Oglądając Sopot, uznałem, że nasze pieniądze są bezpieczne w Pekao, ponieważ komuna nie ma prawa zawalić się z hukiem. Niepostrzeżenie, jak prorokował Szewc, zamieni się w kapitalizm. Z pewnością „Solidarność" walcząca w Szczecinie nie ma już żadnego znaczenia. Spokojni o ekonomiczną równowagę wróciliśmy do pracy w Azji.

Janek poleciał ze złotem do Nepalu najszybciej, jak się dało, a ja zostałem trochę na Dalekim Wschodzie. Wybrałem się znów na plażę Mersing w Malezji, coraz więcej podróżowałem, tak jak sobie zamarzyłem. Zaczęło się od tego, że zaraz po naszym powrocie do Azji na początku 1988 roku polecieliśmy wszyscy na Filipiny na ślub jednego z wieszaków Szewca. Panna młoda pochodziła z Manili i pracowała jako sprzątaczka u bogatych singapurskich Chińczyków. Była katoliczką, poznali się w katedrze Świętego Andrzeja na niedzielnej mszy lub w podcieniach Peninsuli, gdzie w wolne niedziele pracownice z Filipin przychodziły na zakupy, piwo i pogaduszki.

Zawitaliśmy do Manili całą grupą, wesele było huczne. Zostałem tam na dłużej, przejechałem przez wyspy aż na południe do Mindanao. Janek wytrzymał tylko parę dni i wrócił do pracy. Podobnie było później, ja poleciałem do Wietnamu, on wolał Indie, więc często ze złotem lataliśmy oddzielnie. Zarabiał coraz więcej, ja coraz mniej, wydawałem pieniądze na podróże, plaże, leżenie i patrzenie w niebo.

To kosztowało więcej niż amfetamina i balety Janka z Bodkiem w Polsce, więcej niż haszysz, którym uspokajał się w Indiach. W Singapurze nie mógł palić czarasu, a basen i podróże go nie interesowały, więc robił się nerwowy. Oczywiście, że młodość jest zuchwała, to jej prawo, to jest nieuniknione, ale Janek nie przemycał narkotyków do miasta-państwa. Był wciąż poważnym biznesmenem, skrupulatnie przeliczał podejmowane ryzyko na dolary albo po prostu bał się wymierzanych tam srogich kar. Łamaliśmy prawa Indii, a nie Singapuru, taka obowiązywała niepisana zasada, wynikająca chyba z tego, że wyspę traktowaliśmy jak naprawdę obcy kraj, a subkontynent jak Polskę.

Kiedy czułem, że oszczędności topnieją zbyt szybko, szedłem do Szewca i ruszałem górskim szlakiem do New Delhi. W samolocie nie pociłem się tak jak na początku, przyzwyczaiłem się, przemyt stawał się rutyną, lecz w głębi duszy marzyłem o czymś więcej i kochałem te swoje marzenia. Może nie o walecznych czynach, ale miałem, pomimo obliczeń prowadzonych na kalkulatorze, swoje tajne prawdy. Tajne tak bardzo, że sam nie do końca je znałem. Na pokładzie znów piłem piwo, jadłem orzeszki i patrząc za okno, roiłem sobie coś nieokreślonego, chciałem dokonać w życiu czegoś wielkiego. Czekałem na okazję, a ta wciąż się nie nadarzała.

Leciałem z innymi do Katmandu, potem riksza, autobus do granicy, drugi autobus i wreszcie pociąg. Nie wiem, jak to się stało, traf chciał, że Jola dostała miejsce razem ze mną w przedziale sypialnym, w Rajdhani Express zmierzającym z Gorakhpuru do Delhi. Szewc bał się o złoto, więc opłacał wagony pierwszej klasy, spaliśmy po dwie osoby w przedziale.

– Nie będę ci przeszkadzać?

– No co ty, wyluzuj. – Jola siedziała na dolnym łóżku i otwierała już flaszkę johnniego, jak każdy przemytnik po przejściu granicy, kiedy pociąg ruszał i można było wreszcie odetchnąć. – Siadaj, co tak stoisz? Wolę jechać z tobą niż z tamtymi Grekami. – Wskazała spojrzeniem drzwi na korytarz.

– Naprawdę? Dlaczego?

– Nie ufam im. Ciągle kombinują, knują, nie wiem. Mikis jest zabawny, ale ci dwaj pozostali... Aż mnie ciarki przechodzą. Latają już od siedmiu czy ośmiu lat, wiedziałeś o tym? Marek mi mówił.

– Aha.

Przypomniałem sobie, że jest jego dziewczyną, i najwyraźniej zrobiłem smutną minę, bo się roześmiała.

– Hej, rozstaliśmy się! Dla mnie jest za stary, wiesz, seks w jego wieku...

Musiałem się spłonić, bo zaskoczona zapytała:

– A ty co jesteś taki... świętoszek?

– Świętoszek to już nie. – Teraz musiałem bronić swojej męskości. – Nie wiem, tak już zostałem wychowany, jakoś... mam opory? Tak mówić wprost? A ty nie?

– Ja nie, choć jestem wierząca i dobra katoliczka. No to siup!

Wypiła szybko pierwszego szota whiskacza, ja sączyłem powoli. Pamiętałem widok jej biustu na basenie u Szewca, poza tym ją lubiłem, szczególnie po tym, co opowiadała o rodzicach. Wydawała się fajną koleżanką. Nalała sobie od razu następną porcję.

– Denerwujesz się? Wiesz, przemytem, złotem? – spytałem, ponieważ ciągle stresowałem się tym, co robię. A może nie? Może po prostu chciałem pogadać i zagaiłem rozmowę?

– Bez przesady. Chociaż Marek mówił, że jak była duża wpadka parę lat temu, to się z laskami nie patyczkowali. DRI i te inne służby mają też kobiety, co podobno mogą przyłożyć.

– Kurde, nawet białym? Myślałem, że nie dotkną kobiety z Europy.

– Mam nadzieję, że nie. Ty to jednak jesteś spietrany, Radek. Cykasz się, co? – Spojrzała na mnie przenikliwie. Nalała sobie trzecią lufę, mnie też dolała, choć nie skończyłem pierwszej, i trajkotała dalej: – Ja chyba naprawdę mam to we krwi. Byłam zamężna, głupota młodości, on był urzędnikiem, ja siedziałam w domu, nudziłam się, dzieci nie mieliśmy. Mnie takie nudne życie nie pasuje. Rozwiodłam się. Od śmierci rodziców jestem zupełnie sama i, jak by to powiedzieć, inaczej wszystko odbieram. W sensie, nikt na mnie nie czeka, nie martwi się. Jestem wolna? A w ogóle to muszę sobie, kurwa, radzić w życiu, i tyle! Muszę być twarda. Nie ma co, trzeba się napić!

Znów walnęła, po czym spytała nieprzyjemnie:

– A ty jak, maminsynek? Mamusia i tatuś w domu?

Wypiłem szybko swoją porcję.

– Ojca jakbym nie znał, ciągle jest na morzu. Może to gorsze, niż gdyby nie żył? Bo niby jest, a w ogóle go nie ma. Gdyby utonął podczas sztormu, to szlus, nie można mieć pretensji, sprawa zamknięta. A jak się pojawia w domu, to nie chce mu się ze mną gadać, ma swoje sprawy, skupiony na łowieniu ryb. Przykro mi się wtedy robi... A matka jest taka... zaborcza? Ma plany, wszystko kontroluje...

– Planuje twoją przyszłość? I kim masz zostać?

Jolka mi się przypatrywała, policzki już zaczerwieniły się jej od alkoholu, klimatyzacja wprawdzie działała, ale zjeżdżaliśmy w niziny, robiło się gorąco, na jej krzyżyku osadzały się kropelki potu.

– Byłem basistą, ale okazało się, że nie jestem w tym wcale dobry. Poza tym nikt już nie słucha nowofalowej muzyki, tylko italo disco. Mam chyba zostać pisarzem albo innym artystą? Chciałbym czegoś dokonać...

Jola się roześmiała i zapaliła papierosa.

– Zawsze myślałam, że pisarzem się jest, a nie zostaje. W każdym razie ty powinieneś z Kaśką jechać, z warszawiakami, bo jesteś pan inteligent! Elita jakaś i prawiczek z dobrego domu. Co ty tu robisz, w Azji? Pewnie ten twój przystojniaczek, Janek, cię wciągnął, co? A on nie jest pedałem przypadkiem? Też jakiś taki niewyraźny, jeśli chodzi o dziewczyny. Ja to was nie do końca rozumiem.

Była nieprzyjemna, nagle przestałem ją lubić. Nie zdążyłem nic odpowiedzieć, bo rozległo się pukanie do drzwi. Chłopak z obsługi, w wytartym uniformie, spytał, co zamawiam do jedzenia: „veg or non veg?". Zapomniałem o dobrych manierach i poprosiłem o *chicken curry*. Zapisał i znów patrząc na mnie, dodał: „And your wife, sir?". Jola się nie obraziła, popatrzyła na mnie, miałem wrażenie, wymownie, i odezwała się po polsku: „Dla żony tego pana warzywa, żona nie chce biegać do toalety!". Poprosiłem boya o ryż z warzywami, dwa razy, zmieniłem swoje zamówienie. Miała rację, nie było sensu ryzykować jedzenia mięsa.

Jola uśmiechała się zadowolona.

– Widzę, że pan mąż, pisarz, zmienił zdanie? No dobra, przepraszam, przesadziłam. Nie chmurz się, siadaj, długa droga przed nami. Wskazała miejsce obok siebie. Usiadłem, pogłaskała mnie po policzku.

– *Sorry*, Radzio, miły z ciebie chłopak, ale jednak chłopak, nie facet. Ile ty masz lat? Dwadzieścia dwa, dwadzieścia pięć maks? Ja trzydzieści, niby nieduża różnica, ale trochę już świata widziałam i skosztowałam. A ty? Jesteś wielki przemytnik, przeżywasz swoją przygodę? Romantycznie ryzykujesz? Nie obrażaj się, ale jesteś naprawdę młody i widać, że powinieneś wyprowadzić się z domu, matka wejdzie ci na głowę.

Zapatrzyła się w okno. Zapadała ciemność, właściwie nic nie było widać, co jakiś czas migały pojedyncze światła.

– Dobra, niech ci będzie. Jestem młody. Nie wiem, czego chcę, bujam w obłokach. Coś bym chciał, jeszcze więcej niż to...

Musiałem przyznać jej rację, ale sporo mnie to kosztowało, przeprosiłem i wyszedłem na korytarz. Zapaliłem, chciałem pobyć sam. Przypomniała mi się Magda. Przyleciałem do Indii, bo ona gdzieś tu była, goniłem za marzeniem z czwartej klasy liceum, zamiast dorosnąć i zapomnieć. Może nas lubiła, mnie, Janka i innych, ale pomknęła dalej, jej historia rozwijała się gdzieś niezależnie od nas, nie byliśmy jej do niczego potrzebni. Co się stało z Magdą K.? – pytał i zastanawiał się każdy, kto był na jej urodzinach. Nie mogłem uciec od przeszłości, a zarazem miałem poczucie, że ciągle jest przede mną, że jej nie znam, że wcale nie jest tym, czym była dawniej. Postanowiłem zapomnieć, natychmiast i ostatecznie, postarać się, żeby Jola mi w tym pomogła, jeśli zechce.

Zjedliśmy w milczeniu kolację przyniesioną przez boya. Z szacunkiem mówił o Joli *wife* lub *mom*, to ostatnie określenie ją denerwowało. Piliśmy, opowiadała mi o swoich planach na przyszłość. W przeciwieństwie do mnie wiedziała, czego chce. Planowała założyć własny komis z ciuchami, kupować ubrania prosto od ludzi wracających z Indii, Singapuru, Tajwanu. Twierdziła, że komuna czy nie komuna, biznes się rozkręca. Zrobiło się poważnie, znów jak z Jankiem rozmowy o interesach, gdzieś zniknęła chwilowa atmosfera szczerości między nami. Byliśmy drinknięci, ale też zmęczeni podróżą. Ziewnęła i poprosiła, żebym się odwrócił, chciała się obmyć i przebrać do snu. Stałem przy drzwiach i zerkałem kątem oka: niewysoka, pulchna, ale proporcjonalnie zbudowana, miała ładną, zadbaną skórę oraz fantastyczne piersi, duże, pasujące do reszty, wszystko na swoim miejscu. Właśnie zdjęła stanik i biust znalazł się na wierzchu, założyła koszulkę na gołe ciało. Nie wytrzymałem i się odwróciłem, gapiłem się na nią, chyba z determinacją. Zauważyła i spojrzała wyzywająco, sprawdzała mnie, prowokowała, żebym udowodnił, że nie jestem maminsynkiem. Zebrałem się na odwagę i podszedłem, dotknąłem jej bioder, ujęła moją dłoń i rozpostarła niżej, na swoim pośladku. Prowadziła mnie powoli, uczyła, robiłem to, co chciała, kochaliśmy się zgodnie z jej niewypowiedzianymi poleceniami, w rytmie stukotu pociągu, raz, potem drugi, przez całą drogę do Delhi.

Rakszasy i Radżiw Gandhi

Chaberka nie mógł się przyzwyczaić, że zmrok zapada w Indiach tak nagle. Służbowym samochodem jechali do rezydencji sekretarza stanu, Ramesza Khaterpalii, już w ciemnościach. Radca nie wiedział, gdzie dokładnie się znajdują. Zbudowane przez Anglików nowe Delhi było dla niego takim samym labiryntem jak stara część miasta. W dzielnicy kolonialnej wzdłuż szerokich ulic wznosiły się wysokie mury, a za nimi kryły się rezydencje polityków, generałów, przemysłowców. Nad ogrodzeniami górowały palmy i wielkie egzotyczne drzewa. Przejeżdżając wzdłuż ogrodzeń, często dumał, jak wygląda życie po drugiej stronie.

Nawet w świetle dnia nie rozpoznawał nazw ulic i musiał polegać na kierowcy z ambasady lub taksówkarzach. Oni zresztą też gubili się w labiryncie alej, ale potrafili szybko zasięgnąć języka, by odnaleźć drogę. Radca widział tylko ścianę ciemności, nagle pojawiały się w niej wielkie bramy, budki strażników, czasem zasieki i worki z piaskiem oraz stanowiska karabinów maszynowych. Wiedział, że w szczególny sposób chronione są rezydencje ważnych generałów i wojskowe biura. Wszystkie skrzyżowania w formie rond wydawały mu się identyczne, nawet jeśli znajdowały się przy nich instytucje państwowe, zazwyczaj zajmujące piękne, choć zniszczone kolonialne budynki, spadek po Anglikach.

– Aniu?

– Tak, Staszku?

Żona, elegancko ubrana, była dla niego wyjątkowo miła. W ostatnich dniach z okrutnej Lady Macbeth zmieniała się w potulną partnerkę.

– Jak się czujesz? Lepiej śpisz?

– Nie mówmy o tym.

Miał wrażenie, że Anka od razu zaczęła kontrolować wyraz twarzy i zacisnęła usta.

– Ale... Rozmawiasz z Madhu? O tych... demonach?

Zanim zaczną się *business talks*, chciał załatwić sprawy domowe.

– O rakszasach. Tak. – Ożywiła się. Mówiła o indyjskich ludojadach jak o najnowszym numerze kobiecego magazynu. Przywykła do tropików. – Są wielkie i grube, mają obwisłe brzuchy i długie łapska ze szponami... – Przeszła na szept, jakby opowiadała dziecku straszną bajkę. – A głowy gadów lub słoni i wystające zęby. Bywają czerwone lub niebieskie i wypijają ludzką krew...

Zaśmiała się i zamilkła, więc Staszek Chaberka nie był pewien, czy żona się z niego nie nabija.

– Skąd się wzięły w podziemiach naszej ambasady? – zapytał poważnie, kontynuując grę w przerażające legendy.

Ania nachyliła się jeszcze bliżej do jego ucha.

– To takie indyjskie trupy w szafie, jak żydowskie złoto u nas, nie załatwione sprawy z przeszłości. Madhu mówi, że w tym miejscu była wioska ludzi z niskich kast, jakichś pomywaczy czy grabarzy. Władze wysiedlały ich przemocą, bronili się, lała się krew, policjanci rozbijali noworodki o ściany chat – szeptała grobowym głosem. – Obcięli głowę kapłanowi wioski, a ten, rzężąc w śmiertelnych drgawkach, zdążył jeszcze rzucić klątwę...

Włożyła mu język do ucha, znów się zaśmiała i odsunęła. Po chwili dodała:

– Ludowe bajki, ale coś w tym musi być, bo w ambasadzie krąży zła energia. Codziennie mam przez nią migrenę, nie chcę tam mieszkać...

Rozmowa o rakszasach została zakończona.

Chaberka, nieco zdegustowany opowieściami żony, dostrzegł w ciemnej ulicy przed samochodem światła, korek innych aut: dużo najpopularniejszych indyjskich marki Ambasador, parę zachodnich na dyplomatycznych numerach. Policja zaglądała do środka i przepuszczała dalej, jechali slalomem pomiędzy barierkami, zawsze ustawianymi przed ważnymi miejscami, aby kierowcy musieli zwolnić. Radca domyślał się, że w ten sposób utrudniano zamach bombowy, ale śmierć Indiry Gandhi z rąk jej ochroniarzy, gdzieś tu niedaleko, w tej rządowej dzielnicy, udowadniała, że terroryści zawsze znajdą sposób na zrealizowanie zamachu.

– Myślisz, kochanie, że Radżiw Gandhi się zjawi? – spytała Anka, jak gdyby rakszasy nie istniały, za to wiedziała, o czym właśnie myśli mąż.

Marzyła o poznaniu premiera. W inauguracyjnym przemówieniu, parafrazując słynne słowa Martina Luthera Kinga, mówił: „I am young, and I, too, have a dream". Anna, o dekadę młodsza od męża, wierzyła w swoje pokolenie, w takich jak ona, w nowe, świeże siły, które miały uratować ludzkość. Dorastała w erze małej stabilizacji Gomułki, względnego dobrobytu, w 1968 roku studiowała na pierwszym roku historii sztuki, należała do innego pokolenia i innej kasty niż Chaberka, słuchała hipisowskiej muzyki, czytała Ginsberga i Kerouaca. Wiozła wielki album o sztuce polskiej jako prezent ślubny dla córki sekretarza stanu, snuła śmiałe plany promowania europejskiej kultury w Indiach, była pewna, że gdyby Staszek został ambasadorem, u jego boku ściągałyby do Delhi wspaniałych krajowych artystów.

– Staszek?

– Nie wiem, czy premier się pojawi. Prawdę mówiąc, nie jestem pewien, czy tego chcę, zamieszanie może utrudnić załatwianie spraw z Khaterpalią. Z drugiej strony chciałbym zapoznać się z Gandhim, kolejnymi osobami z jego kręgu.

Wobec Anki był szczery, wolał jej powiedzieć, co właściwie planował załatwić. Dzięki temu działali razem i pięli się w górę.

– Myślisz, że ten Kowalski z PŻM naprawdę może pomóc w MSZ i zostałbyś ambasadorem? Gdybyś załatwił te kontrakty?

– Wykonałem jeszcze parę telefonów, facet naprawdę ma mocne plecy, kolegów w ministerstwie. Tak, to się wydaje realne, ale pamiętaj, że nie nastąpi od razu, choć szefowi rzeczywiście niedługo skończy się kadencja, a skandal z moim poprzednikiem zaszkodził także jemu. Nie wiem jeszcze, jak wykorzystać jego związki ze spółką Tranzakcja. On tu załatwia swoje prywatne interesy, ale podobno ma dosyć Indii i chce wracać, iść na emeryturę. Tak, Kowalski może nam pomóc.

Samochód wreszcie podjechał blisko bramy rezydencji, kierowca wyskoczył i otworzył im drzwi. Wyszli z chłodu klimatyzacji na wilgotny, ciepły asfalt. Chaberka kichnął. Z kolejnych samochodów wysiadali goście, indyjskie matrony w pięknych sari, ich grubi mężowie w turbanach lub czapeczkach w stylu Nehru, tradycyjnych kurtach i zachodnich smokingach. Radca poprawił swój, czuł się w nim sztywno jak w mundurze. Uniform dyplomaty ułatwiał mu wejście w rolę – czuł, że jest w pracy, nawet jeśli podlewanej drinkami, nawet jeśli miłej. Smoking dopingował go do działania. Gościom, w których nie rozpoznano ważnych osobistości, żołnierze dokładnie sprawdzali zaproszenia wydrukowane na eleganckim papierze. Radca machnął im przed oczami „Invitation" i przeszli dalej. Biały mężczyzna w smokingu u boku blond Europejki w gustownej francuskiej sukni z dekoltem i rozcięciem do pół uda nie mógł być groźnym zamachowcem.

Za bramą rozciągał się ogród oświetlony setkami żarówek zawieszonych wśród krzewów i drzew. Nad głowami przemykały nietoperze, w krzakach rytmicznie szumiały cykady, ale nie zdołały zagłuszyć rozmów dziesiątków ludzi tłoczących się przy stołach, pod barwnymi namiotami. Służba w czerwonych mundurach roznosiła alkohole i napoje bez procentów, Khaterpalia osobiście witał gości; miał na sobie galowy szerwani sięgający poniżej kolan, spięty wielkimi błyszczącymi guzikami. Chaberce ten strój kojarzył się ze szlacheckim żupanem. Obok gospodarza stał jego teść, Widżajaweda, bogaty właściciel setek tkalni w Lucknow. Postawili je Anglicy w XIX wieku, a on powoli unowocześniał zakłady, nie zapominając o zdzieraniu skóry z pracowników. Panowie, zachwyceni Anką, pozwolili, by osobiście wręczyła podarek pannie młodej, więc oddaliła się do kobiet szykujących córkę Khaterpalii do ceremonii.

Chaberka został na chwilę sam. Poczuł się nieswojo, ale odważnie wmieszał się w tłum przy stolikach i na uspokojenie wypił podwójną whisky z lodem; na wódkę nawet tu nie liczył. Przy barze natknął się na swojego przeciwnika i zarazem odpowiednika, radcę z ambasady NRD. Jürgen również był w Indiach od niedawna, zastąpił poprzednika, wydalonego z kraju za szpiegostwo razem z Polakiem. Znali się już, ale dotychczas nie mieli okazji spokojnie porozmawiać, więc odeszli na stronę, do wolnego stolika.

– Jak tam w ambasadzie? Nadal straszy? – Plotka bawiła ostatnio kręgi dyplomatyczne, Jürgena również.

– Daj spokój. Zabobony i ciemnogród. A tak na poważnie?

– Na poważnie to Rosjanom się upiekło, a my dostaliśmy po łapach, nieprawdaż?

Agent Stasi nie owijał w bawełnę, od razu przeszedł do tematu, i Chaberka uznał, że nadarza się okazja do załatwienia sprawy.

– Tak, Kulikow wciąż tu siedzi, a my musimy sprzątać po aferze – przyznał.

– Żebyśmy siebie nawzajem nie posprzątali – zaśmiał się Niemiec. Dla osoby znającej metody jego państwa zabrzmiało to groźnie, ale Chaberka, choć bez Anki u boku, postanowił stawić czoła sytuacji. Zaproponował wprost:

– Może jakoś się dogadamy?

– Weźmiecie naszych egzorcystów?

Jürgen znów żartował, ale Stanisław wiedział, że plotki o duchach w ambasadzie PRL-u to temat zastępczy, więc nawet się nie odezwał.

– Ok. – Amerykańskie sformułowanie dziwnie zabrzmiało w ustach NRD-owca, ale woleli rozmawiać po angielsku niż po rosyjsku. – Nie ma czasu, system się wali, musimy się podzielić tortem.

– Naprawdę się wali?

– U was na pewno. Jak zawsze w Polsce. – Agent Berlina wyszczerzył zęby.

– Jakoś zawsze radzimy sobie z sytuacją, a wy bez RFN i ich cichej pomocy też byście padli. Poza tym Gorbaczow powiedział, że teraz ma być demokracja, towarzyszu.

Chaberka pozwolił sobie na ironię. Od lat nikt nie używał tego zwrotu, zwłaszcza na zagranicznych placówkach. Tak mówili już tylko Rosjanie – podtrzymywali socjalistyczną tradycję, a przy okazji okazywali swoją władzę nad całymi demoludami. Przedstawiciele Czechosłowacji, Węgier, NRD czy Polski tym bardziej niechętnie używali sformułowania niepasującego do nowej epoki i ich ambicji.

– Towarzyszu, towarzyszu... Demokracja, socjalistyczna, już jest, prawda? Nie ma co gadać. Zróbmy tak: ja odpuszczę statki, a wy odpuścicie elektronikę, te cholerne podzespoły sterujące.

Chaberka udawał, że poważnie rozważa propozycję, choć tak naprawdę PRL-owskie firmy komputerowe nie pchały się do Azji, ledwo nadążały z produkcją na krajowy rynek. Radca dobrze wiedział, że NRD-owski sprzęt nie jest nic wart, w Singapurze mają lepszy, ale to już problem Hindusów, nie jego. Nikt nie prosił go o kontrakty na „podzespoły sterujące", za to polski przemysł stoczniowy miał na świecie renomę i bardzo potrzebował zleceń. Dzięki statkom Chaberka mógł zostać nawet ambasadorem. I skończyć z historiami o rakszasach.

– Niech będzie – zgodził się.

Uścisnęli sobie ręce.

– Wszędzie cię szukam. Chodź, muszę cię komuś przedstawić! Proszę wybaczyć, porywam męża!

Dyplomaci skinęli sobie głowami, żona prowadziła Staszka w stronę domu radży.

– Nie uwierzysz, on tutaj jest – szeptała Ania.

– Kto?

– Radżiw! Incognito, w środku, wszedł tylnym wejściem, z ochroną, składał właśnie życzenia córce Khaterpali, może jeszcze zdążymy i się z nim zapoznasz!?

– Już zostałaś przedstawiona premierowi?

Zaskoczyły go umiejętności Anki, spojrzał na nią z podziwem. Uśmiechnęła się szelmowsko, demony nagle zniknęły z ich życia. Działała, załatwiała sprawy, była w swoim żywiole.

– A tak! Jest z nim inny sekretarz, równy rangą naszemu gospodarzowi i ma więcej czasu, podobno zostanie na przyjęciu. Cieszysz się? Co ty byś beze mnie zrobił?

W środku domu ochroniarze zagradzali przejście, ale Anka jak gdyby nigdy nic przeszła obok nich, ciągnąc męża i machając do premiera, który właśnie żegnał się w korytarzu z panią domu. Po przedstawieniu mu Chaberki premier Radżiw powiedział:

– Mama zawsze lubiła wasz kraj. Opowiadała mi, jak byli z dziadkiem, ale to stare czasy. Ja jestem nowoczesny, wolę Zachód, wy jesteście teraz trochę w tyle, nieprawdaż?

– Pod pewnymi względami jednak wciąż w awangardzie, panie premierze. Europa Zachodnia na przykład zamawia nasze statki, nawet Szwedzi je cenią...

Chaberka niechcący wspomniał o kraju, z którym wiązał się ostatni skandal. Przez ten problem młody Gandhi mógł nawet przegrać kolejne wybory.

Premier się skrzywił, ale skinął na swojego osobistego sekretarza i rzucił na odchodne:

– Pogadajcie sobie, może coś z tego będzie? Do widzenia!

Ochrona wyprowadziła go wejściem dla służby. Prawie nikt nie wiedział, że premier zaszczycił przyjęcie, choć plotka oczywiście zaraz rozniesie się wśród gości.

Zostali we trójkę z przystojnym doradcą premiera. Wyglądał na młodszego nawet od Anki. Wpatrywał się w nią jak urzeczony, więc radca wyczuł, że na szali tego przedsięwzięcia leżą także uroda i urok jego małżonki. Zdążył się do tego przyzwyczaić, przecież nie załatwiłby kontraktów w Afryce, gdyby nie jej umiejętności, zakulisowe intrygi oraz odpowiednio rozdzielane ciepłe uśmiechy, nawet niespełnione, osobiste obietnice. To właśnie ona zapoznała go z samym premierem Indii, a teraz przedstawiała mu jego współpracownika, Sandżeja.

– Pani Anno, panie radco, przyjęcie trwa, trzeba się trochę wyluzować. – Sandżej szarmancko, ale zarazem młodzieżowym językiem próbował oczarować Polkę, nie uchybiając jej partnerowi. – Ale przed odpoczynkiem trzeba szybko załatwić sprawy, prawda? *Business is business*, nawet w Indiach. O tak, musimy zmienić ten kraj, wydobyć go z więzów przeszłości, musimy przyspieszyć – perorował, prowadząc ich do sąsiedniego pokoju, gdzie milczący sługa natychmiast przysunął fotele i podał alkohol. – Pani Anno, nie mogę pozwolić, żeby pani nas opuściła, ale może te sprawy są dla pani nudne?

– Nie mam przed żoną tajemnic, ona zresztą też nie ma żadnych przede mną – ostrzegł Chaberka młodzieńca.

Ten z wyraźną przyjemnością upił drinka, zapewne pierwszego tego wieczoru, po pracy. Chyba nie zrozumiał aluzji i wrócił do wywodu.

– Tak, z Radżiwem zmienimy Indie. Czy wiecie, że to najmłodszy premier w naszej historii? Wspaniała rodzina, tradycja, ale nowe pokolenie. Młodzi jak my, prawda, Anno? Możemy przejść na ty?

Pani Chaberkowa zgodziła się z łaskawym uśmiechem, natomiast jej mąż uznał, że Sandżej jest bezczelny. Cóż jednak zrobić, skoro ci dwoje mają więcej wspólnego ze sobą niż z nim, człowiekiem przeszłości, już prawie pięćdziesięciolatkiem. Poczuł się staro, musi naprawdę uważać na Ankę, trochę ją przypilnować.

– Panie radco – Sandżej wręcz ironicznie podkreślał, że rozmówca jest starszym panem – podpiszemy z wami umowę na statki, ale musimy rozwiązać jeden problem. Nie, nie chodzi mi o duchy w waszej ambasadzie. To już nudne. – Nikt się nie śmiał ze starego dowcipu. – Polscy przemytnicy za bardzo się rozpanoszyli, trzeba to ukrócić, dobrze? Wie pan, spektakularna wpadka, aresztowania, posiedzą trochę w Tiharze, to im się odechce wchodzić na cudzy teren. Zgadza się pan?

Chaberkę zmroziło. Zrozumiał, że indyjska mafia ma wtyki na najwyższym szczeblu. Chcieli się pozbyć konkurencji rękami władzy.

– Zastanowię się – odparł, choć wiedział, że ambasador ma przemytników w głębokim poważaniu i nie czuje się odpowiedzialny za tych obywateli gorszego sortu.

– No i musi pan pomóc naszym urzędnikom. Dać jakieś nazwisko, cynk, jak to się mówi. Ok?

Radca milczał, wahał się. Jaką drogą może wystawić Polaków? Przecież ich nie zna. Chociaż nie, właściwie zna, przyszli na przyjęcie w ambasadzie, ten Byczyński sam miał czelność zaczepić dyplomatę. I Sakar, jego nazwisko podał mu jeden z gości. Zdobycie tych informacji nie wymagało żadnego zachodu, teraz wystarczyło przekazać je komu trzeba. Prosta sprawa, więc Chaberka dorzucił pojednawczo:

– Myślę, że mogę to zaaranżować...

– No widzi pan. Pan zorganizuje swoje, a ja załatwię kontrakt na, powiedzmy, trzy duże kontenerowce.

– Myślę, że potrzebujecie więcej, przynajmniej pięć – targował się radca w imieniu ojczyzny.

– Dogadamy się. Umowa stoi?

Uścisnęli sobie dłonie.

– Nie nudźmy już Anny, chodźmy na przyjęcie – rozkazał Sandżej, świadom swojej silnej pozycji przetargowej.

Wziął żonę radcy pod ramię i ruszyli do ogrodu, Chaberka za nimi, słuchając, jak dowcipkują i się śmieją. Młodzi zalotnicy, duchy i kontenerowce, kasty, socjalizm... oraz przemytnicy. Po raz kolejny pomyślał, że ludzie naprawdę nie doceniają dyplomatów. To nie jest łatwa praca.

Klejnot Wschodu

O rozmowach w Magdalence we wrześniu 1988 roku dowiedziałem się od Bossa. Chodził wokół basenu w Riverwalk i krzyczał, że z komuchami się nie rozmawia, tylko wiesza się ich na drzewach. Próbowaliśmy mu tłumaczyć, że skoro konkurs w Sopocie wygrał Kenny James ze Stanów Zjednoczonych, a wokalistka z ZSRR zajęła dopiero czwarte miejsce, to nie ma się czym martwić, rewolucji nie będzie. On nigdy nie był w Polsce, my jeździliśmy regularnie, ale kiedy dolar przekroczył dwa tysiące złotych, uznaliśmy, że na wszelki wypadek lepiej założyć rachunek w OCBC – Oversea-Chinese Banking Corporation, Limited. W ich wieżowcu nasze oszczędności wydawały się pewniejsze niż w ojczyźnie.

Boss namawiał, żebyśmy trzymali pieniądze u niego. Każdy był chętny, żeby opiekować się naszymi oszczędnościami. Nawet nowy rząd Rakowskiego zdawał się zapraszać nas do współpracy, minister Wilczek wprowadził ustawę o działalności gospodarczej: „podejmowanie i prowadzenie jest wolne i dozwolone każdemu na równych prawach". Wtedy Szewc przestał psioczyć na komunę i wzywać do mordów politycznych, jego pager ciągle bzyczał, szef zamykał się na długie godziny z rodziną Pata, prowadzili tajemnicze narady. A w Warszawie „Solidarność" usiadła do wielkich negocjacji z władzą. Wynajęliśmy skrytkę w banku, mogliśmy w niej trzymać, co nam się żywnie podobało, choć regulamin nie zezwalał na przechowywanie tam broni. Nikt nie sprawdzał, co wnosimy, skąd mamy dolary albo złoto. Płaciliśmy i każdy z nas miał kluczyk do małego sejfu.

Kończył się nasz dobry rok, rok smoka, którego cesarska i magiczna siła zapewniała nam pomyślność. Powinniśmy byli wyciągnąć z tego wnioski i zachować ostrożność, ale ja zająłem się czymś innym. Tuż przed chińskim nowym rokiem, przed początkiem roku węża, dowiedziałem się od Marka, że „taka jedna Magda ze Szczecina, czy wy ją znacie?" jest w Singapurze i „wynajęła mieszkanie gdzieś w chińskiej dzielnicy". Niewiele, aby się zaczepić, ledwie szczątek, ochłap informacji, niewiele różniący się od plotki, pogłoski czy miejskiej legendy – ale na mnie podziałał.

Jak znaleźć dziewczynę w Chinatown, nawet białą? Wiedziałem, że to nie ma sensu, ale nie mogłem się powstrzymać. Nie zdołałem się zmusić, by wyznać kumplowi prawdę. Kłamałem, choć nic nie mówiłem. Udawałem, że znów jestem chory. Janek zdążył się przyzwyczaić do moich dołów, chorób, niedyspozycji i bujania w obłokach w łóżku lub na plaży. Nie wytrzymywał w Singapurze dłużej niż dwie doby, choć powtarzał, że marihuana nie uzależnia, więc żebym „nie pierdolił jak stary zgred, jak nasi rodzice", i ucinał rozmowę. Nie nazywano nas już Flipem i Flapem, myślę, że wyrobiłem sobie w końcu własną pozycję w Firmie. Nie byłem już tylko asystentem Cygana, a do niego przylgnęła pierwsza ksywa i nie mógł się dorobić nowej, lepszej. Miałem też dziewczynę. Od nocnej podróży do Delhi starałem się regularnie spędzać z Jolą czas. Jeździliśmy razem na plaże Malezji, i to był chyba najlepszy okres w moim życiu.

On więc poleciał, a ja zostałem. Nikogo to nie dziwiło, nie byliśmy już nierozłączną parą. Dlatego nie czułem się w obowiązku podzielić się z nim informacją. A w zasadzie plotką, jednym zdaniem rzuconym przez prawą rękę szefa. Ot, Marek przypomniał sobie, że parę miesięcy wcześniej w Delhi poznał „tego komucha Kowalskiego i jego córkę".

Zapytał mnie, ponieważ spotkał ją parę dni temu. Wpadł na dziewczynę na ulicy i zagadał zaskoczony. Wpaść przypadkowo w Singapurze na znajomą osobę jest statystycznie, matematycznie i naukowo właściwie niemożliwe, ale jednak się zdarzyło. Zachowałem kamienną twarz i powiedziałem, że słyszałem o tej Magdzie, ale nie znam jej osobiście. Dlatego nie mogłem za bardzo wypytywać o szczegóły, ale chyba ich nie było. Marek to straszna gaduła, potrafił zamęczać nas opowieściami przez całe godziny, więc sam wszystko dokładnie streścił. Ona studiuje na Nanyang University, ale nie mieszka w akademiku, woli Chinatown, ponieważ bardzo ją ciekawi chińska kultura, prowadzi nad nią badania, stosując „obserwację uczestniczącą", to będzie jej doktorat.

Marek kiedyś studiował orientalistykę, więc przypomniał sobie o porzuconej dawno temu karierze naukowej, rozmawiali o metodach pracy naukowca, ale Magda się spieszyła, nie zdążył nawet zapytać o dokładny adres. Oczywiście chciał, nie tylko dlatego, że „fajna laska", „normalnie klejnot, klejnocik Wschodu". Po obydwu stronach naszej trasy zawsze chętnie nawiązywaliśmy znajomości z Polakami, chyba trochę zmęczeni własnym, przemytniczym towarzystwem. Więcej możliwości nadarzało się w Delhi, tam przyjeżdżało na przykład mnóstwo studentów, młodych indologów, dziewczyn uczących się sanskrytu, czasami nawet dorabiały do skromnych stypendiów, współpracując z nami. Większość bała się przemycać towar, ale służyły za tłumaczki, angielski znały lepiej od nas, mówiły i pisały w hindi, co niekiedy się przydawało. Polska ładna studentka w Singapurze to był „rarytas", jak wyraził się Marek, ale Magda, ten „klejnot", nie podała mu adresu. Twierdził, że nie zdążyła, ale myślę, że nie chciała.

Pragnąłem ją odnaleźć. Nagle zapomniałem o Joli, zapomniałem o Janku, o Szczecinex *power*, sztamie i współpracy. Partnerstwo się kończy, kiedy w grę wchodzą sprawy sercowe, pomyślałem, on na moim miejscu zrobiłby to samo. Chciałem, powiedziałbym, zawładnąć swoim losem, tak do końca. Poczułem, że właśnie nadarza się okazja, na którą czekałem tak długo. Do Azji ściągnęliśmy przecież w ślad za Magdą, ale nie mieliśmy czasu ani odwagi, żeby jej szukać. Może przeczuwaliśmy, że to by złamało naszą przyjaźń i spółkę? Wiedzieliśmy, że ona gdzieś tu jest, całkiem niedaleko. Myśleliśmy, że w Indiach, a studiowała w Mieście Lwa. To był impuls, brakujący kawałek układanki, ostatni element, więc wskoczyłem, że tak powiem, w przywołane wspomnienia. Miałem wrażenie, że Magda mnie wzywa i sprawdza, czy już dojrzałem, więc poszedłem jej szukać.

Sto lat temu tygrysy przybiegały tu galopkiem, aby schwytać sobie na kolację chińskiego sklepikarza, a pod koniec lat osiemdziesiątych XX wieku dzielnica emigrantów z Kantonu tkwiła jako zabytek pomiędzy wyrastającymi nowymi wieżowcami. Teraz lubię czasami spojrzeć na nią z lotu ptaka, na Google Maps, dobrze widać kwadrat ulic i domów z czerwonymi dachami, pomiędzy New Bridge Road a South Bridge Road, Upper Cross Street i Sago Street. Czytałem, że ta ostatnia uliczka przez wieki była miejscem nie tylko produkcji mąki z łodyg palmowych, ale też burdeli i prosektoriów, podobnie jak parę innych w rejonie. Władze zlikwidowały kwitnącą przez stulecia prostytucję, zniknęły „czerwone latarnie" nad dziwkami, zawieszono ładne chińskie czerwone lampiony dla turystów.

Na początku 1989 roku nie istniała jeszcze zadaszona *food street*, przyciągająca zagranicznych gości, ale większość kamienic wpisano na listę zabytków i powoli odnawiano, dzielnica powoli zamieniała się w *heritage monument*. To wiem teraz, z perspektywy czasu i przestrzeni, światłowody łączą mnie z przeszłością. Wtedy byłem przede wszystkim zaskoczony, że Chinatown zaczyna się przy hinduskiej świątyni. Regularnie odwiedzałem Little India, Bracia Pata z dumą pokazywali nam dystrykt, gdzie rzeczywiście Hindusów kręciło się więcej niż jakiejkolwiek innej nacji. Pata czuli się tam jak u siebie, zapraszali na masala dosa i czaj, który smakował jak na Pahargandżu. Nigdy wcześniej jednak nie trafiłem do chińskiej dzielnicy, choć to zaledwie trzy przystanki autobusowe od Riverwalk, piętnaście minut spacerem.

W tym okresie wszystkie wieszaki Szewca mieszkały w wynajętym przez niego lokum, w bloku w pobliżu Changi Airport. Tak zwane rządowe mieszkania, publiczne inwestycje, całe nowe osiedla, o których Boss powiedział nam pierwszego wieczoru. Housing and Development Board nie zezwalało rezydentom na podnajmowanie mieszkań, ale nawet w Singapurze, przynajmniej wtedy, wszystko dało się załatwić na gębę, pieniądze przechodziły z ręki do ręki. Władze stawiały nowe, tanie blokowiska, zupełnie inne od naszych w PRL-u. Ich były ładniejsze i lepiej wykonane, zatopione w zieleni i połączone systemem krytych przejść, ponieważ w porze monsunu w Singapurze lało jeszcze bardziej niż w Indiach i z dżungli wypełzały nie tylko jaszczurki, ale też węże. Z powodu klimatu, ostrego słońca i równie mocnego deszczu HDB miało długoplanową wizję pokrycia całej wyspy zadaszonymi „chodnikami". Dziś przez państwo-miasto wiedzie dwieście kilometrów krytych ciągów komunikacyjnych, można przez całe życie nie wychodzić spod ich osłony.

Dużo czasu spędzaliśmy u szefa. Szykowaliśmy towar lub wylegiwaliśmy się nad jego basenem w Riverwalk. Czuliśmy się tam jak w domu, ale nikt nie śmiałby zagrać w tenisa na jego korcie, to był przywilej Szewca. W bloku nocowaliśmy, miałem tam swój sprzęt grający i wielką kolekcję, oprócz kaset także płyty CD, wydawałem na nie równie dużo pieniędzy, co na podróże po dżunglach i plażach Azji. Jeśli w mieszkaniu robiło się zbyt tłoczno, wynajmowaliśmy z Jolą pokój w hotelu na jedną noc. Jeździliśmy na wyspę rozrywki Sentosę albo urządzaliśmy pikniki niedaleko Bedok, w wydartym morzu parku usypanym w ramach „East Coast reclamation". Z każdej plaży w mieście widać setki statków na redzie, woda była bardzo słona i ciepła, nie to, co w Bałtyku.

Tak spędzałem wolny czas, więc nigdy nie dotarłem do Chinatown. Rok wcześniej urządziliśmy balangę z okazji początku roku smoka, oglądaliśmy fajerwerki z tarasu Riverwalk, a miasto pełne było „dragonów", dmuchanych lub rzeźbionych, figurek, breloczków, obrazków. Z Chińczykami zadawał się głównie Szewc, kupował od nich złoto w Bank of China; my mieliśmy na co dzień do czynienia z Hindusami i muzułmanami. Pata Brothers zapraszali na wesela i obchody święta kolorów Holi, a Jesal Brothers, od których kupowaliśmy bilety samolotowe, gościli nas na ślubach, obrzezaniach i uroczystym łamaniu postu wieczorami w trakcie ramadanu. Szewc do nich nie chodził, nadal mówił o nich Arabusy, ale nas posyłał, żeby podtrzymać dobre relacje z ich firmą. Na plażach poznałem paru Malajczyków, mieli podobne usposobienie jak ja, lubili leżeć i nic nie robić. Ciągle narzekali, że choć to ich ziemia, są na niej gorszą kastą, więc nienawidzili Chińczyków, a to w ich obcy świat miałem teraz wejść.

Od razu się zgubiłem – jak słomka w wirze strumienia – wśród roju brunatnych i żółtych ludzi zapełniających przecznicę. Przed hinduską świątynią Sri Mariamman kłębił się tłum turystów i miejscowych z różnych osiedli wyspy. Półnadzy tamilscy bramini wywiesili napis z życzeniami dla chińskiej społeczności z okazji nowego księżycowego roku węża. Potomkowie kulisów, chińskich niewolników, zapalali kadzidła pod sześciopiętrową wieżą nad wejściem do świątyni bogini z południa Indii, gdzie nigdy nie dotarłem. Wielki i wysoki architektoniczny tort, zwany gopuramem, wypełniony był po brzegi kolorowymi rzeźbami starożytnych bóstw. Zdawały się z niego wylewać, miałem wrażenie, że zaraz zeskoczą na ulicę i wtopią się w tłum. Ruszą w miasto, obchodzić święto religii i kultury, zamienią się w smoki, węże czy inne znaki zodiaku. Nie byłem upalony, tylko trochę drinknięty i rozgorączkowany myślami o Magdzie, wspomnieniem, które przysłoniło mi szczęśliwe życie z Jolą.

W epoce internetu przeczytałem, że pierwszy budynek Sri Mariamman, drewniany, postawił w tym miejscu Tamil, który przybył na wyspę z Anglikiem Rafflesem, handlował bawełną i inwestował w nieruchomości. Był pierwszym właścicielem terenów dzisiejszej Change Alley, gdzie wymienialiśmy pieniądze. Uświadomiłem sobie, że na nasz Singapur, pełen złota i taniej elektroniki, złożył się cały kosmos lokalnych historii, dziejów pionierów z początku XIX wieku, opowieści różnych nacji, które ściągali tu Anglicy. Miasto zbudowali więźniowie z Indii i dobrowolni emigranci, uciekinierzy, poszukiwacze szczęścia, awanturnicy i ciężko harujący na swoją miskę ryżu pracownicy z całej Azji. Dopiero po latach zrozumiałem, że właśnie dlatego pasowaliśmy do tego portu, do masali – mieszanki, w której każdy mógł znaleźć sobie miejsce, a nawet zrobić karierę, szczególnie jeśli wiedział, co kupić i gdzie sprzedać. Od wieków niczym innym tutaj się nie zajmowano, wszelakie dobra przypływały, współcześnie też przylatują, z północy, południa, wschodu i zachodu, przez morza, cieśniny i lotniska, by zostać przeładowane, przepakowane i wysłane dalej – tam, gdzie są najbardziej potrzebne.

Teraz nasuwają mi się takie przemyślenia, ale wtedy, skręcając w głąb uliczek zabudowanych starymi domami, miałem tylko nieokreślone poczucie mnogości, wielości, szalonego nadmiaru ludzi, kolorów skóry, przedmiotów i widoków.

Stosy towarów wysypywały się z mroku sklepów pod długimi rzędami arkad, a ognisty zachód słońca przesycał żarem ulicę. Niektóre kamienice były odremontowane, odmalowane na pastelowe kolory, inne się rozpadały, straszyły wielkimi drewnianymi okiennicami przeżartymi przez korniki. Jak miałem znaleźć Magdę w kipiącym życiem piekle, gdzie sklepy rozwierały się niby jaskinie? Ogarnął mnie łomot bębnów i blaszanych instrumentów, talerzy. Walili w nie młodzi Chińczycy w kolorowych strojach, nie „tradycyjnych" szatach, lecz nowych kostiumach z fabryki, pstrokatych od fosforyzujących barw. Odczyniali demoniczny (jak powiedziałby Szewc) rytuał przed sklepem z telewizorami Philipsa. Tańczyli z długim papierowym smokiem przyczepionym do patyków, stwór wił się w powietrzu, coraz szybciej i szybciej. W górę i w dół, kołowrót, korowód, fala, uskok, rytm, kolor mieniący się w oczach.

Zagapiłem się, choć miałem się rozglądać za białymi dziewczynami. Nie widziałem Magdy już od wielu lat, ale wydawało mi się, że natychmiast ją rozpoznam, nawet z daleka wypatrzę burzę jej lekko kręconych włosów i charakterystyczny nos. Grupa tancerzy odłożyła papierowego smoka na pakę małej odkrytej ciężarówki. Dwóch przebrało się za potwora – żółto-pomarańczowego, jaskrawego i kiczowatego, z wielkimi oczami jak z japońskich kreskówek, z otwartą, kłapiącą paszczą. Bogato zdobiona głowa, tułów z grubych plastikowych frędzli. Smok się wyprostował, jeden chłopak siedział na ramionach drugiego, wskoczyli na dwie ławeczki, talerze waliły, to nie była muzyka, tylko rytmiczny, prosty hałas, który wypełniał całą przestrzeń. Jakiś samochód chciał przejechać i trąbił bez przerwy, niby parowiec szukający drogi wśród mgły, ja też chciałem przepchnąć się dalej, ale byłem otoczony ludźmi, turystami szukającymi etnicznych atrakcji i miejscowymi, którzy, jak potem zrozumiałem, uczestniczyli w ceremonii zapewniającej pomyślność w nowym roku węża. Smoki tańczyły, stepowały, przekładały rytmicznie cztery nogi w adidasach, wystające spod przebrania, te ich stopy w sportowym obuwiu mnie zahipnotyzowały.

Starszy, dostojny mężczyzna, właściciel sklepu z elektroniką, postawił przed smokami kosz mandarynek. Stwory udawały, że wąchają i sprawdzają podarunek, skakały wokół niego, zbliżały się i oddalały, zastanawiały się, czy przyjąć ofiarę. W końcu jeden wskoczył na koszyk, podarunek zniknął pod wielkim kolorowym kałdunem z frędzli. Zwierz wił się i wyginał, zjadając i trawiąc owoce. Nagle wyrzucił przed siebie – w stronę sklepu – kawałki cytrusów, częściowo obrane, rozwalone, symbolicznie skonsumowane. Stary Chińczyk zamawiający ceremonię ułożył z resztek mandarynek niezrozumiały dla mnie napis. Rozwinięto zdobione czerwone płachty z chińskimi znakami, szef z rodziną ustawili się do zdjęcia. Pstryknęły flesze aparatów, wtedy nikt nie robił transmisji na żywo na Instagramie, tylko najwięksi biznesmeni wozili ze sobą w limuzynach pierwsze, ogromne telefony komórkowe. Tłum wiwatował, rozchodził się, ja też mogłem ruszyć dalej i szukać Magdy.

Szedłem przez ciżbę, mijałem chudych chińskich staruszków w czerwonych ubraniach, grube Hinduski w sari, brzuchatych Malajów, wysportowanych Europejczyków. W ciemnych jaskiniach sklepów błyskały półszlachetne kamienie, zielone nefryty, czerwone rubiny. Ludzie kupowali odpowiedni kruszec, w zależności od swojego roku urodzenia i „elementu", jednego z pięciu; wąż to *Huo*, czyli ogień. Wróżbici stawiali orientalne horoskopy, szczęśliwymi numerami miały być 6, 8 i 9, ale żadna z mijanych białych dziewcząt nie była Magdą. Kolory roku węża to czarny, czerwony i żółty, ja miałem na sobie białą koszulkę, pomyślałem, że przynosi mi pecha, i już chciałem sobie kupić nowy tiszert, ale się powstrzymałem, bez przesady z tą chińską symboliką.

Brytyjskie rodziny z dziećmi, szwedzka wycieczka, para amerykańskich hipisów. Chyba usłyszałem język polski, natychmiast ruszyłem w stronę, z której zdawał się dobiegać. „Southeast" i „Northeast" to kierunki dla ludzi urodzonych w roku węża, nie miałem cierpliwości sprawdzać, spod jakiego jestem znaku. Słowiańskie szumy swojskiej mowy zagłuszało rytmiczne brzęczenie talerzy podczas kolejnych ceremonii w intencji pomyślności, gdzieś w tle, za rogiem, przy następnej przecznicy. Po polsku gadała grupka marynarzy; podsłuchałem, że mieli dwadzieścia cztery godziny wolnego w trakcie załadunku ich statku pod naszą banderą. Nie będę przecież pytał ich o Magdę; gdybym był brunetem, udawałbym Greka, ale po prostu się nie odezwałem, nie domyślili się nawet, że jestem ziomkiem.

Dźwięczały chińskie „cesarskie" monety z dziurką, miały zapewnić bogactwo, jak łuski wkładane do portfeli w Polsce na Boże Narodzenie. Należy unikać jedynki, szóstki i siódemki. Sprzedawcy kwiatów składanych w buddyjskiej świątyni, zapalanych kadzidełek, tłum u wrót wielkiej pagody. Zbieracze datków na cele charytatywne, lekarze akupunktury, handlarze amuletami, wróżki, magowie, oszuści. Turyści, mnóstwo turystów: przerażonych jak ja włóczykijów, poszukiwaczy atrakcji. Dziewczyny – skośnookie, eleganckie młode Chinki, które powinny natychmiast udać się do dermatologa, a nie po kamień szczęścia, jasnowłose, jasnoskóre *girls* i roześmiane młode Hinduski. Żadna nie była Magdą.

Wyczerpany i zrezygnowany skorzystałem z toalety w Chinatown Complex. Parter świecił pustkami, zasuniętymi roletami sklepów. Ruch skupiał się na górze, pachniało jedzeniem, sosami rybnym i sojowym. Poszedłem tam. Z setek stoisk z żarciem otwartych było tylko kilka oraz boksy z piwem i wódką, zabawa trwała w najlepsze. Zamówiłem makaron i dużego tigera oraz lufę na *entrée*, na apetyt. Nie uświadamiałem sobie, jak bardzo jestem głodny i zmęczony, więc setka śmierdzącego chińskiego bimbru uderzyła mi do głowy. Nawet miska pikantnego jedzenia nie mogła mnie już uratować. Osowiały popijałem piwo w hałasie muzyki puszczanej z małych magnetofonów. W jej takt podrygiwali starsi panowie obstawieni pustymi butelkami. Jedna z ich przyjaciółek drzemała, druga – zrobiona na bóstwo, w świeżej trwałej ondulacji, z ostrym makijażem – dała się zaprosić do tańca. Para starców tańczyła, pozostali klaskali.

Zamówiłem kolejne piwo, wszyscy tu pili, alkohol lał się strumieniami. Młoda matka z dzieckiem na kolanach, towarzystwo zachwycało się maleństwem. Im bardziej byli pijani, tym częściej łapali dziecko za policzek. Otyła kobieta z krótkimi włosami zasnęła nad stołem pełnym flaszek i resztek jedzenia. Tuż za mną usiadło trzech Chińczyków w średnim wieku, w sportowych koszulkach bez rękawów i szortach, skąpe stroje odsłaniały ciała pokryte wielkimi kolorowymi tatuażami. Nie pili z pozostałymi, nie śpiewali i nie tańczyli, cicho rozmawiali, nie zwracając uwagi na towarzystwo.

– Radzio!?

Podniosłem wzrok znad piwa. To nie było możliwe, ale Magda stała przede mną. Starsza, tak jak ja, już nie licealistka, uśmiechała się zaskoczona, miałem nadzieję, że cieszy się ze spotkania. Szukajcie, a znajdziecie. Proście, a będzie wam dane. Statystycznie te biblijne zaklęcia nie działały w Singapurze, a jednak właśnie zostały wysłuchane.

Okazało się, że przychodzi tu czasami zjeść, a dziś wszystkie knajpy, oprócz tych drogich i niedobrych dla turystów, są zamknięte, więc – spotkaliśmy się. Naprawdę mieszkała w Chinatown, tuż za rogiem.

– Świetnie wyglądasz – bąknąłem oszołomiony, ale patrzyłem odważnie w jej oczy, zielone w świetle lamp jarzeniowych.

Spełnione fantazje okazują się koszmarem. To nie była moja myśl, musiałem ją gdzieś przeczytać, ale pasowała do naszego niespodziewanego spotkania. Nie wiedziałem, co właściwie mam powiedzieć, co mam zrobić. Kiedy marzenia się spełniają, nie zostaje nam już nic. Złapałem się na tym, że wolałbym, żeby jej tu nie było. Siedziała naprzeciwko mnie, uśmiechnięta, odgarniając falujące włosy z czoła nieco innym gestem niż parę lat wcześniej, w liceum, kiedy zapraszałem ją na koncert Generacji – a mnie to nie cieszyło. Miałem wrażenie, że jej nos jest jeszcze bardziej zadarty, tak jak twierdziła Agnieszka. Wyjechałem do Azji szukać Magdy, właśnie ją znalazłem i nie wiedziałem, co robić.

Obydwoje udawaliśmy, że rozmawiamy jak gdyby nigdy nic. Opowiedziała o swoich studiach, jakby na potwierdzenie znajomości chińskiego zawołała coś do kucharza w Food Court. Ten przybiegł, choć normalnie klienci musieli zamawiać przy okienku. Dygnął, wdali się w rozmowę, złożyła zamówienie, po chwili przyniesiono jej pierożki, wymieniała z obsługą niezrozumiałe dla mnie uwagi. Kucharz powiedział coś, co bardzo ją rozśmieszyło, i odszedł.

– Co powiedział? Znacie się?

– Tak, zaczął tu pracować, kiedy ja przyjechałam do Singapuru. Powiedział, że skoro spędzamy razem Nowy Rok, to obydwoje już na zawsze tu zostaniemy. – Nagle spoważniała i chwyciła moje ręce. – Na twój widok wróciły wspomnienia... Wtedy, w nocy, naprawdę nikogo nie zabiłam?

– No co ty, weź. Dalej o tym myślisz?

Wpatrywała się we mnie bez słowa, więc tak jak przed laty zaręczyłem, że nic nie widziałem, Janek sprawdzał, nie ma co zadręczać się przeszłością. Chciałem ją rozweselić i się popisać, dlatego zacząłem opowiadać o tym, jak przylecieliśmy do Indii w interesach, jak od wideo przeszliśmy na wyższy level i zajęliśmy się złotem. W końcu to ona osobiście rzuciła na imprezie, żebym przyjechał do Indii, zachęciła mnie do podróży, do wzięcia spraw w swoje ręce. I oto byłem, proszę, lecz ona przestała się uśmiechać. Przestała jeść pierożki.

– Radzio, musisz to rzucić. Natychmiast!

– Jak to?

– Nie powinnam ci mówić. – Zawahała się tylko na chwilę. – Wiem od mojego ojca... on wie z ambasady w Delhi. Będą was łapać... jak szczury!

– He, he, ciągle usiłują nas złapać – przechwalałem się. Nieustannie czuliśmy na karku oddech DRI.

– Nie, to co innego! Wszyscy się dogadali! Aresztowania zaczną się dziś i będą trwały dokładnie do weekendu. Ojciec mi wspominał, nie miał pojęcia, że znam kogoś z... przewalaczy. – Nie kryła zaskoczenia, że przemytnikami są jej koledzy ze szkoły, ci najlepsi, najtwardsi amanci, z którymi pojechała po wódkę tamtej nocy w 1984 roku.

– Kto się dogadał? Mafia? – Przypomniała mi się rozmowa z Akalem.

– Mafia też. Radca z ambasady się zgodził, żeby was wyłapać, zrobić pokazowy proces.

– Jak to się zgodził? Co jemu do tego?

– Indie to największy sojusznik i partner Polski w regionie. Nie można, ot tak, aresztować tłumu Polaków bez wiedzy i zgody ambasady. – Patrzyła na mnie jak na dziecko, wiedziała i rozumiała dużo więcej niż ja. – Znają waszą trasę, wasze patenty!

– Baterie?!

– Radzio, ty się lepiej orientujesz, skoro przewozisz złoto. Ojciec mi wspomniał, że ten Chaberka z ambasady wie, od kogo zacząć, nie znam szczegółów. Musisz ostrzec innych!

– Janek!

– On też tu jest!? Ja pierdolę, *shit, shit, shit!* – przeklinała po angielsku, jak wtedy w ładzie ojca.

Zagryzła wargi, zamknęła oczy, obydwoje usłyszeliśmy ten sam głuchy dźwięk co wtedy, w maju osiemdziesiątego czwartego, samochód w coś uderza albo tak nam się wydaje. Odwróciła się szybko, ja aż wstałem, ale to tylko jeden z pijanych Chińczyków grzmotnął o ziemię.

– Musisz go ostrzec! Natychmiast, idź!

Ruszyliśmy do wyjścia, ale bałem się wypuścić ją z rąk, nie mogłem już liczyć na kolejny zbieg okoliczności, przypadkowe spotkanie. Zapisałem jej numer telefonu, na wszelki wypadek odprowadziłem ją też do domu – teraz już wiedziałem, gdzie znaleźć klejnot Azji.

Wróciłem do mieszkania, które wynajmował nam Szewc, w drzwiach zderzyłem się z Jankiem, spieszył się na samolot.

Nic mu nie powiedziałem.

DRI

– *Your passport?!*

Jan usłyszał głośne i wyraźne żądanie. Zobaczył, że na szczycie schodów stoją policjanci oraz nieumundurowani Hindusi wyglądający na agentów DRI. Ugięły się pod nim nogi. Spojrzał za siebie, inni policjanci zablokowali mu drogę powrotną.

Zanim uświadomił sobie, co właściwie się dzieje, minęła dłuższa chwila. „Passport!" – ponaglali wąsaci, brzuchaci mundurowi, zamiast bambusowych kijów mieli u pasa groźnie wyglądające karabiny. Nie byli mili, najwyraźniej stracił rasowy, kolonialny immunitet chroniący białego człowieka na Wschodzie. Podał dokumenty i się rozejrzał. Po przeciwległej stronie peronu prowadzono schodami innych Polaków. Agenci DRI wiedzieli, gdzie szukać. Otworzyli pierwszą kamerę, rozcięli baterię, wyjęli złoto. To nie był przypadek, zwykła kontrola na chybił trafił. Ktoś sypnął, zdradził ich patent.

– *Very bad. You go to jail* – rzucił jeden z nich, zadowolony.

Szturchnęli Janka, odruchowo wystawił ręce do przodu, momentalnie zacisnęły się na nich kajdanki. Został obcesowo pociągnięty przez kładkę do policyjnego wozu z zakratowanymi oknami. Po chwili dołączył inny Polak, Janek kojarzył go z widzenia z Pahargandżu, ale facet pracował zapewne dla innej firmy. Potem wepchnięto jeszcze jednego. Obok nich wsiadł policjant, skierował w ich stronę lufę karabinu. Samochód ruszył. Trzem Polakom ze zdumienia odebrało mowę. Jechali przez Delhi suką, jakby zgarnięto ich z demonstracji „Solidarności" w Szczecinie.

Wysadzono ich przed wysokim biurowcem DRI, jednym z tych wieżowców, które wyrastają nad miastem jak zabłąkane statki kosmiczne. Musiał powstać w pierwszej fazie skoku w nowoczesność, w latach sześćdziesiątych. Jego twórcy połączyli prostotę modernizmu z ornamentami i przesadą architektury wielkich muzułmańskich władców sprzed stuleci. Przez dwadzieścia lat biura zdążyły się zestarzeć, pokryć liszajami, zmienić kolor z białego na szarawobrązowy. Dzika zieleń zdawała się atakować nowoczesny gmach ze wszystkich stron, by z powrotem objąć teren w posiadanie. Janka ogarnęło przerażenie – oto skuty kajdankami wchodził do środka urzędu reprezentującego maszynę biurokracji Republiki Indii.

W hallu panowie w koszulach i kobiety w sari przechodzący niespiesznie z papierami zatrzymywali się na widok białych prowadzonych jak zwykłe rzezimieszki. Urzędnicy pokazywali sobie Polaków palcami niczym egzotyczne zwierzęta w zoo albo atrakcję turystyczną. Aresztanci szli ze spuszczonymi głowami; także gdy długo czekali na rozklekotaną, zacinającą się windę, starali się nie patrzeć dookoła. Pojechali na samą górę. Jan pomyślał, że Indie są *same same, but different*, bo w Polsce wylądowałby w esbeckiej piwnicy. Uznał, że mogli trafić gorzej: znaleźli się w typowym indyjskim biurze. Naprzeciwko windy wielkie logo DRI – niebieskie tło w złotej ramce o kształcie przypominającym odznaki amerykańskiej policji, trzygłowy lew jak na herbie republiki, gałązki laurowe jak w starożytnym Rzymie, napis po angielsku i w hindi. Na brudnych ścianach, znaczonych wszechobecnymi czerwonymi plamami betelu, plakaty przypominające o obowiązku płacenia cła, listy zakazanych towarów. Obrazki dla niepiśmiennej większości społeczeństwa oraz teksty po angielsku, tak jakby każdy, kto w ogóle umie czytać, znał też angielski. Wielkie ostrzeżenia, wykrzykniki, informacje o karach, dużo czerwonych liter. Tablice przypominające te na ulicach, dworcach czy lotniskach w magiczny sposób miały spowodować działanie prawa i państwa. Zawsze kpił z lokalnego bałaganu i tych zaklęć, teraz okazało się, że system działa, właśnie go dopadł. Na poważnie i na serio.

Na korytarzu, na prostych, sfatygowanych ławach siedzieli inni Polacy. Od razu zrozumiał, że to nie Amerykanie, Australijczycy, lecz sami swoi, podobni do niego. Słowiańskie rysy twarzy, jasne włosy, niebieskie oczy, perkate nosy. Ostrzyżeni krótko z przodu, długo z tyłu, wąsaci, koszulki Polsportu, trampki krajowej produkcji. Tylko niektórzy w zachodnich ciuchach, ci już się trochę dorobili i uznali, że mogą zaszaleć z ubraniami. Trudno się pomylić, wyłącznie wieszaki.

Pomyślał, że to nie była fatamorgana, nic mu się nie przywidziało, paru ludzi naprawdę wysiadło wcześniej z pociągu. Miał wrażenie, że widział na peronie Greków od Mikisa albo innych przewalaczy z Polski. Zrobili to specjalnie, ponieważ dostali cynk o łapance, a może tak pracowali, zabezpieczali się nawet na ostatnim etapie, na wszelki wypadek nie wysiadali na New Delhi Railway Station i dlatego tak długo utrzymywali się w branży? Chyba że było jeszcze inaczej. Czy to oni sypnęli własnych kumpli, po czym się ulotnili? Widział, że policja obstawiała schody na obydwu końcach peronu, byli przygotowani i jak na Hindusów doskonale zorganizowani. Jan nie znał się na policyjno-celnych intrygach, ale wyobrażał sobie, że zdrajca dla niepoznaki też zostaje aresztowany, inaczej wszystko byłoby szyte zbyt grubymi nićmi. Uznał, że Grecy byli dużo bardziej przewidujący od niego, pijącego whisky i palącego w pociągu haszysz, jak gdyby był na wakacjach.

Policjant pchnął go na ławę, pomiędzy innych szmuglerów. Zza przeszklonych burych drzwi, chyba prowadzących do następnej części korytarza, słyszał głośną rozmowę po angielsku. Jeden z głosów mówił z typowym polskim akcentem. Drzwi nagle się otworzyły, agent DRI wypchnął zza nich Polaka. Padając obok Janka na ławkę, rodak powiedział szybko:

– Jest z piętnaście osób. Uważaj, chcą nam wmówić przestępczość zorganizowaną.

– Od kiedy tu jesteś?

– Wczoraj nas dupnęli, na dworcu. Was też?

– Tak...

– *Shut up! Dont talk!* – wydarł się agent, który pilnował grupy na korytarzu.

Robiło się naprawdę nieprzyjemnie. Jeszcze nigdy żaden Hindus nic podniósł głosu na Janka. Zaszokował chyba wszystkich przemytników, bo nawet nie popatrzyli na siebie nawzajem, tylko pokornie wbili wzrok w ziemię. Pomyślał, że szybko zamieniono ich w potulnych mieszkańców tego kraju. Jak tego dokonano? Chciało mu się pić.

– *Can I have some water, please?* – poprosił grzecznie, właściwie zapytał, sprawdzając swoje położenie.

Strażnik nawet na niego nie spojrzał, więc Janek powtórzył pytanie, głośniej i wyraźniej. Nic, żadnej reakcji, Indie zamieniły się w PRL, władza miała głęboko gdzieś jego potrzeby i prośby. Jeden z Polaków podniósł na niego wzrok i pokręcił głową: „Nie ma szans, stary". Koleś najwyraźniej już sprawdził swoją sytuację, byli na przegranej. Drzwi ponownie się otworzyły, jeden z agentów w cywilu spróbował odczytać imię i nazwisko Janka. Nie udało mu się, zrezygnował, spojrzał na zdjęcie w paszporcie, odnalazł właściciela wzrokiem i pokiwał na niego palcem.

Posłusznie wstał i przekroczył bure drzwi do dużej sali. Przy ścianach stały szafy z segregatorami, pośrodku biurka zasłane papierami, na większości wyłączone komputery. Przy każdym stole inny człowiek DRI, na krzesełku po drugiej stronie pokorny, przestraszony Polak. Jedna para żeńska; agentka właśnie wstała i krzyczała na młodą Polkę:

– *Sign it!*

– Nie podpiszę! – zaprotestowała po polsku dziewczyna.

Ku zdumieniu Janka agentka DRI chlasnęła Polkę w twarz, potem jeszcze raz. Więcej nie zobaczył, musiał się odwrócić, pchnięty po raz kolejny, do stolika w kącie, pod oknem. Na zewnątrz kłębiły się zielone palmy, na gałęziach bawiły się rozwrzeszczane małpy. Zagłuszały szum zepsutego klimatyzatora, woda kapała do brudnego plastikowego wiadra. Obok leżała brudna szmata, ściana wyglądała na zgniłą, poczuł się jak w domu. Na zniszczonym obrotowym fotelu siedział spocony, siwiejący urzędnik celnej służby wywiadowczej. Zdjął okulary, otarł tłustą twarz chustką, spojrzał na Janka zmęczonym wzrokiem.

– Mówisz po angielsku? – Nie użył grzecznościowego „sir", zwrócił się jak do przestępcy, bez szacunku, bez dystansu.

– Tak, oczywiście.

– Oczywiście? Połowa z waszej grupy nie mówi po angielsku! – żachnął się Hindus. – Jak można nie znać angielskiego?! – Wydął z wyższością wargi.

– Nie jesteśmy żadną grupą... – Jan rozumiał, że grupa to mafia, a mafia to poważna sprawa. Postanowił udawać, że jest zwykłym polskim turystą, jakich wielu na świecie. – A angielskiego u nas nie uczą w szkołach.

Urzędnika nie interesowały problemy szkolnictwa w Europie Środkowo-Wschodniej.

– To się jeszcze okaże, czy nie jesteście grupą – ciągnął. – W tym tygodniu złapaliśmy na dworcu wiele osób jadących z Nepalu ze złotem. Jakoś tak się składa, że wszyscy są Polakami. Czyli grupa. Chcesz mnie przekonać, że nie macie ze sobą nic wspólnego? Nic was nie łączy?

Machał palcem, jakby wskazując innych w pomieszczeniu, a potem wycelował go w Jana. Ten się zadumał, do jakiego stopnia czuje się Polakiem, ale urzędnik spytał retorycznie i teraz kontynuował:

– Jak posiedzisz w naszym indyjskim więzieniu, to zmienisz zdanie. Myślę, że jesteście polską mafią! Przestępczość zorganizowana! – Znów zdjął okulary i przetarł krople potu z czoła. – A złoto miałeś?

Jan się zawahał, ale szybko uznał, że nie ma co ściemniać. Znaleźli złoto w kamerach, od tego się nie wywinie.

– Miałem – przyznał.

– To już coś... Aresztowany przyznaje się do przemytu złota... – ucieszył się urzędnik DRI. Poprzekładał papiery, znalazł pusty blankiet i zaczął spisywać dane Polaka z paszportu.

– Dlaczego bijecie kobiety? – Janowi zebrało się na odwagę.

– Bijemy kobiety? – stropił się agent. – Lekko, przecież was nie torturujemy! Nic wielkiego! Swoich bijemy mocniej. A przemytników narkotyków to już w ogóle... Gdybyście wszystko podpisywali, nie byłoby problemu. To wasza wina, Polacy! – Wrócił do wypełniania kolumn w papierach.

– Mogę poprosić o wodę? – nieśmiało zapytał Jan, nadal w szoku, że nagle to on jest na łasce Hindusa, w jego władzy.

Urzędnik spojrzał zdumiony prośbą, pokiwał głową na boki w typowy, niejasny sposób, który mógł wyrażać zarówno zaprzeczenie, jak i zgodę. Cmoknął i krzyknął w stronę drzwi. Odziany w brudny kelnerski uniform facet z obsługi, jakich pełne są wszystkie biura Indii, zajrzał do środka. Szef wskazał na Jana, rzucił w hindi *panee* i dalej wypełniał papiery.

Po chwili w ręce Jana trafiła szklanka z chłodnym płynem. Opróżnił ją duszkiem. Pomagier zerknął na grubego szefa, wciąż zajętego pisaniem, i gestem zapytał aresztowanego, czy ma dolać. Jan przytaknął i się uśmiechnął, dostał następną porcję wody, wypił ją równie łapczywie. Obejrzał się. Dziewczyna już zniknęła, przy pozostałych biurkach agenci pili herbatę, palili papierosy, rozmawiali. Najwyraźniej mieli przerwę w przesłuchaniach.

Gruby urzędnik skończył ślinić długopis, zagryzać wargi i mozolnie wypełniać druk. Podał go Janowi. Blankiet wydrukowany był w hindi, ale rubryki urzędnik wypełnił po angielsku.

– Podpisz!

– Ale to jest w hindi, nic nie rozumiem – zaprotestował Jan. Wpatrywał się w koślawe litery pisma dewanagari i hinduską angielszczyznę.

– Nie, nie! – obruszył się agent DRI. – Wszystko, co dotyczy ciebie, co wpisałem, jest po angielsku! Przecież znasz angielski, rozmawiamy po angielsku, powiedziałeś, że znasz ten język, więc nie ma tak! Już ja znam te kruczki prawne. Nasze druki są w hindi, czyli w języku urzędowym państwa, ale to nie jest podstawa prawna do podważania aktu oskarżenia! Nie bądź taki cwany! Reszta jest po angielsku! Czytaj!

Urzędnik aż wstał zza biurka. Sterczał nad Janem, wskazywał palcem kolejne fragmenty i wyjaśniał, o co w nich chodzi.

– Rozumiem – wyrwało się w pewnym momencie Janowi.

– A widzisz, rozumiesz! Wiesz, o co jesteś oskarżony. Brawo! Nie zaprzeczaj potem w sądzie, że podpisałeś coś, czego treści nie znałeś!

– Dobrze, dobrze. – Chłopak miał dosyć urzędniczych trików DRI. – Ale nie podpiszę, że działałem w zorganizowanej grupie, bo to nieprawda. A tutaj pan to napisał. – Bezwolnie użył formułki „sir".

– Nie podpiszesz?

– Nie!

– Zobaczymy.

Agent wyszedł. Janek został sam przy biurku. Zza okna małpy gapiły się na niego i stroiły głupie miny, jakby nabijały się z jego niepowodzeń. Odwrócił wzrok, w pokoju znów zaczął się ruch, wprowadzono facetów, z którymi jechał z dworca w suce. Przy pozostałych biurkach odprawiano ten sam rytuał co z nim. Szybka rozmowa, wypełnianie kwitów, brak zgody na podpis. Okazało się, że na razie miał szczęście, z innymi się nie patyczkowano, za odmowę parafowania zeznań dostawali w gębę.

Odwrócił wzrok, przerażony rozgrywającymi się wokół scenami, choć zdawał sobie sprawę, że w porównaniu z metodami polskiej Służby Bezpieczeństwa i jego ojca Hindusi postępowali w cywilizowany sposób.

Za oknem zapadał zmrok, nie widział już małp, z zepsutego wentylatora wciąż kapała woda, przelewała się przez wiadro, wsiąkała w szmatę. Miał ochotę wstać i opróżnić wiadro, ale przysnął. Obudziło go lekkie szturchnięcie. Jego agent wrócił, pogryzał samosę zawiniętą w gazetę i mówił z pełnymi ustami:

– Podpiszesz?

– Nie – stwierdził Jan, choć miał ochotę podpisać cokolwiek, byle znaleźć się na Pahargandżu i spokojnie zapalić dżointa. Rozbudził się i dodał: – Przyznaję się, że miałem złoto, ale nie jestem członkiem żadnej grupy! Proszę skreślić tę część, to podpiszę. – Znów dorzucił „sir" i poczuł się upodlony.

Urzędnik zasiadł ciężko na swoim krześle, spojrzał na zegarek i westchnął. Wyrzucił do kosza tłusty papier po samosie. Widać było, że też jest zmęczony, pracował przecież od poniedziałku, codziennie przesłuchiwał kolejnych Polaków – przemytników wysiadających z pociągu z północy. Wziął druk i skreślił odpowiedni paragraf.

– Teraz podpiszesz?

– Proszę przybić pieczątkę tam, gdzie pan skreślił, żeby było urzędowe potwierdzenie zmian – domagał się Jan.

Agent machnął ręką, nie wiadomo, czy odganiając się od moskitów czy od przesłuchiwanego, znalazł pieczęć, podbił i nawet skrobnął parę słów w hindi. Jan podpisał zeznanie i został wyprowadzony na korytarz.

Boss na pewno mu pomoże, tak jak zawsze obiecywał. Polskie firmy znane były z tego, że nie zostawiały potrzebujących na łaskę losu. Czy Radzio też wpadnie? Nie miał jak ostrzec przyjaciela, ale uznał, że skoro DRI łapało na dworcu już od paru dni, to może dziś przestaną, był piątek, w soboty pociąg nie przyjeżdża. Przesłuchujący agent odpuścił mu mafię, ponieważ i bez niej miał dosyć pracy, łapanka się skończyła. Najbliższy pociąg dotrze do Delhi w poniedziałek. Nawet jeśli Radek już wyleciał z Singapuru, zjawi się tu najwcześniej po weekendzie i nic mu się nie stanie.

Optymizm wyparował, kiedy tłum pojmanych, także Jana, zaprezentowano na konferencji prasowej zorganizowanej przez DRI. Agent blefował, w sumie złapano mniej osób, lecz wystarczająco wiele, żeby pochwalić się na porannym spotkaniu z prasą na parterze biurowca. Na konferencję zostali zaprowadzeni po krótkim śnie na siedząco, na ławkach. Choć większość z Polaków nie przyznała się do uczestnictwa w zorganizowanej grupie przestępczej, właśnie o tego rodzaju działalności mówił z dumą dyrektor instytucji.

Przed nim na stole piętrzyło się złoto, ułożone w napis DRI. Kruszec robił wrażenie, dobrze się prezentował na zdjęciach z Polakami w tle, zachwyceni fotoreporterzy mieli pełne ręce roboty.

Nie wszystkich złapanych szmuglerów DRI wystawiało tak na widok publiczny – *Polish smugglers* trafili na pierwsze strony gazet. Chodziło o to, by stali się znani z twarzy, imienia i nazwiska, a przez to zostali spaleni i więcej już nie mogli narażać indyjskiego państwa, a właściwie prawdziwej mafii, na straty. Inni przemytnicy mieli wyciągnąć wnioski: patrzcie, co zrobimy z waszym towarem! Wasze złoto, narkotyki, fałszywe banknoty, wszystko przysłuży się firmie, zamienimy waszą kontrabandę w nasz sukces. Niech żyje Directorate of Revenue Intelligence!

Tihar Jail, największe więzienie Azji, jest usytuowany w połowie okrężnej drogi pomiędzy Pahargandżem a lotniskiem, dwoma dobrze Janowi znanymi miejscami. Kilka razy taksówkarze powieźli go tamtędy, żeby nabić licznik. Nie wiedział, że za ciągnącymi się wzdłuż ulicy wysokimi, bezbarwnymi, zupełnie nijakimi płotami znajduje się czterysta akrów przepełnionego piekła o zaostrzonym rygorze.

Do więziennego kompleksu wjechał główną bramą od strony Jail Road. Otwarte w 1957 roku jako nowoczesne, nowe więzienie niepodległej republiki miało pomieścić dwa i pół tysiąca osób, a trzymano tu naraz średnio około dziesięciu tysięcy mężczyzn i kobiet pod nadzorem niecałego tysiąca policjantów. Rozbudowa przeprowadzona na początku lat osiemdziesiątych nie polepszyła sytuacji, Tihar był i do dziś jest przepełniony z powodu niewydolności indyjskiego systemu sądowniczego.

Około osiemdziesięciu procent więźniów oczekuje na proces, zazwyczaj przez parę lat. W najlepszej sytuacji są zatrzymani, którzy zapłacili łapówki. Dzięki temu ich akta znalazły się na wierzchu stosów wznoszących się wokół prokuratorów i sędziów jak mury wokół aresztowanych. Zazwyczaj drobny złodziejaszek trafiał do Tiharu i po pięciu latach odsiadki dowiadywał się na procesie, że został skazany na rok, więc natychmiast wychodził na wolność. Państwo nie wypłacało odszkodowań za przetrzymanie człowieka w więzieniu. Wkrótce Jan miał zrozumieć, że jego najważniejsze zadanie to jak najszybciej załatwić rozprawę.

Zawitał za mury Jail Road w najgorszym okresie więzienia w historii. HIV zabierał ludzi szybciej niż zasądzona kara śmierci, rzadko wykonywana, bo skazani odwoływali się do wyższych instancji i procesy ciągnęły się przez dziesięciolecia. W 1990 roku jeden z więźniów zmarł w celi, ponieważ lekarz nie chciał do niego przyjść poza godzinami dyżurów. Wybuchł bunt. Osadzonym udało się wydostać z cel, rzucali kamieniami w strażników, ci otworzyli ogień, zginęło pięć osób.

Po tych wydarzeniach nowa szefowa kompleksu, nietypowa policjantka Kiran Bedi, przerażona poziomem przestępczości za kratami, wprowadziła lekcje jogi dla osadzonych. Starała się wytłumaczyć podwładnym, uzbrojonym w długie pały jak na ulicach, że poza biciem, znieważaniem i braniem łapówek istnieją inne metody pracy. Zdobyła środki na budowę nowych cel, rozwój szwalni, warsztatów, piekarni. Wkrótce pracowało dziesięć procent więźniów, tych już skazanych, z wysokimi, ale nie dożywotnimi wyrokami. Ludzie, którzy mieli jeszcze szansę przydać się kastowemu społeczeństwu Indii, harowali w więziennej korporacji, a Tihar nazywano ironicznie aśramem – jak klasztory.

W latach osiemdziesiątych było tu i tak lepiej niż w tajskich więzieniach. Władze w Bangkoku nie zwracały uwagi na kolor skóry, białych traktowano równie źle jak miejscowych, tym bardziej że większość z zachodnich turystów siedziała za próby przemytu twardych narkotyków. Tak przynajmniej twierdziła tajska policja, premiowana przez amerykańską Drug Enforcement Administration za złapanie szmuglerów heroiny, kokainy, LSD, a nawet marihuany. O niebezpiecznej Tajlandii często rozmawiali w niewiele łagodniejszym Singapurze i Jan przysiągł sobie, że nigdy nie tknie ciężkiego towaru. Złoto było lekkim przewinieniem, ale i tak groził za nie rok więzienia. Dwa lata, jeśli DRI jednak się uprze, zaneguje skreślenie na druku i skażą szczecinianina za udział w mafijnym procederze. Miał nadzieję, że ze względu na media proces odbędzie się w miarę szybko i będzie mógł wpłacić kaucję, wyjść z piekła.

Freedom fighters

Wysiadłem z pociągu, przywołałem rikszę. Jadąc przez Pahargandż, miałem wrażenie, że ludzie mi się przyglądają. Portier w Metropolis spojrzał na mnie jak na ducha i wystraszył się na mój widok, a potem opowiedział, co się wydarzyło. Przecież wiedziałem, ale grałem zaskoczonego. Cały bazar mówił już o tym, że na dworcu zatrzymano ponad dwudziestu Polaków. DRI pracowało na pełnych obrotach od poniedziałku do piątku, dokładnie tak, jak zapowiedziała Magda. Ja przyleciałem do Katmandu od razu po weekendzie. Musiałem ruszyć się z Singapuru, zanim dojdzie tam informacja o aresztowaniach – z jednej strony nie mogłem przyznać się ludziom z Firmy, że wcześniej coś wiedziałem, a z drugiej gryzło mnie sumienie. Palmy i morze straciły blask, ponieważ zdradziłem przyjaciela. Magdzie wstydziłem się pokazać, włóczyłem się po mieście i w końcu ruszyłem naprawiać błędy.

W Delhi usiadłem ciężko na łóżku. Nie wiedziałem, co właściwie mam zrobić. Paliłem papierosa za papierosem, ponieważ bałem się też DRI. W końcu wyjąłem całe złoto z baterii, schowałem je za pazuchę i poszedłem do Sakara. Inter-Pol był zamknięty, sąsiedzi powiedzieli mi, że nie widzieli właściciela od co najmniej paru dni. Nie znałem hindi tak dobrze jak Janek, a oni słabo mówili po angielsku, nie byłem pewien, czy dobrze ich zrozumiałem.

Wróciłem do Metropolis i próbowałem połączyć się z Szewcem, ale jak zwykle z Indii ciężko było dodzwonić się do Singapuru, w drugą stronę działało to lepiej. Z Miasta Lwa mogłem szybko i bezpośrednio porozmawiać ze Szczecinem, natomiast telekomunikacja w Delhi niechlubnie dorównywała tej w PRL-u. Pijąc whisky, zrozumiałem, że gdybym to ja został zatrzymany, Janek natychmiast wiedziałby, do kogo się zwrócić, z kim pogadać i co robić. Jedyne, co przyszło mi do głowy, to pójść do Akala, ale po drodze spotkałem Czarną Marię.

– Hej, Lord.

W jej ustach to przezwisko nie brzmiało ironicznie, ale i tak czułem ciężar przeklętej historii z Magdą i Jankiem. Lubiłem Czarną Marię, choć nie latała już od paru tygodni, straciliśmy kontakt. Ciężko mi było skupić się na rozmowie. Jak wszyscy na bazarze wiedziała już o wpadce.

– Widzisz, trzeba było czytać gazety!

– Czytałem. Coraz częściej pisano o Polakach, ale Janek, Szewc i wszyscy inni mówili, żeby się nie przejmować!

– Młody, zrób tak jak ja, zainwestuj pieniądze w Chinach, kup maszynę overlock albo coś w tym stylu i zawieź Koleją Transsyberyjską do Polski. Mówię ci, piękna podróż! A pieniądze? Ogromne!

Zapaliliśmy, opowiadała o pociągu mknącym przez cały Związek Radziecki, brzmiało fantastycznie, ale najpierw musiałem uporać się z wyrzutami sumienia. Maria radziła mi, żebym rzucił szmugiel, niekoniecznie zjeżdżał na stałe do kraju, poszukał nowych możliwości w Azji i zainwestował oszczędności. Na koniec poklepała mnie przyjacielsko po ramieniu i życzyła szczęścia.

Dała mi do myślenia. Dotarłem do Akala, nie było go w domu. Czekałem parę godzin, pani Singh częstowała mnie czajem i martwiła się zarówno o mnie, jak i syna, bo gdzieś zniknął.

W końcu się zjawił. Miałem ochotę rzucić mu się na szyję ze szczęścia, że już nie jestem sam, ale nawet jemu nie mogłem się wyspowiadać. Zaczęły się wiadomości w telewizji, matka Akala zdjęła ceratę i wspólnie patrzyliśmy na Janka oraz wielu innych kumpli: skruszeni przestępcy, nosy na kwintę, smutek i melancholia, a na pierwszym planie – złoto. Za to agenci DRI uśmiechali się od ucha do ucha. Dostali, co chcieli, złapali groźnych złoczyńców łamiących COFEPOSA. Co chwila padało to magiczne zaklęcie, słyszałem je już wcześniej, ale nie rozumiałem, co znaczy. Gospodyni załamywała ręce na widok swojego przybranego białego syna skutego kajdankami, Akal wyjaśniał zaś, że COFEPOSA to jeden z przepisów wprowadzonych przez Indirę Gandhi, razem ze stanem wyjątkowym, ale nigdy nieodwołany. Conservation of Foreign Exchange and Prevention of Smuggling Activities Act – brzmiało to groźnie.

– To sprawa polityczna! Ta ustawa umożliwiła zatrzymywanie ludzi bez postawienia im zarzutów! Przeszukanie, zajęcie mienia, podsłuchy, wszystko to bez nakazu sądowego. Rozumiesz?

– Kumam, to jak u nas zupełnie.

– No i podczas stanu wyjątkowego Indira mogła w ten sposób aresztować milion ludzi. Milion przeciwników, polityków, dziennikarzy, naukowców. Niektórych wtedy po cichu sterylizowano, torturowano.

– Ale my nie jesteśmy polityczni! Jesteśmy zwykłymi przemytnikami! – jęczałem.

Uciekliśmy przed wielkimi sprawami, zajęliśmy się swoimi, aż tu w Indiach się okazało, że dotyczą nas ideologiczne paragrafy.

– Ostrzegałem was!

Nie tylko on ostrzegał. Przecież w Chinatown Magda wtajemniczyła mnie w szczegóły akcji. Udawałem twardo sam przed sobą, że o niczym nie wiedziałem. Zaczynałem wierzyć, że córka Kowalskiego nie wyjawiła mi planu albo że rozminąłem się z Jankiem. Głośno mówiłem co innego.

– Gadałeś o mafii, a nie o... państwie policyjnym. To różnica, nie?

– Szmugiel jest polityczny. Te *security acts* odwołano, ale COFEPOSA nie. Na jego podstawie mogli was aresztować już wcześniej, nawet bez złota, wystarczyłyby podejrzenia o niepłacenie cła. Najwyraźniej chcieli mieć dowody i zrobić wielki *show*. Ktoś musiał zlecić tę akcję. A nie mówiłem, że nastąpiliście na odcisk mafii?

Mama Akala przysłuchiwała się naszej dyskusji coraz bardziej zdenerwowana, syn musiał ją uspokoić, rozmawiali szybko w hindi, nic nie rozumiałem. Wynieśliśmy się na dach, gdzie zawsze wcześniej siedzieliśmy we trójkę i paliliśmy haszysz.

– Mama mówi, że Janek jest *freedom fighter*. – Akal się uśmiechnął i wziął pierwszego bucha.

– No nie. To już przesada.

– Wiesz, co nam zrobiła Indira. Mamy swoje spojrzenie na sprawy. Jarasz?

Podsunął mi faję, ale pomyślałem, że może gdyby Janek tyle nie palił, zauważyłby zagrożenie, byłby bardziej przytomny i nie siedziałby w pierdlu. Uwierzyłem, że nie spotkałem się z Magdą w chiński Nowy Rok. Odmówiłem haszyszu i pokłóciliśmy się o rolę narkotyków w całej tej sytuacji. Szukałem pretekstu, chciałem zrzucić całą winę na kumpla, żeby nie musieć się nim zajmować.

– Chcieliśmy zarobić – powtarzałem Akalowi i sobie. – Nie mamy nic wspólnego z waszą krwawą historią, z waszymi strzelankami, morderstwami, bombami, bogami, którzy kłócą się o Indie.

– Tak ci się tylko wydaje. Jeśli pracujesz w Indiach, to przestajesz być turystą i stajesz się jednym z nas. I to wszystko cię dotyczy. – Zatoczył ręką łuk, wziął kolejnego bucha. – W każdym razie w DRI wyrobili normę na rok, są z siebie zadowoleni, wiedzą, że dostaną medale i odznaczenia, premie, awanse, pochwały. Teraz odpuszczą. Prawdę mówiąc, właśnie teraz warto przemycać, wiesz? Ceny pójdą w górę, a na granicach będzie większy spokój. Co myślisz? – Akalowi zapaliła się w głowie biznesowa lampka, był w tym podobny do Janka, dlatego tak szybko się zaprzyjaźnili.

Wytłumaczył mi, że musimy znaleźć adwokata, który będzie się starał przyspieszyć postępowanie. Wiedział, jak działa państwo, trzeba dać w łapę, jeszcze nie wiadomo komu, ale na pewno dużo. Dlatego zostawiłem mu złoto, ale nie miałem większej gotówki, ponieważ nasze oszczędności leżały sobie w Polsce i Singapurze.

Dopiero wieczorem dodzwoniłem się do Szewca. Musiałem z nim porozmawiać, ponieważ udawałem, że wcześniej nie wiedziałem o zagrożeniu wpadką. W słuchawce trzeszczało i szumiało, ale słyszałem, co mówi.

– Rado, jesteś tam, chłopaku? Przykro mi. Przylatuj z powrotem, naradzimy się.

– Już wiesz?

– Wszystko wiem, ale nic się nie przejmuj. Przyleć do Singu. Zrobimy ściepę na Janeczka, mojego Cyganka.

– Jaką ściepę? – krzyczałem do słuchawki.

– No, zrzutkę, żeby była kaska na adwokata. Przylatuj szybko z powrotem do domu.

– Jakiego domu? Jaka zrzutka? Przecież Marek mówił, że jakby co, Firma wszystkim się zajmie.

– No właśnie, a Firma to my wszyscy. Ty, ja, Marek, Jola. To właśnie jest Firma, co nie?

– Nie rozumiem! Miałeś pomóc?!

– Pomożemy, wszyscy pomożemy, tylko na razie wracaj. Pogadamy spokojnie. Wszystko po kolei.

– Nic nie słyszę, przerywa.

Połączenie było wyjątkowo dobre, ale nie chciałem dłużej słuchać Bossa, więc się rozłączyłem. Przez ostatni rok indyjska prasa pisała o zatrzymywanych Polakach. Wiedziałem, że dostali pomoc od partnerów, ze swoich firm. My też dorzucaliśmy się na pomoc dla nieznajomych przemytników, z solidarności i licząc na to, że w razie czego odwdzięczą się w ten sam sposób.

Powinienem więc posłuchać Szewca i polecieć do Singapuru, ale miałem wszystkiego dosyć, chciałem przeciąć związki z przewalaczami. Przypomniało mi się chlanie wódki w Chinatown, w chińskiej dzielnicy ukryła się Magda, moja przeszłość, a w Riverwalk opalała się Jola, która mogła być moją przyszłością.

Niezależnie od zamiarów przed powrotem do Miasta Lwa należało zostać parę dni na Pahargandżu. Bez Janka wydawał się jeszcze brudniejszy niż zwykle. Powinienem poczekać na widzenie w więzieniu, podnieść tam przyjaciela na duchu, obgadać plan i wspólnie działać – tak nakazywały rozsądek i przyzwoitość. Piłem samotnie w hotelowym pokoju i rozmyślałem. Przyzwoitość? Teraz? Było za późno, ale musiałem dalej grać swoją rolę. Leżałem na plecach w pomiętej pościeli, nie trafiłem petem do popielniczki i wypaliłem w poszewce dziurę. Niechcący wychlapałem też whisky, więc zdjąłem prześcieradło i leżałem na gołym materacu. Wentylator obracał się nade mną, zasychało mi w gardle, nie miałem siły zadzwonić po *room service*, żeby przynieśli mi colę, napój Limca albo wodę Bisleri. Dygotałem jak stary zepsuty statek parowy, wydawało mi się, że idę na dno i się duszę. Otworzyłem okno, wystawiłem się na zimny lutowy wieczór. Nocni sprzedawcy czaju, betelu i omletów okutali się swetrami, głowy poowijali szalikami, palili ogniska, żeby się ogrzać.

W Polsce było jeszcze zimniej, ale nie mogłem zostać w Azji. O świcie wyplątałem się z przepoconej, brudnej pościeli i pojechałem na Connaught Place. Hinduska w sari pracująca w biurze LOT-u spojrzała na mnie jak na rakszasę, demona-ludojada, musiałem strasznie wyglądać. Za resztkę gotówki kupiłem bilet na samolot do Warszawy, ostatnie miejsce, jeszcze tego samego dnia. Powiedziałem jej wprost, że lecę do kraju po pieniądze dla przyjaciela, ale tak naprawdę wykonałem szybki skok w ciemność, jak do szalupy ratunkowej. Uciekłem przed sobą, zwiałem z tonącego przemytniczego okrętu, nie byłem przecież kapitanem ani pierwszym oficerem, tylko zwykłym, zagubionym pielgrzymem.

Wcale nie tak łatwo było opuścić łajbę, na której płynąłem od lat, nie bacząc na mielizny i rafy, ufając w przyszłość, dryfując na fali wydarzeń. W Delhi nie zdążyłem pójść do ambasady i załatwić nowego paszportu pod pozorem zagubienia starego na bezdrożach Orientu. Na Okęciu okazałem mój wysłużony, naklejowany dokument, wielokrotnie prasowany, pełen pieczątek i wiz, na całej warstwie wytartych wcześniej wpisów TBR. Wopista w Warszawie, tak jak kiedyś ostrzegał pan Rysio, bacznie przyglądał się papierom, był dużo lepiej wyszkolony niż ci pracujący na granicy lądowej między Berlinem a Szczecinem. Przyleciałem prosto z Indii, więc wiedział, czego szukać w paszporcie. Kazał mi zaczekać, zniknął na dłuższą chwilę. Zrozumiałem, że popełniłem ogromny błąd i właśnie tonę. Wopista wrócił i obwieścił, że musi zatrzymać paszport, a zamiast niego wręczył mi kartkę: wezwanie do stawienia się do jednostki w celu odbycia obowiązkowej służby wojskowej.

Zapomniałem, że jej nie odbyłem, w Azji nie myślałem o naszej ludowej Armii. Jeszcze latem zjechaliśmy do Szczecina, przekraczaliśmy lądową granicę, i nikt się nie czepiał. Zapewne jesienią zostałem skreślony z listy studentów, do komisji poborowej dotarła stosowna informacja i trafiłem na listę poszukiwanych za uchylanie się od wojska. Dobrze, że na Okęciu nie przyszli po mnie żandarmi i nie zawieźli prosto do koszar. Dostałem za swoje, sam sprowokowałem karę za zdradę. Dotarłem do cholernej Polski, ale nie miałem jak z niej wyjechać. Pocieszałem się, że jest rok 1989, opozycja debatuje z rządem Rakowskiego przy Okrągłym Stole, więc na pewno uda mi się załatwić sprawy z armią.

Wątpliwości ogarnęły mnie dopiero w pociągu do Szczecina, brudnym jak ten przed laty do Budapesztu. Za ubłoconą szybą zapadał mrok, a ja popadałem w coraz głębszą rozpacz, szedłem na dno.

W urzędzie paszportowym udawałem, że nic nie wiem o wojsku, tylko straciłem paszport i potrzebuję nowego. Kazali mi się stawić na przesłuchanie. Pukam, otwieram, a w środku siedzi ojciec Janka. Nogi się pode mną ugięły, chyba się zatoczyłem jak pijany, nie dlatego, że miałem odbyć rozmowę z pracownikiem tajnych służb. Sprzeniewierzyłem się przyjaźni, sztamie i zobowiązaniom, zostawiłem jego syna na obcej ziemi. Czy pułkownik już o tym wie?

– Witaj, Radosławie. Jak się miewasz?

– Dziękuję, ujdzie. – Nie wiedziałem, jak się zachować.

– Jak Jasiek? Utył czy schudł, powiedz szczerze?

– Eee, trochę zrzuca teraz wagi...

– Słusznie, on ma tendencję do tycia, musi uważać. Wiem, co mówię. – Poklepał się po brzuchu, nie był wprawdzie gruby, ale widać było zadatki, jeszcze parę lat, tłusta emerytura i będzie panem z brzuszkiem. – Pozdrów Jasia od ojca. – Uśmiechnął się.

Coś bąknąłem pod nosem, jak zwykle w trudnych sytuacjach.

– Nic się nie denerwuj, to jest przyjacielska rozmowa.

Uznał moje zdenerwowanie za konsekwencję spotkania z esbekiem w osobie ojca najlepszego kumpla, a nie tego, co się dzieje z Jankiem. Nie wiedział o aresztowaniu w Delhi, więc dlaczego akurat do niego trafiłem? Przypadek? Raczej nie. Był dyrektorem w pionie do ważnych spraw i nie zajmował się rutynowymi przesłuchaniami osób, które chciały odzyskać paszport, a nie powinny opuszczać Polski Ludowej.

Wyjął papierosy, carmeny, chciał mnie poczęstować. Odruchowo wyciągnąłem marlboro i natychmiast zrobiło mi się głupio, że dzieciaki palą lepsze fajki niż rodzice, ponieważ zarabiają więcej od nich.

– Dziękuję, za mocne dla mnie. Nie te lata.

Każdy zapalił swojego. Pułkownik gestem wskazał mi krzesło, usiadł wygodnie, ja też się rozluźniłem, w końcu ojciec kumpla nie zna prawdy, nikt jej nie zna, oprócz Magdy. Właściwie to ona pozna prawdę, jeśli spotka Janka i spyta, dlaczego jednak poleciał. Magda nie może się z nim spotkać. A jego ojciec pomoże mi teraz wrócić do Azji.

– Pozdrowię Jaśka, gdy wrócę do Indii?

– No właśnie, dobrze wam idzie, nieprawdaż? Tylko rzadko się w domu pokazujecie. – Pogroził palcem, ale się uśmiechnął.

Poczułem, że wszystko będzie dobrze, ale nie przestawałem się zastanawiać, o co mu biega.

– Jakoś dajemy sobie radę. A tutaj duże zmiany?

– Wychodzimy naprzeciw dążeniom społecznym. – Przełączył się na tryb oficjalny. – Wyzwania epoki. Pluralizm. To hasło uważam za piękne i śliczne. Tylko że moja robota polega na utrzymywaniu spokoju społecznego, a zgromadził się duży materiał niezadowolenia. Anarchia? Jestem temu wysoce przeciwny. Ja bym raczej dokręcił śrubę, jak wielu moich kolegów... Ale to w sumie też szkodzi interesom...

– Jasne, zgadzam się z panem całkowicie. Trzeba by nam wolnego handlu, pluralizmu ekonomicznego. Wtedy byśmy z Jasiem więcej byli w domu. – Gadałem tak, jak się powinno do ojca swojego kumpla, rodzinnie, w duchu porozumienia. Nie przesądzałem bynajmniej, że pluralizm i budka na Turzynie to są nasze plany, ale niech będzie.

– Mój drogi – dopiero teraz przechodził do rzeczy – w partii są ludzie, którzy w tym waszym wolnym, międzynarodowym handlu też by coś dla siebie widzieli. Nie w „przewałach", jak to nazywacie, ani w cottonie, w to już weszło paru sekretarzy.

Zaniemówiłem. On wszystko wiedział, o nas i o ludziach władzy, o których my nie mieliśmy pojęcia. Zapaliłem kolejnego papierosa.

– Chodzi raczej o maszyny matematyczne

– Maszyny? Komputery?

– Tak, tak. *Computers*, jak to mówicie... Radosławie, chciałbym, żebyś przed powrotem spotkał się z kimś w Warszawie. Z pewnym redaktorem.

– Redaktorem?

– Nie rób takiej miny. To nie jest *Ośmiornica*, a w ogóle to ja jestem raczej Cattani, a nie Cirinna.

Zgłupiałem. Potem zrozumiałem, że chodziło mu o serial pokazywany w czwartki w TVP.

– To jest w zasadzie sprawa prywatna, między nami, a nie państwowa. Nie bój nic. Rozumiemy się? Jutro o dwudziestej jesteście umówieni w Victorii.

– No, wolałbym nie? – Bez zapału, ale spróbowałem bronić niepodległości.

Nagle spojrzał na mnie groźnie.

– Nie?

– No wie pan... – Słabłem, ale nagle zebrało mi się na etykę i zasady, chyba dlatego, że właśnie je złamałem, więc dobitnie powiedziałem: – Nie!

– To nie dostaniesz paszportu – stwierdził spokojnie, założył ręce na brzuchu i zapalił kolejnego papierosa.

Byłem zaskoczony, że ojciec najlepszego przyjaciela mi nie odpuszcza. Sam nie wiedziałem, dlaczego nie chcę się spotkać z redaktorem, przecież to nie oznaczało podpisania współpracy, nie zostawałem tajnym agentem, żadnym informatorem. Chodziło o prywatną sprawę, więc skąd mój opór?

Siedzieliśmy w ciszy. Nagle on spojrzał na mnie i znowu zapytał:

– Ok?

– Ok – odpowiedziałem automatycznie, także nie wiem dlaczego. Chyba ze względu na Janka? – Spotkam się z tym redaktorem! – potwierdziłem aż za głośno.

– No, cieszę się. A tu paszport. – Wyjął z kieszeni nowiutki, legalny dokument. – Powodzenia! I powiedz, proszę, Jasiowi, żeby zadzwonił, jak tu będzie, martwię się o jego mamę.

Pułkownik otworzył przede mną drzwi. Szybko wyszedłem.

Od razu pobiegłem do Pekao. Dolary trudniej było wypłacić niż wpłacić, nie chcieli wypuszczać ich z rąk, ale zrobiłem, wzorem Janka, piękne oczy do kasjerki. Chodziła do naszego liceum, była za młoda na koncert Generacji, ale na szczęście słyszała o zespole, więc się udało. Schowałem parę tysięcy zielonych do torby i zdążyłem na ostatni pociąg do Warszawy. Wziąłem pokój w Victorii, było mnie stać, ale „hotel twoich snów" wydał mi się tanią podróbką apartamentów z Singapuru. Z biletami do New Delhi było jeszcze trudniej niż w Pekao. Nie przebierałem w środkach, miałem przygotowaną kopertę. Dyskretnie wręczyłem ją pani w biurze LOT-u i dostałem miejsce w samolocie. Uważam, że stanąłem na wysokości zadania, chciałem jak najszybciej nadrobić stracony czas i wrócić do Azji, pomóc Jankowi. W ambasadzie Indii krzywo na mnie popatrzyli, chyba z daleka wyglądałem na przemytnika, a nie poszukiwacza oświecenia, ale miałem czysty, świeży i pusty paszport, zaczynałem nowe życie, więc obiecali, że wizę dostanę następnego dnia.

Punktualnie o dwudziestej stawiłem się w restauracji Victorii, zastanawiając się, jak rozpozna mnie Redaktor, chyba że miał oko równie wprawne jak pracownicy ambasady. Nie był pewien, czy podszedł do właściwej osoby, wymienił nazwisko ojca Janka jako znak rozpoznawczy. Słaba konspiracja, pomyślałem, ale przecież to było prywatne spotkanie, zostałem mu tylko polecony przez znajomego. Nic więcej, zero polityki, żadnych podtekstów.

Facet był w średnim wieku, miał brodę i sweter źle dobrany do marynarki, spoglądał na zegarek i mówił, że właściwie to on musi lecieć, ale... I zamówił butelkę najlepszej wódki oraz zakąski, zanosiło się na długą, szczerą rozmowę.

– Czytałem trochę w „Polityce" – zagaił przy pierwszym kieliszku.

– Wie pan dobrze, że z gazet wystaje zaledwie czubek góry lodowej – przyznałem szczerze. Założyłem, że wie o Singapurze dużo więcej, niż podawała prasa.

– Popyt kształtuje podaż, to naturalne. Ja was rozumiem. A jeśli perspektywa mieszkania jest tak szalenie odległa, to tym bardziej. Czas ucieka, młodzież nam ucieka, gołe półki, wszystko wymknęło się z rąk.

– Myślę, że Polacy mają duże możliwości, tylko są źle rządzeni – wypaliłem.

– No, zapowiedzi ekipy Rakowskiego były pomyślne, właśnie o to chodzi. Wilczek, drugi etap reformy. Tylko że za późno. Za późno już. Okrągły Stół w toku. Modernizowaliśmy?? Aż zmodernizowaliśmy, proszę, do końca. – Zarechotał do własnych myśli. – Tylko te wybory, sam nie wiem... Debata Wałęsy, a miała być Miodowicza! Kolosalny błąd, że też daliśmy się mu namówić. Twierdził, że zgniecie „Solidarność"...

– Ja jestem za pluralizmem – żachnąłem się, bo przecież opowiadałem się za wolnością. – Ludzie mają sobie sami wybierać!

– Tylko żeby chaosem to się nie skończyło. Pan jest jeszcze młody, to pan nie zna tak Polski. A ja swoje przeżyłem i widziałem. Otóż to, otóż to. – Znów się zamyślił. – Wie pan, ilu ludzi ma teraz Kiszczak pod sobą?

– Kiszczak? – Nawet nie kojarzyłem nazwiska.

– Pan rzeczywiście stracił kontakt z ojczyzną. Szef Ministerstwa Spraw Wewnętrznych. No dobra, nie ma co, dokończę tylko, że tam siedzi ze dwadzieścia tysięcy esbeków, może nawet więcej. I co z nimi będzie?

Machnął ręką, dotarło do niego, że nie nadaję się do takich rozmów. Zapalił i rozgadał się jeszcze bardziej, ale zmienił temat.

– Socjalizm nauczył was kapitalizmu, *wot, malcziki*, paradoks. Tak go zmienialiśmy, ten nasz system, aż nie spostrzegliśmy, że się kończy. Wy karierę robicie, tak? Jak ja byłem młody, to kariera znaczyła karierowiczostwo. Mówiło się „awans społeczny" albo „klasowy". Ja awansowałem, a nie robiłem karierę. To była konieczność historyczna, a nie skutek mojego osobistego wysiłku. Bo miałem punkty za pochodzenie, otóż to... – Pozwolił sobie nalać, słuchałem, facet przypominał mi Szewca. – Byliśmy idealistami, lewica pełną gębą. I do tego się przywiązaliśmy, a dziś co to znaczy? „Socjalistyczna kariera" jak na Wall Street? Tak właśnie pisali moi koledzy w magazynie „Pan", polskim

„Playboyu", tutaj mężczyźni stoją po to w kolejkach... Kariera, może to słowo trzeba zrehabilitować? Albo termin „elita" w państwie równości. Być może należałoby spojrzeć na elity z choćby odrobiną sympatii? – Jestem za! – przytaknąłem szczerze.

– Otóż to. Nowoczesność! Znów trzeba doszlusować! Ciągle coś nam ucieka. – Znów na chwilę melancholijnie się zawiesił. – Czyli pan zna dobrze ten Singapur i na komputerach też się pan zna, jak wszyscy młodzi?

– Nawet lepiej niż inni. My tam mamy tego mnóstwo, do wyboru i koloru, gry, programy, *floppy discs*, atari, commodore i duże maszyny, zajmowaliśmy się tym sporo w wolnych chwilach. – Trochę przesadziłem, znał się na tym Janek, a nie ja.

– Jest interes do zrobienia, komputerowy, w dodatku zupełnie legalny. Moja redakcja, ba, całe wydawnictwo, potrzebuje porządnych maszyn liczących, te polskie są do niczego, a to i grafikę można by robić na nich, księgowość, pisać też. Wie pan, to przepisywanie na maszynie, cięcie i sklejanie jest jednak bardzo męczące, nienowoczesne zupełnie... Tylko że pan, jak rozumiem, nie jest, jak by to powiedzieć, instytucją żadną, prawda? Osobą prywatną, zupełnie?

– No tak, ale... na pewno można by... jakoś zmienić mój status?

– Otóż to. Bo wie pan, już raz tak próbowaliśmy, właściwie nie my, tylko ministerstwo. Komputery sprowadzała „spółdzielnia studencka", Hector się nazywała, z uniwersytetu, czy raczej politechniki.

– Tak, sporo w Singapurze się kręci naszych studentów, widziałem. Właśnie za komputerami chodzą.

– Z tą spółdzielnią skończyło się aferą, niestety, inni moi koledzy, po piórze, brak zrozumienia dla nowych czasów, napisali, że państwo polskie komputeryzuje się nielegalnie. A jak to się miało odbyć, skoro instytucje w kraju muszą płacić w złotówkach, a komputery są za dolary? Otóż to, ale teraz mamy inny etap ekonomii, więc ja założyłem firmę, *joint venture*, spółkę polonijną z pewnym kolegą. A pan sprowadzi nam legalnie te komputery i dobrze zarobi, ok?

– Ok.

Wszyscy już mówili jak na Zachodzie. Pomyślałem, że chyba uda mi się upiec wszystkie pieczenie na jednym ogniu. Wrócę do Indii z gotówką, potem polecę do Singapuru z nowym biznesem do zrobienia. Rozpoznam teren, a po wyjściu Janka będziemy działać wspólnie. Tylko co z Magdą?

Tihar Jail

No, powiem ci, było ciężko.

W zasadzie *hardcore*, jak teraz się mówi. Taka moja karma, to był początek przemiany albo od blizny się zaczęło, od wypadku? Dziś niczego nie żałuję.

Niczego.

W sumie dobrze się stało, ale potrzeba czasu, żeby tak na to spojrzeć. Najpierw *foreigners ward*, gdzie oprócz nas, Polaków, siedzą Anglosasi, różni Westmani, hipisi i ćpuny oskarżone o przemyt narkotyków. Ful Nigeryjczyków, którym nikt nie pomaga, a policjanci spuszczają im regularny wpierdol. Nie cackają się, nigdy nie widziałem większych rasistów od Hindusów.

Polacy? Przy nich to pikuś.

Dla brązowego Hindusa czarny jest czarny jak sam diabeł, najczarniejszy i najgorszy. Poza tym Afrykanie nie mają pomocy rodziny i ambasad, nie mają kasy na „dodatkowe usługi". A bez „dodatków" nie da się normalnie żyć w Tihar Jail, wiadomo. W środku piekła, najgłębiej, groźni kryminaliści, terroryści, mordercy. Niby nie mogą uciec z *biggest prison in Asia*, każdy superintendent tak mówi. To nieprawda, od razu pierwszego dnia słyszę legendę o Hindusie Charlesie, dwudziestokrotnym zabójcy, *very dangerous man*, który dwa, trzy lata wcześniej zwiał. Poczęstował strażników słodyczami ze środkiem nasennym, a kiedy posnęli, przebrał się w mundur jednego z nich, otworzył kluczem bramę i wyszedł. Po tej akcji całą obsługę zamieniono na Tamilów z południa, bo z nimi przestępcy z północy zwyczajnie się nie dogadają. Bariera językowa utrudnia spiskowanie i wspólne kombinacje czy kumpelstwo. Tego Charlesa zresztą potem złapano, w przeciwieństwie do amerykańskiego przemytnika dragów, słyszałeś o nim?

Jakoś w połowie lat sześćdziesiątych to było. Wykopał tunel, dostał się na lotnisko, tam czekał prywatny samolot, i gość odleciał. Tyle go widzieli. Nieźle, co? Ale od swojej karmy na pewno nie uciekł. Nie da się, a mnie dopadła w osiemdziesiątym dziewiątym właśnie.

Więc było parę prób ucieczki, ale w sumie dyrekcja ma prawo być dumna: od początku zaledwie paru osobom się udało. My nawet nie próbowaliśmy, od wolności dzieliły nas nie tylko wysokie mury i wieżyczki strażników, ale właściwie całe Indie. Za murem pusta alejka, przechadzają się nią Tamilowie z karabinami, potem kolejny mur i kolejne oddziały. My w tym najbardziej zewnętrznym, najmniej strzeżonym, dla oczekujących na procesy obcokrajowców. Bardzo ciasno, śpimy na podłodze, żadnych łóżek, prycz, nawet sienników. Światło zapalone całą noc, dla bezpieczeństwa. Brudny koc rzucony na zimne, twarde klepisko, karaluchy biegają jak zwariowane. Nie ma czym się przykryć i ochronić, a przecież w lutym w Delhi w nocy bywa zero stopni. Masakra. Dopiero po paru dniach inni Polacy, którzy już dostali kasę z zewnątrz, zapłacili za dodatkowe koce, ponadprogramowe, formalnie nam nieprzysługujące i równie brudne jak te pod spodem. Płacisz – masz. Więzienna ekonomia, taka sama jak na zewnątrz. Uciekniesz – i będzie tak samo. Właśnie to zrozumiałem, choć to nie był jeszcze czas Tihar Aśram, że nawet za murami jestem więźniem...

Ze ścian złazi tynk, wychodzą najgłębsze pokłady farby chyba z lat pięćdziesiątych, kiedy postawiono pierwsze baraki. Taki kolorowy kolaż: warstwa biała, żółtoburobrązowa, a na wierzchu zielone plamy liszai, mchów, porostów czy grzybów rosnących w wilgoci. Podczas monsunu ściany nasiąkają i butwieją, gniją jak stare drewno w lesie. Nocą miliardy komarów, małe jaszczurki, zupełnie nie kojarzyły się z egzotyką, z fajną przygodą w dżungli, ale pomagały nam, zjadając moskity. Podobno na innych wydziałach Hindusi bez pieniędzy na dodatkowe jedzenie dożywiali się tymi jaszczurkami, karaluchami i szczurami.

Wyobrażasz sobie?

Wielkie, tłuste gryzonie biegają w nocy po nogach, potrafią pokąsać, wyłażą ze stosów śmieci na tyłach baraków, odpadki są zabierane raz na parę miesięcy. Zanim odjadą, zachodzą w tych górach jakieś tajemnicze reakcje chemiczne, czasem ulatnia się gaz, dziwne opary, pleni się tam wszelkie paskudztwo. To później, najpierw zima, więc jest zimno. Żadnego ogrzewania, w celach nie ma szyb, zza krat wpada wiatr. O piątej trzydzieści pobudka, w ciemności, potem powoli wstaje słońce, siedzę w promieniach i próbuję się rozgrzać. Aż robi się upał i trzeba schować się w cień, potem znów usiąść w resztkach zachodzącego słońca, żeby się nagrzać przed nocą. Najgorzej, że ciągle, niezależnie od pory roku, zawsze wali smrodem z latryn, codziennie się zapychają. Wybija gówno. Żeby się wypróżnić, trzeba brodzić w szczynach, w pływających kupach. Zbiera się na wymioty, próbuję załatwić sprawę rano, kiedy dziury w ziemi jeszcze nie są pełne, ale nie zawsze się udaje. Czasem jak gówno wybije, to trzyma parę dni, a kto zejdzie do środka, żeby odetkać? Żaden białas się nie pofatyguje... Więc podstawowy problem to wysrać się tak, żeby się nie rozchorować. A mówię cały czas o *foreigners ward*, gdzie jest dużo lepiej niż w zwykłych oddziałach dla Hindusów.

Taka sytuacja, wiesz.

Uprzedzając wypadki, mogę powiedzieć, że jak przyszedł lipcowy monsun, to na dziedzińcu robiło się bajoro. Chyba źle skonstruowano odpływy, w związku z czym woda stoi, wielka wylęgarnia komarów, całe ich chmary unoszą się w powietrzu. Ta woda gnije, zmienia kolor, zielenieje, staje się bagniskiem; syf i malaria – dosłownie. W porze deszczowej mury naszych baraków zdają się rozpadać. Mam wrażenie, że jeśli za mocno dotknę rozmokniętej ściany, to ona runie. Nie można rozpalić ognia, nie wolno, nie ma zresztą z czego. Nic nie schnie, ubrania gniją, sam mam wrażenie, że gniję. Może zgniłem do końca i dzięki temu narodziłem się na nowo? Wyskoczyłem ze starego ciała jak snop światła z ciemności.

Na początku nie mogę zmrużyć oka, walka z robactwem i szczurami, przeszkadzają mi oddechy, chrapanie pozostałych więźniów. Leżymy jeden obok drugiego, ciało przy ciele, pięć razy więcej osadzonych, niż przewidywano, więc wyobrażasz sobie ten tłok? Znów, na zwykłym oddziale w tym temacie jest jeszcze gorzej. Przed twardym lądowaniem w Tiharze wydawało mi się, że jednak trochę znam Indie, bo gadam z ludźmi na streecie. Lubiłem to, wpadać w wir Pahargandżu, łazić, zaczepiać, pogawędki. Ale potem łóżko w hotelu, stewardesy w samolocie, plastikowe jednorazowe kubeczki.

Swoją drogą, ile my zniszczyliśmy planety, tak latając w kółko?

Wtedy nikt nie słyszał o śladzie węglowym, ale przypatrz się, ile samych odpadków plastikowych zostaje na pokładzie, jak wychodzisz?

Ok, wracam do tematu. W Tihar Jail poznałem prawdziwe indyjskie życie. Takie, jakie prowadzili żebracy, mieszkańcy slumsów, biedacy, których widywałem za oknem pociągu. Wszystko się zmieniło, nie mogłem już oglądać świata zza szyby, zostałem zmuszony, żeby dotknąć realiów, poczuć je na własnej skórze. Dostałem tak mocno, aż zabolało. Między oczy, gdzie już i tak miałem znak. I dobrze, to mnie obudziło. Zrzuciłem zasłonę mai, przejrzałem, w pierdlu w końcu się dowiedziałem, że Sziwa mnie wybrał – swój symbol na zawsze wypalił mi na czole. Magda to zrobiła! W sumie dzięki niej zostawiłem stare, fałszywe ego, odrzuciłem mameti, rzeczy, zająłem się mokszą, oświeceniem. Z zaciemnienia, z mahamai – w światłość! Zrozumiałem, że nie istnieją związki przyczynowe, akcja i reakcja, że trzeba przestać działać...

Nie od razu wszystko. Najpierw czyściec, jak by powiedzieli katolicy. Bolesny. Bolało tym bardziej, że Radzio przez długi czas się nie pokazał. Później tłumaczył się, że wysłał do mnie Akala. Ale urzędnicy nie chcieli go do mnie dopuścić, bo niby dlaczego, czy on brat czy swat? Twierdzili, że pan Singh nie ma uprawnień do widzenia ze mną, dziwne, ale tak mi przekazał, że musiał posmarować, żeby uzyskać ze mną spotkanie przez szybę, w sali pełnej rodzin aresztowanych, adwokatów, doradców. Radzio mówił, że nie przewidział takich problemów, poleciał do Polski po kasę. Po co? Dlaczego nie do Singapuru? Że chciał trochę pohandlować, żeby było więcej. Mógł poczekać chwilę i najpierw przyjść na widzenie, a wziął i zniknął. No tak, w zasadzie zdradził, złamał naszą sztamę. Ok, potem się zreflektował, ale co z tego? Zostawił mnie na lodzie. Że tak powiem: opuścił nasz pokład, rozumiesz?

No, można tak powiedzieć, ale w sumie co mi tam, jestem już poza tym. Nie oskarżam tych, co zostali po drugiej stronie ciężkiej, ciemnej zasłony.

Wtedy nie wiedziałem, co się dzieje, nie pokazali się też Marek ani Boss, który siedział w Singapurze. Z zewnątrz, ze świata wolnych ludzi, sprawy wyglądały zupełnie inaczej niż od środka. Z pierdla niewiele można było załatwić, potrzebna była pomoc zza murów. Dlatego pierwsze dni były ciężkie. Ogólnie inni Polacy, którzy wpadli ze Złotego Pociągu, szybko zaczęli dostawać paczki, żarcie, kasę, a ja nic. Oczywiście dzielili się ze mną, nie dali mi umrzeć, w więzieniu wszyscy trzymaliśmy się razem, ziomeczki w takich okolicznościach zmieniają się nie do poznania, pełna solidarność i współpraca.

Wiesz, jak to jest z nami historycznie, prawda?

Potrzebujemy kryzysu, zagrożenia. No. Wtedy miałem poczucie, że przyjaciele mnie opuścili. Dopadła mnie chandra, jak Radka wcześniej. Miałem prawo, siedziałem w pierdlu, ale byłem zaskoczony, że tak mocno to przeżywam. Nie miałem nic do roboty, to rozmyślałem, ciągle myślałem, i zazwyczaj o tym, co złe, przeżuwałem wydarzenia jak *paan*, jak betel, wysysałem z głowy same czarne wizje. Trudno jednak być racjonalnym, kiedy z latryny idzie smród, nudzisz się i fantazjujesz – *paint it black*, co nie? Nie pamiętam jak, ale trafiłem na egzemplarz *Rygwedy*. Czytałem, dowiedziałem się, że to, co widzę, rzeczywistość więzienna i każda inna, to sztuczka magiczna, cień, poblask, widmo.

Że to mi pasowało, mówisz?

Taka interpretacja?

No tak, mogę się zgodzić. Każdy początek oświecenia jest dobry. Kiedy zacząłem medytować, zrobiło mi się lepiej, zrozumiałem, że owiewa mnie oddech Asurów, upadłych aniołów, że Sziwa spogląda na mnie, tańcząc na szczycie Kajlaszu. Szukałem swoich dewów, potrzebowałem pomocy... Ciekawe, jak potoczyłoby się życie Radzia, gdyby to on trafił do Tiharu.

Jak myślisz?

Czy oświecenie czekało w pierdlu na każdego z nas, czy tylko na mnie?

Chyba na mnie.

W końcu dopuścili do mnie Akala, z kasą, ubraniami, kocami, alkoholem, papierosami i dobrym jedzeniem od jego mamy. Powiedział, że już działa na polecenie mojego wspólnika, znalazł adwokata, rzeczywiście chyba następnego dnia miałem widzenie z tym prawnikiem. Trilok, do dziś pracuje w branży i specjalizuje się w tym przydługim z nazwy Conservation. Akal zaręczał, że to sprawdzony facet, żadna ściema, a było mnóstwo takich, którzy od osadzonych białasów wyciskali kasę, dzwonili do ich rodzin w Europie i Stanach i straszyli, że bez pieniędzy biduś zostanie zaraz powieszony. Naprawdę, jak jesteś w Nowym Jorku i nagle dzwoni Hindus, przedstawiciel twojego brata czy syna, mówi, że twój bliski pójdzie na szubienicę za narkotyki, to płacisz. Ludzie nie wiedzieli, że Indie to nie Tajlandia, że tu jednak obowiązuje inne prawo. Przeciętny obywatel Zachodu, słysząc „Azja" w latach osiemdziesiątych, wyobrażał sobie od razu orientalne piekło i tortury. Piekło było, ale bez przesady. Za to całe grupy pseudoprawników żerowały na zamożnych Europejczykach czy Amerykanach. Takie wątki były.

Trilok powiedział, że proces wcale nie odbędzie się szybko, ponieważ DRI po całym medialnym szumie zapomniało o mnie. Im zależało na pokazaniu w prasie i telewizji, że działają, agenci zgarniali swój procent od zarekwirowanego złota, dostawali awanse i ordery. Co stanie się potem, już ich mniej interesowało, choć jeśli wyższe czy inne władze wywierały naciski, to agenci DRI potrafili być upierdliwi. Najszybciej miały się odbyć sprawy Polaków oskarżonych o przemyt w ramach grupy przestępczej. Wychodziło na to, że gdybym podpisał, byłoby nawet lepiej, choć „szybko" i tak oznaczało parę miesięcy czekania. Trilok zapewniał mnie, że wtedy groziłyby mi dwa lata więzienia, a nie rok, koncentrował się na przyspieszeniu mojego procesu, a przede wszystkim od razu wystosował w moim imieniu pismo o przeniesienie do „A klasy".

Tłumaczę: w Tihar Jail, tak jak za murami, panował indyjski podział hierarchiczny. Kastowy, ale w pewnym sensie, ponieważ uproszczony, taki marksistowski, czysto klasowy. Jeśli miałeś dobrego adwokata, to po zapłaceniu dodatkowej kasy dostawałeś lepszą celę, na trzy osoby, no i – znów za kasę – wszystko mogłeś sobie „dodatkowo" kupić. Zanim rozpatrzyli podanie, pojechałem pierwszy raz do sądu, niestety „B klasą", upchnięty jak bydło w furgonetce. Nie groziła nam wprawdzie śmierć, ale ledwo można było oddychać na kupie z Hindusami: od złodziei po morderców, wszyscy razem.

Pierwszy raz zawitałem do Patiala House. Potem jeszcze wielokrotnie miałem okazję mu się przyjrzeć. Przejeżdżałem wcześniej parę razy obok budynku sądu, ale to nowe brytyjskie Delhi nas nie interesowało. Tam mieszkali i pracowali oficjele, nasze drogi miały się nigdy nie przeciąć, wierzyliśmy, że żyjemy w innym świecie, nie mamy z nimi nic wspólnego.

Ten Patiala House to była rezydencja dla radży Patialu, takiej prowincji, gdzie on sobie królował. Angole tych wszystkich władców chcieli mieć pod kontrolą, więc dawali im domy w stolicy, projektował je ten ich Lutyens – coś pomiędzy Orientem a Zachodem, kolumny jak w jakiejś Grecji, a ozdoby indyjskie. Chyba Indira Gandhi odebrała maharadżom ich przywileje i kupiła budynek na gmach sądu, przerobili na rządowe.

Przed bramą stały, jak wszędzie przed rządowymi instytucjami, metalowe, pomalowane na żółto zapory, barykady i mnóstwo policji. Za wielką starą bramą każdy budynek był oznaczony „main building", „family court" i tak dalej – kilkanaście oddzielnych sądów mieściło się w siedzibie maharadży. A dookoła, w ogrodzie, bambusowe domki, takie klitki, w nich swoje biura mieli prawnicy! Przyjechałem z całą zgrają hinduskich przestępców, ale szybko mnie wywołano i pod eskortą zostałem zaprowadzony do bambusowego biura Triloka.

Tamilski policjant stał na zewnątrz, pilnował, żebym nie uciekł, a Trilok podejmował mnie jedzeniem, alkoholem, sugerował nawet, że jeśli mam potrzebę, to może sprowadzić mi kurwę. Byłem dopiero na początku drogi, ale już wiedziałem, że nie, muszę odmówić, i mogliśmy w spokoju pogadać o moim procesie. Od razu zaznaczył, że zostałem przywieziony do sądu, ale on już wie, że moja rozprawa się nie odbędzie, spadnie z wokandy, sędzia nie zdąży jej rozpatrzyć. Załapałem się na listę, żebym trochę rozprostował kości, przewietrzył się i odpoczął, nic więcej. Spytałem, czy stąd nie można by, z tego Patiala House, uciec. Miałem wrażenie, że to możliwe, takie zamieszanie tam panowało. Trilok przytaknął, ale trzeba by bardzo dużo zapłacić, przede wszystkim jemu, ponieważ miałby potem zepsutą reputację. Zresztą nie warto, jak przeniosą mnie do „A klasy", będę żył jak król. Tylko Radzio musi pamiętać o dostarczaniu pieniędzy!

Tak.

Zostałem oficjalnie przeniesiony do „A klasy" i wszystko się zmieniło. Nawet do Patiala House jeździłem już inaczej, z indywidualnym miejscem siedzącym, w doborowym, elitarnym towarzystwie: generałowie zamieszani w zamach na Indirę, muzułmańscy terroryści, szwindlerzy bankowi, normalnie więzienna elita. Dostałem celę z dwoma innymi Polakami, którzy też opłacali Triloka, i czekaliśmy na proces.

Co robiliśmy pod celą?

Nic, jak w *foreigners ward* ogólnym, tylko że w lepszych warunkach. Wtedy cofnąłem się o dwa pola na drodze do niezmiennego Puruszy. Wciąż czytałem hindu teksty, medytowałem, ale też piłem wódkę i jarałem haszysz, na potęgę. Koledzy spod celi chlali, ja raczej jarałem, no i czasem, z nudów, paliliśmy też opium, bo naprawdę nic innego nie było do roboty. Dopóki nie byliśmy skazani, praca nie była obowiązkowa, poza tym mimo wszystko pracować mi się nie chciało. Chociaż gdybym został dłużej w Tiharze, pewnie bym poszedł do roboty, żeby nie zwariować. Bo omal nie zwariowałem, ubrudziłem się ciemnością mai do końca, zanurzyłem bardzo głęboko i w końcu odbiłem się od dna, odnalazłem swojego Brahmana, który podał mi pomocną dłoń.

Boarding

– Szybciej, kurwa, nie mogłeś? – Jan zajadał się przyniesionym przez Radka ryżem z kurczakiem, popijał piwem Kingfisher, bekał głośno, ale wciąż miał pretensje do przyjaciela.

– Poleciałem po kasę, Akal miał się wszystkim zająć. Coś nie tak?

– Jasne, kurwa, że nie tak. Nie chcieli go do mnie wpuścić.

Jan miał zejście po opium wypalonym ostatniej nocy i czuł się podle. Skończył jeść, polał sobie jasia wędrowniczka przemyconego do prywatnej sali widzeń, którą Trilok wynajął im za parę setek rupii. W pomieszczeniu było duszno, zakratowane okienko zamknięte, wentylatory nie działały, podobno ze względów bezpieczeństwa albo raczej po to, żeby dopłacić za ich włączenie. Śmierdziało zgnilizną, nawet mocny alkohol nie koił nerwów.

– Nie mógł posmarować?

– A lordowska mość nie mógł się wcześniej pofatygować? I co ty tak niewyraźnie gadasz? Mamroczesz jak dawniej, ni chuja cię nie rozumiem.

– Przecież jestem. Jedzenie smaczne? Tu masz kasę na wydatki. – Radek wręczył Jankowi wielką kopertę pełną indyjskich banknotów. – Wyluzuj...

– Łatwo ci mówić, to nie ty siedzisz w pierdlu!

– Mówię przecież: poleciałem do Szczecina, bo tam była kasa, czyż nie? Przy okazji ubiłem dodatkowy interes, ustawiłem biznes z komputerami do Polski. Jak wyjdziesz, to się tym razem zajmiemy. Nowe możliwości, to, co lubisz najbardziej? Szczecinex *power*? Wszystko przez twojego starego, powiedział: albo „maszyny liczące" – Radek usiłował przedrzeźniać pułkownika – albo nie ma paszportu!

– Co ty mi znów z moim ojcem wyjeżdżasz?! Ile można? No kurwa!

Jakakolwiek wzmianka o rodzicach źle działała na Janka, ale tym bardziej wkurzał się Radek. Nie mógł przecież wyjawić, co naprawdę się wydarzyło, co powiedziała Magda w Singapurze.

– Nic nie wyjeżdżam, tylko kazał mi się spotkać z Redaktorem i sprowadzić komputery.

Jan zrozumiał, że dopadła ich własna przeszłość, ojca się nie wybiera, jego był pracownikiem Służby Bezpieczeństwa i w końcu, choć syn nigdy nie chciał od niego pomocy, tatuś wszedł z butami w przygody Szczecinexu.

– Ale czemu nie przyjechałeś najpierw tutaj? Przed Polską?! Jest sztama czy samowolka?

– No wiesz, po kasę musiałem...

– Ok, git, ale tutaj też mogłeś pożyczyć i wpaść na chwilę, coś, kurwa, ustalić?

– Jak chodziło o Magdę, to nie było ustalania! – wypalił Rado, nie mogąc głośno przyznać, że Janek ma rację.

– Co?!

Więzień zgasił marlboro, ale natychmiast zapalił następnego i nerwowo kręcił się po pokoiku. Radek sporo zapłacił, żeby mogli pogadać na osobności. Teraz żałował i krzyknął:

– Na jej urodzinach! Jak ją – szukał odpowiedniego słowa – bzykałeś, to nie było Szczecinexu!

– Ochujałeś?! – Niezdrowo błyszczące, nabiegłe krwią oczy Janka zrobiły się jeszcze bardziej czerwone, a znamię na czole zbielało. – Przecież ja jej nie ruchałem! Kurwa!

– Co ty mi wciskasz? Taką bajerę to możesz w biznesie nawijać, a nie ze mną. Jak cię wzięła za rękę? Całego we krwi? Wyszliście z garażu i zniknęliście do rana! Przecież całe miasto wie! A niby dlaczego Grażyna nam pomaga? – Radek wstał z rozklekotanego krzesła, mówił wyraźnie, dobitnie gestykulował. – Bo do dziś chce, żebyś to ją przeleciał! A Agnieszka? Odwrotnie. Dlaczego taki *show* nam odstawiła i nie załatwiła biletów? Bo nigdy ci nie wybaczy, że ją rzuciłeś dla Magdy!

Teraz to Jan usiadł i zagapił się zdziwiony na kolegę,

– Przesadzasz. Byłem z Agnieszką w trzeciej, kurwa, klasie.

– Zgwałciłeś Magdę! – krzyknął Radek, ale nie śmiał spojrzeć przyjacielowi w twarz, nie widział zdumienia, które się na niej odmalowało.

– Posrało cię! Nie tknąłem Magdy! A Grażyna lepiej niech nie gada. Skąd ma wiedzieć, co robiliśmy, skoro ruchała się wtedy z tobą. A?!

Radek był przekonany, że nikt o tym nie wie, więc dłuższą chwilę zastanawiał się, co powiedzieć. Rzeczywiście, kiedy Magda poszła z Jankiem do łazienki opatrzyć mu czoło, w chaosie dogorywającej imprezy odnalazła się Grażyna i od słowa do słowa... Lubili się już wcześniej, jakieś uczucia kiełkowały między nimi ukryte w cieniu rywalizacji chłopaków o Bravo Girl, uprawiali seks w jednym z pokoików na piętrze, pośród ubrań ostatnich gości. Zostali parą, ale nie na długo, ponieważ Grażyna nie pasowała do *emploi* basisty Generacji. Zespół koncertował coraz więcej, Radek poznawał nowych ludzi i nowe dziewczyny.

– Skąd wiesz?

– Skąd wiem, skąd wiem... A to jakaś tajemnica? Wielkie mi co. Magda wyszła na chwilę zrobić siku i was widziała. Powiedziała mi, jak wróciła. No, przyznam, miałeś więcej siły ode mnie, ja padłem...

Radek nie dawał za wygraną.

– A dlaczego Maciek wyjechał do Berlina?

– Przez wojsko, wiadomo.

– Nie, kurwa, rusz głową. Przez ciebie! A Bodzio?

– Co znowu Bodzio?

– A, przecież nie wiesz... – Radek wyhamował.

– Nic nie wiem, siedzę w pierdlu w Indiach, jeśli nie zauważyłeś?! – Jan przeszedł do kontrnatarcia. – Co z Bodziem?

– Nie żyje, zajebali go.

– ...I on też przeze mnie? Co ty pierdolisz? – Złapał się za głowę. – Radek, przecież ja nie spałem z Magdą! W ogóle, a co dopiero gwałt!? Poszliśmy do łazienki, umyła mi czoło, założyła bandaż i tyle.

– Zamknęliście się w sypialni jej ojca!

– Co ty wygadujesz?! Była totalnie zdenerwowana, pamiętasz przecież, do dziś pewnie myśli, że kogoś wtedy zabiła. Ok, głaskałem ją i przytulałem, żeby się uspokoiła. Nic więcej! Zasnęła, ja zaraz potem. Pojebało ciebie albo wszystkich w Szczecinie. Kurwa, to ja mam znak Sziwy na czole po tym wypadku, nie ty! – Wskazał na znamię, zapalił kolejnego papierosa, pociągnął prosto z gwinta i wycelował fajka w kumpla. – Ty, lord Radzixon, kurwa, jednak jesteś pierdolony artysta, wiesz? Albo romantyk, nie wiem, jak to nazwać. W każdym razie powiedz mi z łaski, kurwa, swej, od ilu lat wierzysz w swoje wymysły? Od Stambułu czy od początku Indii? No? Jeździsz ze mną i cały czas uważasz, że wszystkie nieszczęścia są przeze mnie, bo puknąłem Magdę na urodzinach? To co ty ze mną jeszcze robisz?! – Teatralnym gestem powstrzymał Radka przed mówieniem. – Wiesz, co ja myślę? Ja, syn ubeka z katowickiego czy innej dupy, wsi, kurwa, Polski? Teraz to ja ci powiem, że chyba ty ją wtedy puknąłeś, co? Bo ja nie. Słowo... – szukał odpowiedniego określenia – prawdziwego przyjaciela. Nie, harcerza. Bo kolegą twoim już chyba nie jestem.

Monolog pozbawił go sił. Zapadła cisza, w pokoju unosił się zapach curry, dym z papierosów, nie było czym oddychać.

– Ja nie, przecież się zamknęliście – wyszeptał Radek.

– A przedtem, nie dobierałeś się do niej?

– No... trochę.

– A widzisz. Też nie było sztamy, bo wiadomo, dziewczyna, więc mi tu nie wyjeżdżaj z tekstami, że ją puknąłem!

Radek milczał. Wiedział, że snuje te stare pretensje, ponieważ gryzą go wyrzuty sumienia.

– Ok, masz rację, powinienem był wcześniej cię odwiedzić... – bąknął w końcu.

Indyjski strażnik wybawił go z kłopotu. Otworzył drzwi i krzyczał, pokazując na zegarek. Jan wyjął banknot z koperty przyniesionej przez Radka, wcisnął go policjantowi. Ten znowu pokazał na zegarek, mieli jeszcze pięć minut, ale wykończyła ich dotychczasowa dyskusja. Siedzieli w milczeniu. Kiedy strażnik wrócił, żaden z Polaków nie kwapił się dopłacać. Dusili się, widzenie było zakończone.

Final call

– Janek jest na skraju załamania nerwowego – oznajmił Trilok. Radek nie wierzył własnym uszom. Choć partner nie chciał już z nim rozmawiać, przyjmował dostarczane mu nadal przez Akala lub adwokata pieniądze, haszysz i alkohol. Pani Singh wciąż wierzyła w niewinność przybranego polskiego syna, freedom fightera, więc regularnie przygotowywała menażki z najlepszym curry. Radek nie mógł uwierzyć, że taki twardziel jak Cygan, książę z Polski, nie wytrzymuje w Tihar Jail. W końcu to nie było więzienie w Bangkoku, gdzie właśnie wpadł zbyt ambitny Polak, początkujący gangster z Bydgoszczy ze złotym krzyżem na szyi, i całe jego kawaleryjskie kozactwo w mig ulotniło się w tropikalnym piekle. Delhi to nie Bangkok, jest demokracja, a nie monarchia absolutna.

– A nie wychodzi zaraz?

– Niestety, sprawa się przedłuża.

– Dlaczego?

– Nie wiem, interwencja wojskowa na Sri Lance, procesy policjantów oskarżonych o molestowanie seksualne kobiet. To ważna sprawa, precedensowa, pierwszy raz ktoś tak wysoko postawiony trafił przed sąd...

– Trilok, nieważne. Nie rozumiem, dlaczego Janek jeszcze nie jest na wolności.

– *Man, this is India!*

Zaklęcie zamykało dyskusję, więc Radek wziął głęboki oddech i zapytał wprost:

– Co radzisz?

– On chce, żebyś załatwił ucieczkę. – Prawnik podniósł rękę i uderzył w biurko, by podkreślić niezadowolenie. – To zły pomysł, nie chcę mieć z tym nic wspólnego!

– Jasne, nikt cię w to nie miesza! To w ogóle możliwe?

– Tak – wtrącił się Akal. – Tylko potrzebujemy dla niego nowego paszportu. Oraz wsparcia, ktoś musi przymknąć oko na to, że strażnicy go nie złapią. Dokumenty, pieniądze i koneksje. – Pokazywał na palcach trzy elementy.

– Kurwa. – Radek naprawdę rzadko przeklinał, ale sytuacja go przerastała. Zapalił papierosa, choć Trilok nie pozwalał smrodzić dymem u siebie w biurze. – Paszport to jeszcze mógłbym kupić, w Bombaju, wiadomo, albo załatwić u pana Rysia w Singapurze, w końcu dopracował podróbki. Ale koneksje?

Spojrzał na adwokata. Ten rozłożył ręce. Chętnie przyjmował pieniądze za prowadzenie sprawy i pomoc, ale nie chciał kłaść na szali swojej reputacji dobrego prawnika dla przemytników. Do środka wsunęła się służąca i postawiła przed białym sahibem popielniczkę, Radek skinął głową i strząsnął do niej popiół. Trilok westchnął, wyciągnął z szuflady zagraniczny dezodorant i prysnął nad ich głowami.

– Janek naprawdę jest w takim złym stanie?

– Złapał dengę, jest poważnie chory.

– Ale płacimy za lekarzy?

– Jasne, ale to źle wpływa na jego samopoczucie. Tam jest mnóstwo komarów. Wiesz, na wsi ludzie od tego umierają. Pocić się krwią to nie jest fajne... Trzymamy go przy życiu, dostaje kroplówki, ale słabo z nim. Psychika siada.

– Ok, masz jakieś kontakty?

– Jestem na to za mały, nie mam dojść...

– A Sakar?

– Nie wychyla się. Gra grzecznego biznesmena, buduje swój hotel. Na pewno nie będzie chciał pomóc.

– Akal, ty jesteś stąd, wymyśl coś. Może... – Zawiesił głos, łypnął na kolegę.

– Nawet o tym nie myśl. Żadna mafia nie wchodzi w grę, poza tym wezmą kasę i cię oszukają. Niby dlaczego mieliby pomagać Polakom? To nie oni wsadzili go do pierdla?

„Nie tylko oni" – pomyślał Radek. Zapadło milczenie. W końcu przerwał je Akal.

– Musisz spróbować przez Polskę.

– Nie no, kurwa, jak? Tam wszystko się rozpada, jak mam załatwić dojście do władzy w Indiach przez Warszawę?

Zamilkł. W stolicy nie miał kontaktów, ale jedna osoba z rodzinnego miasta wciąż mogła pomóc.

– O nie...

Ukrył twarz w dłoniach. Nie mógł zostawić przyjaciela, ojciec Janka i tak już wiedział, co się wydarzyło, ale był przekonany, że syn zaraz wyjdzie na wolność. Od Szczecina nie dało się uciec.

Pułkownik długo krzyczał w słuchawce, opowiadał o weryfikacji, którą właśnie przechodzi w urzędzie, o niekończących się komisjach, nocnym paleniu teczek, szukaniu kwitów i haków, demokracji. Ojciec Janka w każdej chwili mógł przejść w stan spoczynku, walczył o godną emeryturę, więc poza zasięgiem jego możliwości leżało nawet załatwienie nowego paszportu, a co dopiero znalezienie przekupnego urzędnika w New Delhi. W końcu ochłonął, obiecał, że oddzwoni za parę godzin, i trzasnął słuchawką.

Samotny dyrektor nieistniejącego Szczecinexu czekał cierpliwie w wynajętym mieszkaniu na Karol Bagh. Pocił się jak przed laty, mimo włączonego wentylatora. Bał się otworzyć okno z powodu komarów roznoszących dengę i żałował, wszystkiego żałował. Podskoczył, kiedy telefon w końcu się odezwał, wysłuchał cierpliwie instrukcji i natychmiast pojechał na lotnisko.

Rezydencja polskiego ambasadora w Singapurze była skromna w porównaniu z gmachem i willą w New Delhi, ale gość, czekając na spotkanie w cieniu wielkich tropikalnych roślin, pomyślał, że chciałby mieć taki dom. Rosły tu różowe orchidee, mimozy i akacje. Silnie pachniał durian o wielkich owocach pokrytych kolcami jak jeże, narodowy owoc wyspy. Zieleń wydawała jednostajny bzyczący szum, pośród roślin uwijały się setki owadów. Było parno i gorąco, ale powietrze, inaczej niż w stolicy Indii, wydawało się czyste, przejrzyste i zdrowe.

Na taras wyszedł dyplomata.

– Stanisław Chaberka, miło mi.

Podał serdecznie dłoń. Wskazał miejsce na rattanowym leżaku. Radek się przedstawił i szczerze zapytał:

– Przepraszam, jak mam się zwracać, ekscelencjo czy panie ambasadorze?

– Mów mi Staszek. – Gospodarz się uśmiechnął. – Czego się napijesz? Wciąż lubię wódkę, może być?

– Jasne!

Chaberka przyniósł zmrożoną wyborową, podał ją z lodem i cytryną. Młody gość się ucieszył, że ma co trzymać w ręku podczas trudnej rozmowy. Nie peszył się już jak dawniej, lecz alkohol ułatwiał zadanie. Upił, pochwalił drinka, zapalił, rzucił pochwałę pod adresem ogrodu i dopiero wymienił nazwisko ojca Janka.

Ambasador pokiwał głową. Radek został mu już zaanonsowany przez znajomego znajomych, ale kiedy usłyszał, że ma pomóc w ucieczce z więzienia, spąsowiał.

– Zdajesz sobie sprawę, że właśnie proponujesz polskiemu urzędnikowi współudział w przestępstwie?

– Nigdy bym nie śmiał. – Radek się speszył. Myślał, że ojciec Janka już w zasadzie załatwił sprawę. – Muszę pomóc przyjacielowi! Wiesz, to taka młodzieńcza przygoda...

Opowiedział w skrócie historię ich przylotu i kariery między Indiami i Singapurem. Ambasador słuchał, ale widać było, że sztama i przyjaźń polskich przemytników do niego nie przemawiają. Dopytywał jednak o szczegóły, zawsze warto wiedzieć, kim są ten Szewc, Peter Cheater, Muzyk, Prezes i inni polscy obywatele na terenie państwa, w którym obecnie pracował. Radek uznał, że musi grzecznie odpowiadać na wszystkie pytania, jego wiedza może być kartą przetargową w sprawie pomocy Jankowi. Poza tym w sumie miło się gadało w pięknym ogrodzie, przy skrzętnie polewanej krajowej wódce.

Słońce zachodziło, kładło cienie na rozmówcach i tropikalnej zieleni, owady jakby głośniej szumiały dookoła. W drzwiach willi pojawiła się Anna Chaberka, przysiadła się do stolika. Radek wstał, ukłonił się i przedstawił, cmoknął nawet panią domu w rękę, ale nie wiedział, czy może przy niej kontynuować rozmowę.

Ambasador westchnął i zachęcił chłopaka do mówienia. Żona paliła swoje długie cienkie papierosy, słuchała i przypatrywała się badawczo Radkowi.

– To kiedy wpadł ten twój Janek, syn pułkownika, znajomego mojego dobrego znajomego?

Radek opowiedział o Złotym Pociągu. Chaberkowie spojrzeli na siebie, jakby zmieszani. Pani Anna zapytała:

– To ten chłopak z blizną na czole?

Usłyszała potwierdzenie.

– Widziałam w telewizji w Indiach – wyjaśniła trochę zbyt głośno i gwałtownie. Zamilkła, po czym dodała: – Jeszcze niedawno tam pracowaliśmy. Zostaniesz na kolację! Na pewno coś da się zrobić, prawda, kochanie?

Położyła dłoń na kolanie Staszka. Ambasador zapalił papierosa i pokiwał głową.

Anna opuściła towarzystwo. Słyszeli, jak wydaje polecenia służbie i sama krząta się w salonie. Po chwili przeprosił również jej mąż i zostawił gościa samego na tarasie. Radek miał wrażenie, że państwo ambasadorostwo o coś się sprzeczają, lecz nie rozróżniał słów. Potem zapadła cisza, a w oknie na piętrze pojawił się cień sylwetki pana Chaberki. Gość dostrzegł, że ambasador długo rozmawia przez telefon.

Radek siedział już z Anną przy stole i usiłował prowadzić swobodną konwersację o pogodzie, ale Chaberkowa, podobnie jak jej mąż, była ciekawa przemytniczego życia Polaków w Singapurze. Opowiadał więc, wciąż pojony alkoholem, aż ambasador zszedł do jadalni. Upewnił się, że pomoc domowa ma już wolne, po czym rozpoczął:

– To nie może wyjść poza ten pokój, rozumiesz?

Jeszcze sprawdzał, czy młody biznesmen wie, w czym uczestniczy, ale nie rozmawiał już z byłym basistą Radixem ani z przewalaczem Radem, tylko z panem Radosławem, poważnym importerem komputerów dla państwowej firmy. Tak, gość wiedział, w co się pakuje, przyzwyczaił się już do azjatycko-polskich spisków, a Chaberka, wytrawny gracz, znał się na ludziach.

– Wykonałem parę telefonów, sam nie wierzę, że to robię. – Ambasador grał uczciwego człowieka zmuszonego do przekroczenia swoich zasad.

Może zresztą naprawdę tak było? Może to wyrzuty sumienia jego żony kazały mu pomóc chłopakom ze Szczecina? Zresztą czasy się zmieniły, „Solidarność" właśnie wygrała wybory w kraju, komunizm upadł i trzeba było działać zupełnie innymi metodami, nauczyć się nowych reguł sztuki, nawiązać – przy okazji tej sprawy – kontakty z zupełnie innymi ludźmi. Chaberka spojrzał jeszcze raz na żonę, znów westchnął, żeby podkreślić, jakim ciężarem go obarczono, i dokładnie wytłumaczył Radkowi, na czym będzie polegało jego zadanie. Chłopak słuchał i potulnie kiwał głową. Na koniec upewnił się tylko:

– Ten jeden raz, tak? I nigdy więcej?

– Tak – zgodnie potwierdzili Anna i Stanisław.

Ambasador dodał:

– Obiecuję!

Magda i Radek siedzieli w restauracji niedaleko miejsca, gdzie dwa lata wcześniej opowiadał Jankowi o parowcach, Conradzie i Lordzie Jimie. Miało być romantycznie, więc zaprosił ją na lunch, ale w końcu nie zamówili nic do jedzenia, rozmowa się nie kleiła. Był zdesperowany, w końcu spytał wprost:

– Wyjedziesz potem ze mną?

– Dokąd?

– No, do Polski. „Proszę Państwa, czwartego czerwca tysiąc dziewięćset osiemdziesiątego dziewiątego roku skończył się w Polsce komunizm"?

Magda nie wyczuła dowcipu. Patrzyła gdzieś w bok, na czubki palm lekko poruszane bryzą od morza. Dopiero po chwili spojrzała na Radka.

– Nie chcę nigdzie wracać. Nie mam dokąd wracać...

– Nawet rolls royce'em, ze mną?

– Po co ci ta Polska? Zostań tutaj, wtedy zobaczymy... W ogóle myślę, że nie powinieneś w to wchodzić. Co oni tam zapakują? Radek, to już nie jest złoto, to jakieś narkotyki! Opowiadałeś mi, jak elektronika zamieniła się w złoto, zaskoczyli cię tym, a teraz? To jeszcze większe przestępstwo! Level, jak to mówisz.

– No nie wiem. – Znów musiał ją uspokajać, a tak naprawdę samego siebie. – Nie chcieli mi powiedzieć wprost, ale gdyby chodziło o heroinę, to cumowalibyśmy w Bangkoku raczej? Z Bombaju to marihuana, haszysz?

– Nie znam się, Radek, to nie mój świat. Ja studiuję sinologię i antropologię kultury, człowieku! Nie pytaj mnie!

– Jasne, sorry. Muszę to zrobić, dla Janka.

– Że ty się z nim minąłeś! Gdybyś zdążył, nie byłoby tej przeklętej sprawy. Nie mogłeś jechać na lotnisko?

– Już ci mówiłem, był po drugiej stronie, nie zdążyłem. – Radek rozłożył bezradnie ręce, usiłował nie patrzeć jej w oczy.

– Wytrzyma jeszcze trochę w tym więzieniu, przesadzasz, to jakaś histeria. Przemycać narkotyki, żeby przyjaciel szybciej wyszedł? Uciekł? To jakieś... nieproporcjonalne? Zostaw to wszystko, te wasze SPRAWY, Polskę, kasę, weź się uwolnij, zamieszkaj tutaj, ze mną... Nic nie obiecuję, nadal słabo się znamy, ale ok, dajmy sobie szansę.

– Magda, kocham cię, ale muszę to zrobić. Daj mi chwilę. Popłynę i zamknę sprawę z Jankiem, wiesz, całą przeszłość, zamknę ją i nie będzie już ważna. Wrócę do ciebie, poczekaj...

Nie śmiał prosić o romantyczny pocałunek – obietnicę. Zapłacił za ich kawy i wyszedł. Był już spóźniony do portu.

Ściany małego biura firmy Pol-Sing nad Cieśniną Singapurską oklejone były starymi reklamami PRL-owskich przedsiębiorstw handlu zagranicznego i produktów Rolimpexu. Zdjęcia kiszonych ogórków wisiały nad pudłami ze sprzętem komputerowym, paki zapełniały całą przestrzeń. Marynarze z polskiego statku stojącego na redzie przenosili je delikatnie do kontenera, pod czujnym okiem eksportera, pana Radosława. W końcu elektronika wypełniła cały metalowy boks, taką ilość towaru wysyłał do ojczyzny po raz pierwszy. Kontener został zaplombowany przez singapurskich celników i załadowany, Radek także musiał wejść na pokład. Frachtowiec „Mieszko" odcumował i popłynął do Bombaju, a Radek przez całą drogę pił z marynarzami. Zżerały go nerwy. Zamiast delektować się widokiem brzegów Malezji po lewej stronie i indonezyjskiej Sumatry po prawej, obiecywał sobie, że nigdy więcej nie popełni podobnej głupoty.

Między portem Aceh a Archipelagiem Andamańskim miał już strasznego kaca, a u południowych wybrzeży Cejlonu postanowił przestać pić, żeby przygotować się na kolejny trudny moment –

wizytę w porcie w Bombaju. Na Morzu Lakkadiwskim, na południe od najdalej na południe wysuniętej części Indii, miasta Komoryn, drżały mu już ze zdenerwowania nogi, więc znów zaczął popijać, ale bardziej wstrzemięźliwie.

Bombaj wciąż nazywano jak w czasach kolonialnych, nacjonaliści nie wpadli jeszcze na pomysł przemianowania stolicy stanu Maharasztra na Mumbaj. Mieszkało tam „tylko" dziesięć, a nie dwadzieścia milionów ludzi, jak obecnie. Od morza miasto wyglądało zupełnie inaczej niż podczas wizyt Radka na Colabie. Monumentalną Bramę Indii na brzegu, tuż obok hotelu Tadż Mahal, widział z daleka; znany mu świetnie budynek Clark House, gdzie urzędował Hindus Staś, przesłaniały dźwigi, nabrzeża i slumsy tłoczące się na każdym wolnym skrawku ziemi. Od strony zatoki nie było widać plaż przy Marine Drive ani wysepki z meczetem Hadżiego Alego, gdzie dotarł kiedyś po przekazaniu złota, odpoczywał i bawił się w turystę. „Mieszko" nie wpływał w głąb zatoki, nie istniał wtedy jeszcze nowy port na zachodnim wybrzeżu, u ujścia Thane, w dzielnicy Nawi Mumbaj. Zacumowali niedaleko starej Colaby, od strony fortu, ale oddzieleni od angielskich ulic redą, dokami i wysokim płotem. Oficjalnie nikt nie schodził na ląd, nikt nie wchodził, trwał załadunek kolejnych kontenerów z herbatą, bawełną i innymi towarami.

Po zapadnięciu zmroku na pokład wdrapał się jednak Hindus Staś z paroma pomagierami, wszyscy obarczeni wielkimi pakami. Powitał kolegę przemytnika z otwartymi ramionami, ale Radek był zbyt przejęty sytuacją, by cieszyć się ze spotkania. Bąknął tylko:

– Jak tam u ciebie, na Colabie? Po staremu?

– Stare czasy już nie wrócą. – Staś poklepał Radka po ramieniu. – Bracie, wolisz nawet nie wiedzieć, jaki teraz jest Bombaj! Wczoraj ostrzelano mi sklep, dziś moi ludzie musieli się zemścić. Gra idzie o jeszcze większe stawki. Zobaczysz, u was będzie tak samo! Wideo, złoto? *To se ne vrati?* Tak mówicie?

– To po czesku, ale nieważne...

– Ważne, ważne, ale trzeba się brać do roboty.

Radek wolał nic nie widzieć i szybko zamknął się w kajucie z marynarzami. Musiał im postawić wiele butelek jasia wędrowniczka, by przymknęli oko na akcję Stasia. Dawny hurtowy odbiorca drobnego przemytu, który przed laty namówił Szewca na duży biznes, wskoczył na wyższy level Donkey Konga i nie tracił czasu. Jego ludzie sprawnie, ale po cichu, otworzyli kontener z komputerami, a Hindus osobiście otwierał pudła i pakował swoją przesyłkę obok twardych dysków. Dziwił się, ile pustego miejsca pozostawiają w swoich produktach handlarze elektronicznych mózgów.

Po skończonej operacji firmowe opakowania zostały na nowo zaklejone naklejkami nieróżniącymi się od fabrycznych, w końcu drukowanie fałszywych metek, kodów i tym podobnych praktykowano już od lat. Kontener elegancko zaplombowano kopiami singapurskich pieczęci.

O świcie frachtowiec „Mieszko" był już na pełnym morzu. Radek nie zdążył nawet pożegnać się z Bombajem, spał jak zabity, ocknął się dopiero na środku Morza Arabskiego. Całe życie marzył o rejsie przez Kanał Sueski, Morze Śródziemne, Gibraltar, Morze Północne, aż do Polski, ale zamiast cieszyć się podróżą, palił i pił, wpatrując się bezmyślnie w widnokrąg, w brzegi Omanu i Jemenu, linię Sokotry, Zatokę Adeńską, zwężenie między Dżibuti a Arabią Saudyjską, skrawek ziemi pod nazwą Hanisz, wzdłuż Erytrei. Zamiast napawać się czarem Morza Czerwonego, zajmował się swoimi wyrzutami sumienia aż do wejścia do Kanału Sueskiego. Dopiero tam, kiedy „Mieszko" czekał na swoją kolej, a załoga dostała pozwolenie na krótkie zejście na ląd, eksporter komputerów z wsadem mógł wykonać na osobności telefon do New Delhi.

Po długim oczekiwaniu na połączenie usłyszał pośród szumów i trzasków głos Akala. Tak, wszystko poszło zgodnie z planem. Kiedy tylko nowy, nielegalny towar trafił na pokład w Bombaju, Staś wykonał swój telefon do kolegów w stolicy. Wysoko postawieni ludzie z kół mafijnych i rządowych nie czekali, aż statek dopłynie do Polski – tak uzgodniono w dealu. Janek chciał być za murem jak najszybciej, a nie po miesiącach, kiedy fracht dotrze do portu w Gdańsku. Radek własną głową odpowiadał więc za bezpieczeństwo rejsu, a jego partner został furgonetką o zakratowanych oknach przewieziony z więziennego szpitala poza mury Tihar. Przekupieni lekarze zgodnie twierdzili, że jego stan zagraża życiu i pacjent musi się leczyć w lepszych warunkach.

W jednoosobowej salce w szpitalu w centrum Delhi Janek szybko doszedł do siebie. Pod drzwiami stał oczywiście tamilski policjant, zapałczana głowa, jak mówili o nich Polacy. Kiedy otrzymał swoją dolę, zwolnił się z pracy i ulotnił do rodzinnej wioski. Akal podjechał z wózkiem inwalidzkim i przeflancował Janka na parking, przygotowany samochód ruszył prosto pod granicę z Nepalem. Tam, z nowym paszportem, Janek wreszcie jako Johny, a nie Cygan, książę z Polski, przekroczył granicę himalajskiego królestwa. Jego oryginalne papiery w Tihar Jail gdzieś się zawieruszyły, taki Polak nigdy nie był lokatorem więzienia.

Łapówki kosztowały fortunę. Radek wydał wszystkie pieniądze zgromadzone w Pekao i większość z tego, co trzymali z Jankiem w skrytce w Singapurze. W dodatku musiał przypilnować, żeby kontener w Gdańsku otworzyli najpierw ludzie z nowej, krajowej mafii. Przypominali mu Bodzia, może nawet byli na imprezie u Magdy w 1984 roku i wciągał z nimi amfę w toalecie willi Kowalskiego.

– Siema, człowieku, my się znamy. Lewy jestem, pamiętasz? – Jeden z gangsterów w skórzanych kurtkach rozwiał jego wątpliwości. – Co tam u twojego bossa, Janka?

Radek się skrzywił. Z dawnym kolegą byli równorzędnymi współwłaścicielami Szczecinexu. Przyjął jednak papierosa i zaczął opowiadać o wpadce i długim pobycie Janka w „sanatorium". Lewy ze współczuciem kiwał głową, a jego koledzy na stronie opróżniali komputery z dodatkowego wsadu.

– Powiem ci, że wy to chyba pechowcy jesteście, nie? Jak wtedy na tej imprezie, cośmy się poznali, nie? Jak rozpierdoliliście tę furę.

– Jakie rozpierdolili, lekkie wgniecenie! – żachnął się Radek. – Nic się nie stało, wróciliśmy na luzie, tylko wódki nie dowieźliśmy. – Zaśmiał się, usiłując obrócić wszystko w żart.

– Ty chyba nieźle byłeś dziabnięty, co? Widziałem to „lekkie wgniecenie", ale chuj, nikomu nie powiedziałem. A było co mówić, bo trafiliście takiego jednego, może nie kolegę, ale znajomka, ode mnie, no, z mafii, znaczy się.

– Jak to? – Papieros wypadł Radkowi spomiędzy palców, musiał szybko zadeptać niedopałek na ziemi.

– Janek ci nie powiedział? Kurwa, wy to macie tajemnice, nie powiem.

Lewy odszedł na stanowisko rozpakowywania, ale koledzy dali mu znać, że jeszcze chwila roboty. Wrócił i znów usiadł przy Radku, tak blisko, że pan importer poczuł broń u pasa starego znajomka. Gangster znów zajarał, ale zapomniał poczęstować dostawcę komputerów, a jemu podczas rejsu skończyły się papierosy.

– Oświecę cię, człeniu. Wpadliśmy na imprezę, bo akurat mieliśmy robotę w mieście. Bodzio ją naraił, zresztą szkoda chłopaka, ale taki, kurwa, los. Dostaliśmy takiego jednego do pomocy, ni brat, ni swat, tylko praca razem. Po robocie koleżka poszedł w tango, oddzielnie. My na zaproszenie Bodka do tej waszej Magdy, a tamten zniknął. Wracaliśmy już z balanżki, patrzymy, a on leży pod ciemną latarnią, samochód go walnął. Skojarzyłem, dwa plus dwa dodałem, niechcący nam kolegę puknęliście. No i chuj. Nie ma o czym mówić. Teraz to już zupełnie kwita jesteśmy. Nara.

VIII. Epilog

Mieszkam w wysokiej wieży,
Ona mnie obroni.
Nie walczę już z nikim,
Nie walczę już o nic.

Sztywny Pal Azji, *Wieża radości, wieża samotności*

Gate closed

Nigdy więcej nie zobaczyłem Jasia, choć zostałem jeszcze długo w Azji. Wielka wpadka na „złotej trasie" w 1989 roku nie zatrzymała przemytu. Wręcz przeciwnie, straty należało odrobić, więc na szlaku przez Katmandu znów zrobiło się tłoczno, ale mnie już tam nie było. Dopiero dzięki książce, którą po latach napisał Han Solo (jak przewidział Szewc), dowiedziałem się, że niejaki Fellini, którego wcześniej nie znaliśmy, rzucił torby z towarem, odepchnął policjantów i uciekł, zdołał się wymknąć obławie. Jeśli to prawda, mój przyjaciel Janek nie był wcale takim twardzielem, za jakiego chciał uchodzić, albo – z moją „pomocą" – szedł już na spotkanie swojego przeznaczenia, bez związku z życiem przemytnika czy biznesmena.

Zawiadomieni przez Felliniego ludzie z jego firmy wsiedli na Pahargandżu w taksówkę do Gorakhpuru. Jechali prawie osiemset kilometrów, żeby ostrzec kolejnych Polaków, ale nie zdążyli. Gdyby ich kierowca jechał szybciej, bardziej brawurowo, może Janek nie trafiłby do Tihar Jail, ale wtedy nie zostałby ascetą, nie złożyłby ślubów czystości, nie osiadłby w Himalajach i nie poświęciłby się medytacji nad złudnością życia, z dredami do pasa.

Kiedy przyleciałem z Gdańska do Singapuru, Magdy nie było w dawnym mieszkaniu i nie mogłem jej odnaleźć. Nikt z przewalaczy nie rozmawiał oczywiście o moim rejsie, nie mieli o nim pojęcia, nadal dyskutowali o Złotym Pociągu. Usłyszałem, że polskie firmy oskarżyły między innymi Petera Cheatera o spowodowanie wpadki. Nie wierzyłem w to i chciałem sprawdzić pogłoski, bo choć nie znałem Piotra, dużo o nim słyszałem w naszym środowisku i miałem o nim dobre zdanie. Prawdę mówiąc, zawsze marzyłem, żeby nie pracować dla Szewca, tylko dla niego.

Petera udało mi się poznać bliżej dopiero po latach, w jego rodzinnej Bydgoszczy, na jednym z rzadkich zlotów „starych wiarusów", i usłyszałem, że jako jedyny przeczuwał niebezpieczeństwo. Tłumaczył mi, że Polaków w pociągu było zbyt wielu i zachowywali się nieprofesjonalnie: pili, imprezowali, rozrabiali. Twierdził, że Janek i inni byli amatorami, po przekroczeniu granicy wydawało im się, że są już bezpieczni, nie potrafili do końca zachować czujności. A Peter Cheater minimalizował wtedy ryzyko, sprzedając złoto już w Nepalu. Na jednej toli zarabiał mniej niż Firma, przebitka była mniejsza niż w Indiach, przerzucał za to znacznie więcej żółtka i nigdy nie wpadł. Mówił, że feralnego tygodnia jego wieszaki sprzedały w Nepalu trzydzieści kilogramów złota. Dalej jechały puste kamery, w Katmandu nikt już nie chciał ich kupować, ale za elektronikę nie szło się do więzienia Tihar. Poza tym współpracownicy Piotra, zaniepokojeni atmosferą w Złotym Pociągu, wysiedli jeszcze przed główną stacją w Delhi. W biznesplanie Petera zyski wynikały z dużego obrotu i małego ryzyka, dlatego działał między Singapurem a New Delhi aż do 1994 roku. Potem wrócił na stałe do Bydgoszczy.

Jeśli to indyjska mafia spowodowała wystawienie polskich szmuglerów agentom celnym, musieli później kontynuować podróże już pod jej opieką i płacić haracz. Nie mam na to dowodów, lecz Akal miał rację: nie dało się na dłuższą metę kontynuować tego biznesu bez szerszej współpracy z lokalnymi przestępcami. Niektórzy Polacy weszli ze Stasiem Hindusem w duże, masowe przerzuty przez granicę z Pakistanem i statki płynące z Dubaju do Bombaju. Zarabiali miliony dolarów, potem trafiali do Tiharu i je tracili, ale wciąż opłacało się przemycać złoto.

W 1987 roku na prywatnych kontach walutowych Polaków znajdowało się około dwóch miliardów dolarów, a prawdopodobnie drugie tyle trzymano poza bankami. Skąd się wzięły? Z handlowej turystyki w demoludach? Z bazarów Stambułu, ze Skry, ze wszystkich tras drobnego i większego przemytu ćwiczonych przez długie lata? Czy jednak z Singapuru? W 1996 roku obywatele trzymali w polskich bankach już około dziesięciu miliardów dolarów. Moim zdaniem wpłacali je ludzie tacy jak my, szukający swojego złotego runa, swojej Kolchidy. Na szlakach handlu całego świata zbudowali początki polskiego kapitalizmu, położyli kamień węgielny pod wejście do NATO i Unii Europejskiej.

W 2017 roku wybrałem się do Muzeum Sztuki Nowoczesnej w Warszawie, ponieważ w internecie poszła fama o wystawie, na której jest sporo o naszym środowisku. Sakar, pozostańmy przy tej wersji nazwiska, w wywiadzie nagranym do ekspozycji „Sklep Polsko-Indyjski" opowiadał, jak handlował drobnicą z Polakami. W tej i innych rozmowach nigdy nie przyznał się do udziału w intratnym przemycie elektroniki i złota, dużo mówi za to o rządowych nagrodach i że dostał je jako legalny importer-eksporter.

Ślady jego wcześniejszego procederu zachowały się nie tylko we wspomnieniach moich, Hana Solo i innych wieszaków, lecz także w sieci. Pomimo papierowej indyjskiej biurokracji większość dawnych wyroków sądowych została zdigitalizowana i można je znaleźć w internecie. Także ten skazujący Sakara za złamanie COFEPOSA, ale na jego usprawiedliwienie trzeba dodać, że policja i DRI nie patyczkowały się z nim tak jak z nami, białasami. Jeśli to właśnie on wyśpiewał agentom wszystko, co chcieli wiedzieć, to dlatego, że był bity i torturowany. Myślę, że zatrzymali go dyskretnie, tuż przed Złotym Pociągiem, tak że nikt z przewalaczy o tym nie wiedział.

Został szybko zwolniony i zarobione przez lata pieniądze zainwestował, tak jak zapowiadał, w budowę hotelu Prince Polonia, przy dawnym kinie Imperial, blisko miejsca, gdzie kupowaliśmy z Jankiem betel do żucia. Podobno Peter Cheater pożyczał Sakarowi pieniądze, kiedy fundusze nie wystarczały na założenie basenu na dachu. Dzięki tej inwestycji Polacy mogli na Pahargandżu spać i pływać jak w Singapurze.

Nie bywałem już wtedy w New Delhi. Latałem bezpośrednio z komputerami pomiędzy Miastem Lwa a Polską. Wiem, że ostatnio Sakar sprzedał hotel. Nowy właściciel zmienił nazwę i obsługuje przede wszystkim handlarzy z republik postsowieckich. Na Pahargandżu po polsku mówią już tylko starzy sprzedawcy, za to większość kupców nauczyła się rosyjskiego.

Zmieniły się kierunki i sieci drobnego handlu, ale do Indii wciąż szmugluje się ponad tysiąc ton złota rocznie, ponieważ krajowe złoża cennego kruszcu nie wystarczają, aby zaspokoić lokalne potrzeby. Politycy nadal uważają, że słabość rupii nie pozwala na wolny obrót złotem. Ekonomiści twierdzą, że gdyby znieść cła zaporowe, każdy obywatel wolałby trzymać oszczędności w sztabkach i tolach, a nie banknotach z Mahatmą Gandhim, i polityka pieniężna kraju by się zawaliła, nastąpiłby wielki ekonomiczny krach. Kultura i obyczaje subkontynentu pozostały takie same jak w latach osiemdziesiątych XX wieku i tysiące lat wcześniej. Panna młoda z zamożnej rodziny nie wystąpi na weselu bez kilogramów błyszczącej biżuterii. Bez złota nie mogą prawidłowo funkcjonować tradycja i społeczeństwo, więc do dziś szmugiel jest bardzo intratnym zajęciem. Parają się nim biedni rybacy u wybrzeży Morza Arabskiego i Oceanu Indyjskiego, rolnicy na granicach lądowych, stewardesy na międzynarodowych lotniskach, afrykańscy emigranci. My też tworzyliśmy historię Indii i Polski.

„Każdy kiedyś wraca" – powiedziała mama Grażyny, i miała rację. Przyjechałem na stałe do Polski pozornie odmienionej, choć w rzeczywistości takiej samej jak wcześniej, dla mnie trochę innej, ponieważ byłem dorosły i przywiozłem dużo pieniędzy. Miałem co najmniej sto tysięcy dolarów, tak zwaną dużą cegłę. Zarobiłem ją nie na żółtku, lecz na „maszynach liczących" dla Redaktora i innych kontrahentów. Od narkotyków trzymałem się z daleka, złota nie dotykałem, bałem się, ale to, co zarabiałem z *joint venture* mojego pierwszego klienta, inwestowałem we własny biznes.

Ustawy Wilczka, drugi etap reformy, były najbardziej liberalnymi przepisami gospodarczymi w historii Polski. Nawet po wstąpieniu do Unii Europejskiej takich nie mieliśmy; wręcz odwrotnie, wtedy właśnie zaczęły upadać stare, porządne biznesy z korzeniami w latach dziewięćdziesiątych i zalały nas zachodnie korporacje. Akal po 1989 roku sprowadzał do nas ogromne ilości towarów, zaopatrywał większość „India shopów" wyrastających wtedy jak grzyby po deszczu. Mówił mi, że podobnie stało się w jego ojczyźnie. Międzynarodowe firmy z ogromnymi szwalniami i centra handlowe wykończyły drobnych kupców z Pahargandżu, tak jak małe sklepy w Polsce. Nie o taki kapitalizm walczyliśmy.

Wróciłem do Szczecina w 1993 roku, kiedy weszła w życie tak zwana ustawa antypiracka, a dokładnie o nieuczciwej konkurencji, w tym ochronie znaków towarowych. Umożliwiła władzom wszczęcie walki z podróbkami i włączyła nas w globalną, liberalną gospodarkę. Moje komputery z Singapuru były legalne i markowe, ale wiedziałem, że multikorporacje zaczną otwierać własne firmowe sklepy w Polsce. Nie miałem z nimi szans, a potrzebowali doświadczonych ludzi, więc oficjalnie zostałem „przedstawicielem handlowym", choć tak naprawdę nie musiałem już pracować. Kupiłem dom pod miastem, jeździłem mercedesem, samotnie piłem whisky, czasem na zagrychę wciągałem kokainę, w nowych czasach nie wypadało kupować amfy. Słuchałem płyt, które przywiozłem z Singapuru. Brałem czasem fuchę jako *consultant*, ale na mieście panował chaos i ciężko było mądrze doradzić oszołomionym ludziom z Zachodu. Młode wilki szalały, rozbijały się jeepami i motocyklami, całkiem jak w tym filmie, mafia zbierała haracze od wszystkich. Lepiej było się nie wychylać.

Parę miesięcy później leżałem na wielkiej kanapie przed jeszcze większym telewizorem. Miałem kaca, więc otwierałem kolejne piwo EB, kiedy w wiadomościach zobaczyłem Szewca. U boku tego dziennikarza, który napisał słynny tekst w „Polityce", i jeszcze jednego faceta, jego nie znałem nawet ze słyszenia, przecinali wstęgę na otwarcie banku. Nazwy nie mogę zdradzić, nie chcę mieć kłopotów, nie będę się pchał pod nóż prawników. Powiedzmy Lucky Bank, to ładne, oni rzeczywiście mieli szczęście. Obok „persony", świetna ksywka, przypomniała mi się rozmowa z Czarną Marią, stał „przedstawiciel Polonii z Australii". Jaki Polonus z kraju kangurów, skoro Szewc dzięki ślubowi z Mej dostał singapurskie obywatelstwo? Człowiek sukcesu, wzór do naśladowania – komentowano w telewizji, później także w gazetach – przykład dla milionów Polek i Polaków. Oszałamiająca kariera, lata wyrzeczeń i ciężkiej pracy, międzynarodowe wykształcenie? Boss Szewc? Natychmiast został człowiekiem roku według jednych, dostał dyplom uznania od innych, *honoris causa* z uniwersytetu, zaczęło się szaleństwo na punkcie mojego dawnego szefa oraz jego wspólników. Rolls royce'em objeżdżali kraj. Przypomniało mi się, jak Magda się odgrażała, że nawet takim samochodem nie wróciłaby do Polski. Na widok dobroczyńców z Lucky Banku tłumy wiwatowały, a biskupi błogosławili, ponieważ tych „trzech sprawiedliwych" obiecywało złote góry i deszcze, lepsze życie, kredyty za półdarmo, wielkie pożyczki, które miały ożywić gospodarkę.

Szewc nosił telefon komórkowy Centertel i walizeczkę, białe skarpetki i mokasyny. Singapurski nuworysz pasował do epoki turbokapitalizmu. On i jego wspólnicy tworzyli lotną brygadę finansowego zbawienia, wpłacali na fundacje pomocy dzieciom, a ja siedziałem przed telewizorem, kupowałem gazety i kolorowe czasopisma, śledziłem ten cyrk i nie mogłem się nadziwić. Do momentu śmierci Szewca. Zmarł nagle, w wannie, oficjalnie na zawał serca, ale „w tajemniczych okolicznościach", choć śledztwo nic nie wykazało. Dla mnie było zupełnie jasne, że założyciel Lucky Banku nie znał polskich realiów, wszedł w konflikt z mafią, a ta wykończyła konkurenta.

Pewnego wieczoru za dużo wypiłem i wciągnąłem, więc wyobraziłem sobie, że właścicielką Lucky Banku jest Magda. Martwy Szewc otwiera przed nią drzwi, a ona króluje tu, w Szczecinie, macha do nas ręką i sypie złotym konfetti. Zasnąłem nad ranem, śniło mi się, że moja licealna miłość, wciąż piękna, choć już dojrzała, elegancka kobieta, jeździ rolls royce'em po Szczecinie, sprawia cuda, leczy śmiertelnie chorych. Jest szczupła, ubrana na czarno, przez ułamek sekundy spogląda prosto w kamerę – mój sen przyjął formę telewizyjnego reportażu – i mam wrażenie, że patrzy na mnie oraz chłopaków. Przekazuje coś mnie, Jankowi, Maćkowi, który zaćpał się w Berlinie Zachodnim, Bodziowi, którego odstrzelili koledzy z konkurencji gdzieś w Trójmieście. Przekazuje sygnały nawet Mordzie, choć on żyje, ma gospodarstwo rolne na Pomorzu, gra na bębnach i niańczy gromadkę dzieci. We śnie nie mogłem odgadnąć, jakie to znaki, obudziłem się ze strasznym kacem.

W połowie lat dziewięćdziesiątych internet dopiero raczkował, ale jako specjalista od komputerów miałem w domu sprzęt podłączony do linii telefonicznej. Zacząłem szukać informacji o Magdzie i znalazłem, tym razem odszukałem ją wirtualnie. Skończyła sinologię i wciąż mieszkała w Singapurze, wyglądało na to, że robi wielką karierę naukową. Parę lat później, w epoce portali typu Nasza Klasa, a później Facebooka, dowiedziałem się, że wyszła za mąż, nazywa się Magda K. Lee, ma dwoje pięknych, lekko skośnookich dzieci z innym profesorem singapurskiego uniwersytetu. Jest specjalistką od historii kupców chińskiego pochodzenia, którzy w Mieście Lwa i na wyspach Indonezji stworzyli przez setki lat odrębną, eklektyczną kulturę. O ile wiem, nigdy nie przyjechała do Polski.

Pod koniec lat dziewięćdziesiątych matka Janka zmarła z przepicia. Mój dawny przyjaciel nie przyleciał nawet na pogrzeb, nie utrzymuje też kontaktu z ojcem. Ostatnio słyszałem na mieście, że pułkownik na skutek ustawy dezubekizacyjnej stracił prawo do większości emerytury, ale dzięki oszczędnościom jakoś sobie radzi.

Z internetu dowiedziałem się, że szef konkurencyjnej firmy z lat osiemdziesiątych, niejaki Prezes, został aresztowany w Australii i skazany na długoletnie więzienie za próbę nielegalnego wwiezienia do tego kraju pół miliona dolarów. O Magellanie, Czarnej Marii, Mikisie, Marku i innych słuch zaginął. Nie chcą opowiadać o własnych przygodach z dawnych lat.

Jola wróciła do Polski parę lat po mnie, wzięliśmy ślub, przestałem chlać i marnować pieniądze na kokainę. Dla niej rzuciłem nawet palenie, więc trochę utyłem, ale dużo jeżdżę na rowerze. Ona prowadzi butik, tak jak chciała, ale żyjemy przede wszystkim z moich procentów w banku, z oszczędności. Wystarcza, żeby nasze dzieci uczyły się w dobrych, prywatnych szkołach. Właśnie skończyły osiemnaście lat i z tej książki dowiedzą się o mojej bujnej przeszłości, której przestaję się wstydzić. Jola rozumie, dlaczego co roku w maju dopada mnie chandra, schodzę do piwnicy, gdzie zainstalowałem najnowsze dolby super surround i słucham. Nie, nie Pink Floyd. Puszczam stary utwór Perfectu, „Jedno z tych pięknych miast. Nie ma sprawy Magdy K.". Może dzieci też zaakceptują moje coroczne załamania nerwowe.

Jeśli wypiję o jedno piwo za dużo, to, przyznaję, dopada mnie chwila słabości i podglądam w internecie Magdę K. Lee. Nie śmiem zostać jej znajomym na Facebooku, więc tylko czasem jest mi dane obejrzeć oficjalne zdjęcie z jej kolejnego wykładu uniwersyteckiego, niewiele z tego rozumiem. Magdzie stuknęła pięćdziesiątka, tak jak mnie, ale nadal świetnie się trzyma. Patrząc głęboko w jej oczy na zdjęciu, biorę znów do ręki gitarę basową, na której grałem w Generacji, wiosło leży w mojej świątyni w piwnicy i pokrywa się kurzem.

Wycieram je i trzymam w rękach, po czym odkładam. Kurzy się dalej, aż do następnego majowego seansu, kiedy znów próbuję zagrać, ale nie mogę się przemóc i gitara nigdy nie wydaje dźwięku. Rano wsiadam na rower i wypacam wspomnienia.

Posłowie

Jakiekolwiek podobieństwo do prawdziwych osób jest przypadkowe i niezamierzone, ale książkę tę mogłoby otwierać także sformułowanie umieszczone na początku serialu *Narcos. Mexico*. Po polsku brzmiałoby mniej więcej tak: „Do napisania tej powieści zainspirowały mnie prawdziwe wydarzenia, jednak niektóre sceny, postacie, firmy, wydarzenia, lokalizacje i wydarzenia zostały sfikcjonalizowane dla celów dramatycznych". Innymi słowy, czytelniku, nie trzymasz w ręku reportażu. To *fiction*, nie zaś *non fiction*, chociaż ta książka nie powstałaby, gdyby nie długie badania, lektury i rozmowy z uczestnikami wydarzeń z lat osiemdziesiątych.

Punktem wyjścia do napisania *Prince Polonia* były poszukiwania, jakie prowadziłem wraz z artystą wizualnym Jankiem Simonem podczas przygotowywania wystawy w Muzeum Sztuki Nowoczesnej w Warszawie. Została tam zaprezentowana latem 2017 roku pod tytułem *Sklep Polsko-Indyjski*. Współfinansowali ją Instytut Adama Mickiewicza oraz partnerzy z organizacji indyjsko-polskich. Jestem im wdzięczny za pomoc. Drugą edycję wystawy, tym razem pod nazwą *Prince Polonia*, zorganizowaliśmy w nieistniejącym już niezależnym centrum sztuki Clark House Initiative w Bombaju, dzięki zaproszeniu Sumesza Szarmy. Jestem wdzięczny wszystkim w Indiach i w Polsce, którzy pomogli nam przy pracy oraz anonimowo lub pod własnym nazwiskiem wystąpili w filmach przygotowywanych na wystawę.

Zainspirowały mnie do napisania tej książki. Mam nadzieję, że Tomasz Kamiński spisze kiedyś własne wspomnienia. Szczególnie dziękuję naszemu przewodnikowi po Pahargandżu Rakeszowi Arorze oraz mojemu przyjacielowi od czasów pierwszej podróży na Wschód Simone'owi Carmignaniemu.

Pod koniec 2018 roku dzięki zaproszeniu dyrektora Stanisława Rukszy ekspozycja zawitała do Szczecińskiej Trafo Stacji Sztuki. Miałem okazję bliżej poznać miasto, jego mieszkańców, zaułki, parki, ulice, oraz jeszcze częściej spotykać się z tymi, których losy już wykorzystałem do stworzenia zarysów fikcyjnych biografii Janka i Radka. Szczególnie dziękuję Markowi, który mi zaufał i opowiedział o swoich przygodach. Wystawa spowodowała, że skontaktowali się ze mną kolejni „przewalacze" z lat osiemdziesiątych, między innymi Cezary Borowy (jego *Byłem przemytnikiem w Indiach* miałem przyjemność przeczytać jeszcze przed publikacją) oraz Piotr, znany jako Peter Cheater (jego wskazówki pozwoliły mi zwiedzać współczesny Singapur śladami lat osiemdziesiątych). Zaznaczam, że wszyscy oni czytali *Prince Polonia* przed publikacją i starali się pomóc mi w znalezieniu złotego środka między faktami a fikcją i dramaturgią powieściową. Nie wszystkie ich uwagi mogłem uwzględnić; ta książka, powtarzam, nie jest chronologicznie ułożonym obrazem kolejnych metod przemytu, choć z drugiej strony na przykład wszystkie kursy walut i okoliczności historyczne są całkowicie zgodne z ówczesną rzeczywistością.

Oprócz odbycia wizji lokalnych i rozmów przeczytałem także dziesiątki artykułów, książek, obejrzałem mnóstwo filmów fabularnych i dokumentalnych, programów telewizyjnych. Wszystkie te materiały w połączeniu z własnymi wspomnieniami pozwoliły mi odtworzyć szczegóły epoki na dwóch kontynentach. Dla zrozumienia historii Szczecina ważną lekturą było dla mnie *Między Stettinem a Szczecinem. Metamorfoza miasta od 1945 do 2005* Jana Musenkampa, któremu w żartobliwy sposób oddałem cześć w tekście. Oprócz licznych opracowań naukowych na temat PRL-u, w tym o prapoczątkach produkcji amfetaminy, inspirowały mnie pozycje bardziej popularne: *Tylnymi drzwiami* profesora Jerzego Kochanowskiego (z którym także rozmawiałem), *Księżyc z Peweksu* Aleksandry Boćkowskiej, *Wniebowzięte* Katarzyny Sulińskiej oraz *Duchologia polska* Olgi Drendy. Wątki dotyczące życia dyplomatycznego w New Delhi przed 1989 rokiem wiele zawdzięczają natomiast *Kamiennym tablicom* Wojciecha Żukrowskiego i uważny czytelnik to dostrzeże. Zaznaczam też, że jeden z narratorów mojej książki, Radek, „mówi" cytatami z Josepha Conrada, ale zabawę w zgadywanie którymi i kiedy pozostawiam odbiorcom.

Na wiele wątków obecnych w *Prince Polonia* uwrażliwiły mnie ostatnie lata spędzone na Wydziale „Artes Liberales" Uniwersytetu Warszawskiego. Był to owocny czas dzięki wszystkim wykładowcom i studentom. Kolejne wersje tej książki czytali na różnych etapach i komentowali, za co jestem im wdzięczny: Łukasz i Robert, Karolina i Tomek, Iza i Artur, Janek, Tadeusz. Za uwagi, bez których ta książka byłaby zupełnie inna, dziękuję mojej agentce Monice Regulskiej i wspaniałej redaktorce Magdalenie Jankowskiej. Hani Grudzińskiej dziękuję za wiarę w *Prince Polonia*, a Julii za możliwość pracy na łonie natury oraz inspirujące rozmowy. Na koniec największe podziękowania składam mojej partnerce Ani oraz Marysi i Brunowi.

Spis treści

WYDAWCA I REDAKTOR PROWADZĄCY Adam Pluszka
REDAKCJA Magdalena Jankowska
KOREKTA Anna Sidorek, Jan Jaroszuk
PROJEKT OKŁADKI I STRON TYTUŁOWYCH Anna Pol
OPRACOWANIE TYPOGRAFICZNE, ŁAMANIE
manufaktura | manufaktu-ar.com

ZDJĘCIE NA OKŁADCE © ukartpics / Alamy Stock Photo
ZDJĘCIE AUTORA © Weronika Ławniczak dla Vogue Polska

ISBN 978-83-66500-32-7

WYDAWNICTWO MARGINESY SP. Z O.O.
UL. MIEROSŁAWSKIEGO 11A, 01-527 WARSZAWA
TEL. 48 22 663 02 75
redakcja@marginesy.com.pl
www.marginesy.com.pl

WARSZAWA 2020
WYDANIE PIERWSZE

ZŁOŻONO KROJEM PISMA Geller Text

KSIĄŻKĘ WYDRUKOWANO NA PAPIERZE Creamy 70 g vol 2.0
DOSTARCZONYM PRZEZ Zing Sp. z o.o.
ZiNG

DRUK I OPRAWA Abedik S.A.